W. van der Marck

20/9/56

Über dieses Buch

Albert Schweitzer gibt in einfacher, klarer Sprache einen Überblick über die Grundgedanken und Kräfte seines reichen Lebens. Die Jugend im Elsaß und das theologische Studium in Straßburg – die Beschäftigung mit dem Orgelspiel und den Werken Johann Sebastian Bachs – Forschungen zum Abendmahlsproblem und dem Leben Jesu – Wanderjahre in Deutschland und Frankreich – der Wille „nicht nur der Wissenschaft und der Kunst zu leben, sondern sich einem unmittelbaren menschlichen Dienen zu weihen" und der Entschluß, Arzt zu werden – das Medizinstudium und die Gründung des Negerspitals in Lambarene – daneben Konzertreisen und wissenschaftliche Veröffentlichungen, die Herausgabe der Bachschen Orgelwerke und kulturphilosophischer Schriften: das sind die Stationen auf dem Lebensweg eines der wenigen universalen Menschen in unserem Jahrhundert. Schweitzers Buch ist mehr als eine Autobiographie. Es ist die glückliche Synthese einer Darstellung von den vielfältigen äußeren Lebensvorgängen eines großen Menschen und von den Gedanken und Maximen, die für die Entwicklung dieses Lebens ausschlaggebend waren. – Es ist eine Verpflichtung und Mahnung für seine Zeitgenossen.

ALBERT SCHWEITZER

+4-9-'65

AUS MEINEM LEBEN UND DENKEN

FISCHER BÜCHEREI
FRANKFURT/M · HAMBURG

UMSCHLAGBILD: WOLF D. ZIMMERMANN

In der Fischer Bücherei
1.-50. Tausend: Oktober 1952
51.-100. Tausend: April 1953
101.-150. Tausend: Februar 1954
Ungekürzte Ausgabe

Lizenzausgabe des Felix Meiner Verlages, Hamburg
Gesamtherstellung: Hanseatische Druckanstalt GmbH, Hamburg
Printed in Germany

VORWORT

—

Im Jahre 1929 veröffentlichte ich im 7. Bande der von dem Verlage Felix Meiner herausgegebenen „Philosophie der Gegenwart in Selbstdarstellungen“ auf 42 Seiten einen gedrängten Bericht über die Entstehung und den Inhalt meiner wissenschaftlichen Arbeiten, zugleich mit den „Selbstdarstellungen“ von Bauch (Jena), Gemelli (Mailand), Hägerström (Upsala) und Oskar Kraus (Prag).

Als diese für den fachmännisch interessierten Leserkreis jener Sammelbände bestimmte Darstellung zugleich als Buch für sich erschien, wurde dieses vielfach dahin mißverstanden, als wollte und sollte es über mein Leben und meine Gedanken überhaupt Auskunft geben. Um diesem Übelstand ein Ende zu machen, entschloß ich mich, jene Schrift in der Art zu vervollständigen, daß sie nun nicht nur von meinen wissenschaftlichen Arbeiten, sondern auch allgemein von meinem Leben und Denken Bericht gibt.

Lambarene, am 13. Juli 1931.

Albert Schweitzer.

INHALTSVERZEICHNIS

I

KINDHEIT; SCHUL- UND UNIVERSITÄTSJAHRE

—

Ich wurde geboren am 14. Januar 1875 zu Kaysersberg im Oberelsaß, als zweites Kind des Pfarrverwesers Ludwig Schweitzer, der die dortige kleine evangelische Diasporagemeinde bediente. Mein Großvater väterlicherseits war Schullehrer und Organist zu Pfaffenhofen im Unterelsaß, welchen Beruf auch drei seiner Brüder ausübten. Meine Mutter, Adele geborene Schillinger, war die Tochter des Pfarrers von Mühlbach im Münstertal (Oberelsaß).

Wenige Wochen nach meiner Geburt kam mein Vater nach Günsbach im Münstertal. Dort verlebte ich mit meinen drei Schwestern und meinem Bruder eine sehr glückliche Jugend, die nur durch öftere Krankheiten meines Vaters getrübt wurde. Später besserte sich die Gesundheit meines Vaters. Als rüstiger Siebenzigjähriger versorgte er im Kriege seine Gemeinde unter dem Feuer der von den Vogesenhöhen in das Tal herabschießenden französischen Geschütze, denen gar manches Haus und gar mancher Bewohner von Günsbach zum Opfer fiel. Er starb hochbetagt im Jahre 1925. Meine Mutter war Anno 1916 auf der Straße von Günsbach nach Weier im Tal von Militärpferden überrannt und getötet worden.

Als ich fünf Jahre alt war, begann mein Vater mich auf dem alten, vom Großvater Schillinger stammenden Tafelklavier zu unterrichten. Er besaß keine große Technik, aber improvisierte sehr schön. Mit sieben Jahren überraschte ich die Lehrerin in der Schule damit, daß ich ihr auf dem Harmonium Choralmelodien mit selbsterfundenen Harmonien vortrug. Mit acht Jahren, kaum daß die Füße lang genug waren, um die Pedaltasten zu erreichen, begann ich Orgel zu spielen. Die Leidenschaft für die Orgel hatte ich von meinem Großvater Schillinger geerbt, der sich viel mit Orgel und Orgelbau beschäftigte und, wie mir meine Mutter berichtete, ausgezeichnet improvisiert haben soll. Kam er in irgendeine Stadt, so suchte er vor allem ihre Orgeln kennenzulernen. Als die berühmte Orgel in der Stiftskirche zu Luzern aufgestellt wurde, begab er sich dorthin, um den Erbauer an der Arbeit zu sehen.

Neun Jahre alt, durfte ich zum ersten Male den Organisten im Gottesdienst vertreten.

Bis zum Herbst 1884 besuchte ich die Dorfschule zu Günsbach. Nachher kam ich auf ein Jahr auf die „Realschule" (das heißt eine höhere Schule ohne Unterricht in alten Sprachen) zu Münster, wo ich mich durch Privatstunden in Latein auf die Quinta des Gymnasiums vorbereitete. Im Herbst 1885 bezog ich das Gymnasium zu Mülhausen im Elsaß. Mein Taufpate Ludwig Schweitzer, ein Halbbruder meines Großvaters, Direktor der dortigen Volksschulen, hatte die Güte, mich bei sich aufzunehmen. Anders wäre es meinem Vater, der zum Unterhalt seiner großen Familie nur über sein bescheidenes Pfarrergehalt verfügte, kaum möglich gewesen, mich auf das Gymnasium zu tun.

Die strenge Zucht, in die ich bei diesem Großonkel und seiner Frau – sie waren kinderlos – kam, hat mir sehr wohlgetan. In tiefer Dankbarkeit gedenke ich stets an alles Gute, das ich von ihnen empfing.

Obwohl ich Lesen und Schreiben nicht ohne Mühe gelernt hatte, war ich auf der Dorfschule und der Realschule leidlich mitgekommen. Auf dem Gymnasium aber war ich zunächst ein schlechter Schüler. Das lag nicht nur an meiner Trägheit und Verträumtheit, sondern auch daran, daß ich durch die Privatstunden in Latein nur ungenügend auf die Quinta, in die ich eintrat, vorbereitet war. Erst als mich mein Klassenlehrer in Quarta, Dr. Wehmann, zum richtigen Arbeiten erzog und mir einiges Selbstvertrauen gab, wurde es besser. Vor allem aber wirkte dieser Lehrer dadurch auf mich, daß ich gleich in den ersten Tagen seines Unterrichts inne wurde, daß er jede Stunde auf das sorgfältigste vorbereitet hatte. Er wurde mir zum Vorbild der Pflichterfüllung. Später habe ich ihn immer und immer wieder besucht. Als ich gegen Ende des Krieges nach Straßburg kam, wo er zuletzt wohnte, und alsbald nach ihm fragte, erfuhr ich, daß er durch das Hungern nervenkrank geworden sei und sich das Leben genommen habe.

Als Lehrer in der Musik hatte ich zu Mülhausen Eugen Münch, den jungen Organisten an der dortigen reformierten St.-Stephans-Kirche, der eben erst von der Berliner Hochschule für Musik gekommen war, wo ihn die damals erwachende Begeisterung für Bach ergriffen hatte. Ihm verdanke ich, daß ich frühzeitig mit den Werken des Thomaskantors bekannt wurde und vom fünfzehnten Jahre ab gediegenen Orgelunterricht genoß. Als er im Herbst 1898 in der Blüte der Jahre an Typhus starb, hielt ich sein Bild in einer kleinen französisch verfaßten Schrift fest. Sie wurde in Mülhausen veröffentlicht und ist das Erste, was von mir im Druck erschien [1].

Auf dem Gymnasium interessierte ich mich hauptsächlich für Geschichte und Naturwissenschaften. In Geschichte hatten wir Dr. Kaufmann, den Bruder des Breslauer Historikers, zum Lehrer. Die Naturwissenschaften unterrichtete Dr. Förster in ausgezeichneter Weise.

In Sprachen und Mathematik mußte ich mich anstrengen, um etwas zu leisten. Mit der Zeit aber reizte es mich, dasjenige zu bewältigen, wozu ich keine besondere Anlage hatte. So gehörte ich in den oberen Klassen zu den besseren, wenn auch nicht zu den besten Schülern. Im Aufsatze aber war ich, wenn ich mich recht erinnere, gewöhnlich der Erste.

In Prima hatten wir den ausgezeichneten Direktor des Gymnasiums – Wilhelm Deeke aus Lübeck – in Latein und Griechisch. Er unterrichtete nicht als trockener Philologe, sondern machte uns mit der antiken Philosophie bekannt, wobei er uns zugleich Ausblicke auf das neuere Denken tun ließ. Er war ein begeisterter Anhänger Schopenhauers.

Am 18. Juni 1893 bestand ich die Abgangsprüfung. Im Schriftlichen hatte ich nicht besonders gut abgeschnitten, selbst im Aufsatze nicht. Im Mündlichen aber erregte ich die Aufmerksamkeit des Vorsitzenden der Prüfungskommission – es war Oberschulrat Dr. Albrecht aus Straßburg – durch Kenntnisse und Urteil in Geschichte. Ein von ihm beantragtes und mit Begründung begleitetes „Recht gut" in Geschichte ziert mein sonst ziemlich mittelmäßiges Reifezeugnis.

Im Oktober dieses Jahres ermöglichte es mir die Freigebigkeit des in Paris als Kaufmann ansässigen älteren Bruders meines Vaters, den Orgelunterricht des Pariser Orgelmeisters Charles Marie Widor zu genießen. Mein Mülhauser Lehrer hatte mich so gut vorgebildet, daß mich Widor,

---

[1]) „Eugène Munch." 1898. 28 Seiten. Anonym. (Druckerei Brinkmann. Mülhausen, Elsaß.)

nachdem ich ihm vorgespielt hatte, als Schüler annahm, obwohl er sonst seine Tätigkeit auf die Angehörigen der Orgelklasse des Konservatoriums beschränkte. Dieser Unterricht war für mich von entscheidender Bedeutung. Widor leitete mich an, meine Technik zu vertiefen und vollendete Plastik des Spiels zu erstreben. Zugleich ging mir bei ihm die Bedeutung des Architektonischen in der Musik auf.

*

Ende Oktober 1893 bezog ich die Universität Straßburg. Ich wohnte in dem theologischen Studienstift (Collegium Wilhelmitanum) zu St. Thomas, dessen Leiter der gelehrte Pfarrer Alfred Erichson war. Zur Zeit war er gerade mit der Vollendung der großen Ausgabe der Werke Calvins beschäftigt.

Die Straßburger Universität stand damals in voller Blüte. Durch keine Traditionen gehemmt, suchten Lehrer und Studierende miteinander das Ideal einer neuzeitlichen Hochschule zu verwirklichen. Bejahrte Professoren gab es fast keine in dem Lehrkörper. Ein frischer, jugendlicher Zug ging durch das Ganze.

Ich hörte zugleich in der theologischen und in der philosophischen Fakultät. Da ich auf dem Gymnasium nur die Anfänge des Hebräischen gelernt hatte, wurde mir das erste Semester durch die Arbeit auf das „Hebraïcum" (das Vorexamen in Hebräisch) hin verdorben, das ich am 17. Februar 1894 mit Mühe und Not bestand. Später, wieder durch das Bestreben angespornt, auch das mir nicht Liegende zu bewältigen, eignete ich mir dann gediegene Kenntnisse in dieser Sprache an.

Die Sorge um das Hebraïcum hinderte mich nicht, mit Eifer bei Heinrich Julius Holtzmann ein Kolleg über die Synoptiker – das heißt über die drei ersten Evangelien – und bei Wilhelm Windelband und Theobald Ziegler Geschichte der Philosophie zu hören.

Vom 1. April 1894 an diente ich mein Militärjahr ab. Die Güte meines Hauptmanns – er hieß Krull – ermöglichte es mir, bei gewöhnlichem Dienstbetrieb fast regelmäßig um 11 Uhr auf der Universität zu sein und Windelband zu hören.

Als es im Herbst 1894 in die Gegend von Hochfelden

(Unterelsaß) ins Manöver ging, packte ich mein griechisches Testament in den Tornister. Bei Beginn des Wintersemesters nämlich hatten die Theologiestudenten, die sich um Stipendien bewarben, eine Prüfung in drei Fächern zu bestehen; für diejenigen, die gerade ihre Militärzeit abdienten, bedurfte es nur eines Fachs. Ich wählte Synoptiker.

Um bei dem von mir so verehrten Holtzmann nicht mit Unehre in diesem Fache zu bestehen, führte ich das griechische Neue Testament im Manöver mit; und da ich damals so robust war, daß ich keine Müdigkeit kannte, kam ich an den Abenden und an den Ruhetagen auch wirklich zum Arbeiten. Den Sommer über hatte ich Holtzmanns Kommentar durchgearbeitet. Nun wollte ich mir Textkenntnis erwerben und sehen, was ich aus dem Kommentar oder dem Kolleg behalten hatte. Dabei erging es mir merkwürdig. Holtzmann hatte die Markushypothese – das heißt die Theorie, daß dieses Evangelium das älteste sei und daß sein Plan den Evangelien des Matthäus und Lukas zugrunde liege – in der Wissenschaft zur Anerkennung gebracht. Damit schien auch erwiesen, daß die Wirksamkeit Jesu aus dem Markusevangelium allein zu verstehen sei. An diesem Schlusse wurde ich zu meinem Erstaunen irre, als ich mich an einem Ruhetage im Dorfe Guggenheim mit dem 10. und 11. Kapitel des Matthäus beschäftigte und auf die Bedeutung des in ihnen enthaltenen, nur von Matthäus, nicht auch von Markus gebotenen Stoffes aufmerksam wurde.

Matthäus 10 wird die Aussendung der zwölf Jünger erzählt. In der Rede, mit der er sie entläßt, kündigt ihnen Jesus an, daß sie alsbald große Verfolgung erleiden werden. Es geschah ihnen aber nichts.

Er verkündet ihnen auch, daß die Erscheinung des Menschensohnes statthaben werde, ehe sie mit den Städten Israels zu Ende sein würden, was doch nur heißen kann, daß unterdessen das überirdische, messianische Reich anbrechen werde. Er erwartet sie also gar nicht mehr zurück.

Wie kommt Jesus dazu, den Jüngern hier Dinge in Aussicht zu stellen, die sich in dem Fortgang der Erzählung nicht erfüllen?

Holtzmanns Erklärung, daß es sich nicht um eine historische Rede Jesu, sondern um eine später, nach seinem Tode, vorgenommene Zusammenstellung von „Sprüchen Jesu“ handle, befriedigte mich nicht. Spätere wären doch nicht darauf gekommen, ihm Worte in den Mund zu legen, die sich nachher nicht erfüllten.

Der lapidare Text zwang mich anzunehmen, daß Jesus wirklich Verfolgungen für die Jünger und ein daran anschließendes alsbaldiges Erscheinen des überirdischen Menschensohnes in Aussicht gestellt habe, ohne daß die nachfolgenden Ereignisse ihm darin recht gaben. Wie aber kam er zu solcher Erwartung und welches Erlebnis mußte es für ihn sein, daß es anders eintraf, als er angenommen hatte?

Matthäus 11 berichtet von der Anfrage des Täufers an Jesus und der Antwort, die dieser ihm zukommen läßt. Auch hier schienen mir Holtzmann und die Kommentatoren überhaupt, den Rätseln des Textes nicht genügend Rechnung zu tragen. Wen meint der Täufer, wenn er Jesum fragt, ob er „der Kommen-Sollende" (ὁ ἐρχόμενος) sei? Ist es denn so ganz sicher, so fragte ich mich, daß unter dem „Kommen-Sollenden" nur der Messias verstanden sein kann? Nach dem spätjüdischen messianischen Dogma sollte dem Erscheinen des Messias das Kommen des Vorläufers, des wiedererstandenen Elia, vorausgehen. Auf den zuvor erwarteten Elia wendet Jesus den Ausdruck „der Kommen-Sollende" an, wenn er den Jüngern (Matthäus 11 [14]) sagt, daß der Täufer selber der kommensollende Elia sei. Also, schloß ich, hat der Täufer in seiner Anfrage den Ausdruck in derselben Bedeutung gebraucht. Er sandte seine Jünger an Jesum nicht mit der Frage, ob er der Messias sei, sondern er wollte, so merkwürdig uns dies auch vorkommen mag, von ihm erfahren, ob er der erwartete Vorläufer des Messias, der Elia, sei.

Warum aber gibt ihm Jesus auf seine Anfrage keinen klaren Bescheid? Daß er durch die ausweichende Antwort seinen Glauben habe prüfen wollen, ist eine Verlegenheitsauskunft, die Anlaß zu vielen schlechten Predigten gegeben hat. Viel einfacher ist anzunehmen, daß Jesus das Ja sowie das Nein vermeidet, weil er noch nicht öffentlich kund werden lassen will, für wen er sich hält. In jeder Hinsicht liefert die Geschichte von der Anfrage des Täufers also den Beweis, daß zu jener Zeit keiner der Gläubigen Jesum für den Messias hielt. Hätte er irgendwie als der Messias gegolten, so hätte der Täufer seine Frage in diesem Sinne formuliert.

Auf neue Bahnen der Auslegung drängte mich auch das von Jesus nach dem Weggang der Abgesandten des Täufers an die Jünger gerichtete Wort, daß von den von Weibern Geborenen Johannes der Größte sei, daß aber der Kleinste im Himmelreiche größer sei als er (Matthäus 11 [11]).

Die gewöhnliche Erklärung, daß Jesus mit diesen Worten einen Tadel gegen den Täufer ausgesprochen und ihn tiefer gestellt habe als seine um ihn als Angehörige des Reiches Gottes versammelten Gläubigen, kam mir ebenso unbefriedigend wie geschmacklos vor, weil diese Gläubigen ja auch von Weibern geboren waren. Indem ich sie aufgab, wurde ich zur Annahme gedrängt, daß Jesus in der Entgegensetzung des Täufers und der Angehörigen des Reiches Gottes den Unterschied zwischen der natürlichen und der übernatürlich-messianischen Welt in Rechnung stelle. Als Mensch in dem Zustand, den Menschen durch die Geburt empfangen, ist der Täufer der Größte von allen, die je gelebt haben. Aber die Angehörigen des Himmelreichs sind nicht mehr natürliche Menschen, sondern haben bei Anbruch des messianischen Reiches die Verwandlung in den übernatürlichen, engelgleichen Zustand erlebt. Weil sie übernatürliche Wesen sind, ist der Kleinste unter ihnen dann größer als die größte Menschenerscheinung in der vergangenen natürlichen Weltzeit. Zwar gehört dann auch Johannes der Täufer diesem Reiche an, als ein Großer oder als ein Kleiner. Eine einzigartige, alle anderen Menschenwesen überragende Größe hat er aber nur in seiner natürlichen Seinsweise.

So wurde ich am Ende meines ersten Studienjahres an der damals als historisch geltenden Erklärung des Redens und Handelns Jesu zur Zeit der Aussendung der Jünger und damit überhaupt an der damals für geschichtlich angesehenen Auffassung des Lebens Jesu irre. Als ich aus dem Manöver nach Hause kam, hatten sich mir ganz neue Horizonte aufgetan. Es stand mir fest, daß Jesus nicht ein von ihm und den Gläubigen in der natürlichen Welt zu gründendes und zu verwirklichendes Reich verkündigt habe, sondern eines, das mit dem baldigen Anbruch der übernatürlichen Weltzeit zu erwarten sei.

Natürlich hätte ich es für Vermessenheit gehalten, in der bald darauf stattfindenden Prüfung Holtzmann anzudeuten, daß ich die von ihm vertretene und von der damaligen kritischen Schule allgemein anerkannte Auffassung des Lebens Jesu bezweifelte. Auch hätte ich keine Gelegenheit dazu gefunden. In seiner bekannten Gütigkeit prüfte er mich als jungen und dazu noch durch den Militärdienst vom Arbeiten abgehaltenen Studenten so milde, daß er in einem Colloquium von zwanzig Minuten von mir nur eine vergleichende summarische Auskunft über den Inhalt der drei ersten Evangelien verlangte.

Während der folgenden Studienjahre beschäftigte ich

mich, oft unter Vernachlässigung der übrigen Fächer, in selbständiger Weise mit der Evangelienfrage und den Problemen des Lebens Jesu und kam dabei immer mehr zur Überzeugung, daß der Schlüssel der zu lösenden Rätsel in der Erklärung der Reden Jesu bei der Aussendung der Jünger und der Anfrage des gefangenen Täufers, sowie in seinem Verhalten nach der Rückkehr der Jünger zu suchen sei.

Wie dankbar empfand ich es, daß die deutsche Universität den Studenten in seinen Studien nicht so bevormundet und ihn nicht durch ständige Examen so in Atem hält, wie es in andern Staaten der Fall ist, und daß sie ihm die Möglichkeit selbständiger wissenschaftlicher Arbeit bietet!

Die damalige theologische Fakultät zu Straßburg hatte ausgesprochen freisinnigen Charakter. Neben Holtzmann war Karl Budde, der eben nach Straßburg gekommene Alttestamentler, mein liebster theologischer Lehrer. Besonders gefiel mir an ihm die einfache und vollendete Darstellung wissenschaftlicher Ergebnisse. Seine Vorlesungen waren mir ein künstlerischer Genuß. Auch Wilhelm Nowack, Buddes älterer Kollege, war ein tüchtiger Gelehrter. Kirchen- und Dogmengeschichte vertraten Johannes Ficker und Ernst Lucius in vorzüglicher Weise. Mein Interesse ging hauptsächlich auf die ältere Dogmengeschichte. Dogmatik lehrte Paul Lobstein, ein Ritschl-Epigone. An Emil Mayer, dem jungen Professor für Ethik und Dogmatik, schätzten wir Studenten besonders den lebendigen Vortrag. Praktische Theologie dozierten Friedrich Spitta, der zugleich über Neues Testament las, und Julius Smend.

Neben den theologischen besuchte ich ständig philosophische Vorlesungen.

Musiktheorie hörte ich bei Jacobsthal, dem Schüler Bellermanns. In seiner Einseitigkeit erkannte er nur die vorbeethovensche Musik als Kunst an. Aber den reinen Kontrapunkt konnte man gründlich bei ihm lernen. Ich verdanke ihm viel.

Eine große Förderung für meine musikalischen Studien bedeutete es für mich, daß Ernst Münch, der Bruder meines Mülhauser Orgellehrers, Organist zu St. Wilhelm in Straßburg und Dirigent der von ihm gegründeten Bachkonzerte des Chores von St. Wilhelm, mir die Orgelbegleitung der Kantaten und Passionen in diesen Konzerten übertrug.

Zunächst freilich war ich damit nur in den Proben betraut, in Stellvertretung seines Bruders aus Mülhausen, der dann in den Aufführungen meinen Platz einnahm. Bald aber kam es dazu, daß ich, wenn der Bruder am Kommen verhindert war, auch in den Aufführungen spielte. So wurde ich schon als junger Student mit den Schöpfungen Bachs vertraut und hatte Gelegenheit, mich praktisch mit den Problemen der Wiedergabe Bachscher Kantaten und Passionen zu beschäftigen.

Die Kirche zu St. Wilhelm in Straßburg galt damals als eine der bedeutendsten Pflegestätten des zu Ende des Jahrhunderts aufkommenden Bachkults. Ernst Münch war ein ausgezeichneter Kenner der Werke des Thomaskantors. Als einer der ersten hat er auf die zu Ende des 19. Jahrhunderts noch fast allgemein übliche modernisierende Wiedergabe der Kantaten und Passionen verzichtet und mit seinem kleinen, vom ausgezeichneten Straßburger Orchester begleiteten Chor wirklich stilvolle Aufführungen erstrebt. Wie viele Abende haben wir miteinander über den Partituren der Kantaten und Passionen gesessen und uns in Diskussionen über die wahre Art der Ausführung ergangen! Ernst Münchs Nachfolger als Dirigent dieser Konzerte ist sein Sohn Fritz Münch, der Direktor des Straßburger Konservatoriums.

Mit der Verehrung Bachs ging bei mir die Richard Wagners zusammen. Als ich mit sechzehn Jahren als Gymnasiast zu Mülhausen zum erstenmal ins Theater durfte, war es, um Richard Wagners Tannhäuser zu hören. Diese Musik überwältigte mich so, daß es Tage dauerte, bis ich wieder fähig war, dem Unterricht in der Schule Aufmerksamkeit entgegenzubringen.

In Straßburg, wo die Oper unter Kapellmeister Otto Lohse hervorragend war, hatte ich dann Gelegenheit, Wagners sämtliche Werke, natürlich außer Parsifal, der damals nur in Bayreuth aufgeführt werden durfte, gründlich kennenzulernen. Ein großes Erlebnis war es für mich, daß ich im Jahre 1896 in Bayreuth der denkwürdigen ersten Wiederaufführung der Tetralogie nach der Uraufführung von 1876 beiwohnen konnte. Pariser Freunde hatten mir die Karten geschenkt. Um die Kosten der Reisen bestreiten zu können, mußte ich mich mit einer Mahlzeit am Tage begnügen.

Wenn ich heute eine Wagneraufführung erlebe, bei der alle möglichen Bühneneffekte sich neben der Musik geltend machen, als handelte es sich um einen Film, muß ich mit Wehmut an die in ihrer Einfachheit so ungeheuer wirkungsvolle damalige Bayreuther Inszenierung der Tetralogie denken. Wie die Ausstattung, so war auch die Aufführung noch ganz im Geiste des verstorbenen Meisters.

Den größten Eindruck als Sänger und als Spieler machte auf mich Vogl als Loge. Vom Momente seines Auftretens an beherrschte er die Szene, ohne irgend etwas Ersichtliches zu unternehmen, um die Aufmerksamkeit auf sich zu ziehen. Er trug nicht die Harlekintracht der modernen Logedarsteller. Auch tänzelte er nicht im Rhythmus der Logemotive auf der Bühne herum, wie es heute Mode geworden ist. Das einzig Auffällige an ihm war der rote Mantel. Die einzigen Bewegungen, die er nach dem Rhythmus der Musik ausführte, bestanden darin, daß er diesen Mantel, wie unter einem Zwange handelnd, bald auf die eine, bald auf die andere Schulter warf, den Blick auf das, was um ihn herum vor sich ging, gerichtet und doch losgelöst davon. Dadurch stand er als die ruhelose Gewalt des Verderbens unter den ahnungslos dem Untergang zuschreitenden Göttern.

*

Schnell vergingen die Straßburger Studienjahre. Am Ende des Sommers 1897 meldete ich mich zur ersten theologischen Prüfung. Als Thema der sogenannten „These“ erhielten wir: „Schleiermachers Abendmahlslehre, verglichen mit den im Neuen Testament und in den reformatorischen Bekenntnisschriften niedergelegten Auffassungen“. Die These war eine allen Kandidaten gemeinsam aufgegebene und innerhalb von acht Wochen anzufertigende Arbeit, die über die Zulassung zum Examen entschied.

Durch diese Aufgabe wurde ich wieder auf das Problem der Evangelien und des Lebens Jesu geführt. Aus dem Studium aller historischen und dogmatischen Abendmahlsanschauungen, die mir diese Examensarbeit auferlegte, ging mir nämlich auf, in welchem Maße die geltenden Erklärungen der Bedeutung der historischen Feier Jesu mit seinen

Jüngern und des Aufkommens der urchristlichen Abendmahlsfeier unbefriedigend waren. Viel zu denken gab mir eine Bemerkung Schleiermachers in dem Abschnitt über das Abendmahl in seiner berühmten „Glaubenslehre". Er macht darauf aufmerksam, daß nach den Berichten über das Abendmahl bei Matthäus und Markus Jesus die Jünger nicht aufgefordert habe, das Mahl zu wiederholen, und wir uns also möglicherweise mit dem Gedanken vertraut machen müssen, daß die Wiederholung der Feier in der urchristlichen Gemeinde auf die Jünger und nicht auf Jesum selber zurückgehe. Dieser von Schleiermacher in glänzender Dialektik hingeworfene, aber in seiner möglichen historischen Tragweite nicht weiter verfolgte Gedanke arbeitete an mir, auch als ich mit jener Kandidatenthese schon fertig war.

Fehlt, so sagte ich mir, der Wiederholungsbefehl in den beiden ältesten Evangelien, so will dies heißen, daß die Jünger diese Mahlfeier mit den Gläubigen tatsächlich aus eigener Initiative und Autorität wiederholten. Dies konnten sie aber nur tun, wenn es in dem Wesen jenes letzten Mahles Jesu lag, daß es auch ohne das Reden und Handeln Jesu sinnvoll war. Da aber keine der bisherigen Erklärungen des Abendmahls begreiflich machte, wieso es ohne einen dahingehenden Befehl Jesu in der Urgemeinde in Aufnahme kommen konnte, ließen sie, so mußte ich schließen, das Abendmahlsproblem ungelöst. So kam ich dazu, der Frage nachzugehen, ob die Bedeutung, die jenes Mahl für Jesus und seine Jünger hatte, nicht mit der Erwartung des in dem baldigst kommenden Reiche Gottes zu feiernden messianischen Mahles in Zusammenhang gestanden habe.

II
PARIS UND BERLIN. 1898–1899

Am 6. Mai 1898 bestand ich die erste theologische Prüfung, das sogenannte Staatsexamen. Den Sommer über blieb ich, jetzt außerhalb des Stifts wohnend, noch in Straßburg, um mich ganz der Philosophie zu widmen. Windelband und Ziegler waren hervorragende Vertreter ihres Faches und ergänzten sich als Lehrer in ausgezeichneter Weise. Windelbands Stärke war die alte Philosophie. Seine Seminarübungen über Plato und Aristoteles sind eigentlich meine schönsten Erinnerungen aus der Studienzeit. Ziegler beherrschte besonders Ethik und Religionsphilosophie. Für letztere kamen ihm die Kenntnisse zustatten, die er als ehemaliger Theologe – er war aus dem Tübinger Stift hervorgegangen – besaß.

Auf Grund meines Examens erhielt ich, durch Holtzmanns Verwendung, das Gollsche, von dem Thomaskapitel zusammen mit der Fakultät verwaltete Stipendium. Es betrug 1200 Mark im Jahr und wurde jedesmal auf sechs Jahre vergeben. Der Stipendiat war verpflichtet, nach spätestens sechs Jahren den Grad eines Lizentiaten der Theologie zu Straßburg zu erwerben oder die empfangenen Gelder zurückzuzahlen.

Auf Zuraten Theobald Zieglers beschloß ich, zunächst die philosophische Doktordissertation in Angriff zu nehmen. Am Schlusse des Semesters schlug er mir, bei einem unter dem Regenschirm gehaltenen Gespräch, auf der Treppe der Universität, Kants Religionsphilosophie als Thema vor, was mir sehr zusagte. Gegen Ende Oktober 1898 fuhr ich nach Paris, um an der Sorbonne Philosophie zu hören und mich bei Widor im Orgelspiel weiter zu bilden.

Ins Kolleg bin ich in Paris nicht oft gegangen. Gleich die unfeierliche Art der Immatrikulation verstimmte mich. Der veraltete Lehrbetrieb, der es den zum Teil so hervorragenden Lehrkräften unmöglich machte, sich wirklich auszugeben, tat dann noch das Seinige, mir die Sorbonne zu verleiden. Vier- oder fünfstündige zusammenfassende Vorlesungen, wie ich sie von Straßburg her gewöhnt war, gab es hier nicht. Entweder hielten die Professoren Vorlesungen, die sich auf die Examensprogramme bezogen, oder sie lasen über ganz spezielle Gebiete.

An der evangelisch-theologischen Fakultät (Boulevard-Arago) hörte ich zuweilen Vorlesungen des Dogmatikers Louis Auguste Sabatier und des Neutestamentlers Louis Eugène Ménégoz. Vor beiden hatte ich große Hochachtung.

In der Hauptsache aber war ich in jenem Winter in Paris mit Kunst und mit meiner Doktorarbeit beschäftigt.

Bei Widor – der mich jetzt umsonst unterrichtete – trieb ich Orgel und bei J. Philipp, der bald darauf als Lehrer an das Konservatorium kam, Klavier. Zugleich war ich Schüler der genialen Schülerin und Freundin Franz Liszts, Marie

Jaëll-Trautmann, einer geborenen Elsässerin. Aus dem Konzertleben hatte sie, die kurze Zeit als ein Stern erster Größe geglänzt hatte, sich damals schon zurückgezogen. Sie lebte ihren Studien über den Klavieranschlag, den sie physiologisch zu ergründen suchte. Ich diente ihr als Versuchstier und war als solches an den Experimenten beteiligt, die sie zusammen mit dem Physiologen Féré unternahm. Wieviel verdanke ich dieser genialen Frau!

Der Finger – dies ihre Theorie – muß sich der Art, wie er mit der Taste verkehrt, aufs vollständigste bewußt werden. Die ganze Spannung und Entspannung der Muskeln von der Schulter bis zur Fingerspitze soll dem Spieler gegenwärtig sein und von ihm beherrscht werden. Er muß lernen, alle unwillkürlichen und alle unbewußten Bewegungen abzulegen. Auf bloße „Geläufigkeit" ausgehende Fingerübungen sind zu verwerfen. Immer muß sich der Finger bei der beabsichtigten Bewegung auch die Art des gewollten Tones vorstellen. Der klangvolle Anschlag wird durch das möglichst rasche und möglichst leichte Niederdrücken der Taste verwirklicht. Der Finger muß sich aber auch der Art bewußt sein, wie er die niedergedrückte Taste wieder aufsteigen läßt. Bei dem Niederdrücken und Aufsteigenlassen der Taste befindet sich der Finger zugleich in unmerklich rollender Bewegung, sei es nach innen (dem Daumen zu), sei es nach außen (dem kleinen Finger zu). Indem er mehrere Tasten nacheinander in nach derselben Seite rollenden Bewegungen niederdrückt, werden die entsprechenden aufeinanderfolgenden Töne und Akkorde in organischer Weise unter sich verbunden.

Aus der bloßen Reihenfolge wird eine innerliche Zusammengehörigkeit. Durch nach verschiedenen Seiten rollende Bewegungen hervorgebrachte Töne setzen sich ihrem Wesen nach voneinander ab. Aus sinnvoll differenzierten Bewegungen der Finger und der Hand erwachsen also miteinander die klangliche Differenzierung und die Phrasierung.

Um immer bewußter und immer inniger mit der Taste verkehren zu können, muß der Finger seine Tastempfindlichkeit bis aufs äußerste ausbilden. Mit der Vervollkommnung der Tastempfindlichkeit wird der Spieler zugleich empfindlicher für Klangfarben und auch für Farben überhaupt.

Diese so vieles Richtige enthaltende Theorie von der „empfindend und wissend werdenden Hand" trieb Marie Jaëll auf die Spitze, indem sie behauptete, bei richtiger Kultur der Hand könnten unmusikalische Menschen musikalisch werden. Von der Physiologie des Klavieranschlags ausgehend, wollte sie zu einer Theorie über das Wesen der Kunst überhaupt aufsteigen. So umkleidete sie ihre so richtigen und eindringenden Beobachtungen über das Wesen des künstlerischen Anschlags mit oft tiefsinnigen, zuweilen aber barock erscheinenden Betrachtungen und brachte sich dadurch um die Anerkennung, die ihr Forschen verdiente.

Unter Marie Jaëlls Leitung arbeitend, habe ich meine Hand völlig umgestaltet. Ihr verdanke ich es, daß ich durch zweckmäßiges, wenig zeitraubendes Üben immer mehr Herr meiner Finger wurde, was auch meinem Orgelspiel sehr zustatten kam [1].

Philipps Unterricht, der sich mehr in den traditionellen Bahnen der Klavierpädagogik bewegte, bot mir ebenfalls außerordentlich viel und bewahrte mich vor den Einseitigkeiten der Jaëllschen Methode. Da meine beiden Lehrer gering voneinander dachten, durfte keiner von ihnen wissen, daß ich auch Schüler des andern war. Was mußte ich mir für Mühe geben, morgens bei Marie Jaëll à la Jaëll und nachmittags bei Philipp à la Philipp zu spielen!

Mit Philipp – Marie Jaëll starb 1925 – verbindet mich noch heute eine tiefe Freundschaft, wie auch mit Widor. Widor verdanke ich es, daß ich mit einer Reihe interessanter und bedeutender Persönlichkeiten des damaligen Paris zusammenkam. Auch um mein materielles Wohl war er besorgt. Gar manchmal, wenn er den Eindruck hatte, daß ich mir aus Rücksicht auf meine magere Börse nicht genügend zu essen gegönnt habe, nahm er mich nach der Stunde mit in sein Stammlokal, das Restaurant Foyot in der Nähe des Luxembourg, damit ich mich wieder einmal gründlich sättigte.

Auch die beiden in Paris ansässigen Brüder meines Vaters und ihre Frauen erwiesen mir viel Liebes. Durch den zweiten Bruder meines Vaters, Charles Schweitzer, der sich als Philologe durch seine Bemühungen um die Verbesserung der Methode des neusprachlichen Unterrichts einen Namen gemacht hatte, kam ich in Beziehung mit Leuten der Universität und des Unterrichtswesens. So wurde ich in Paris heimisch.

*

---

[1]) Die Grundgedanken ihrer Methode hat Marie Jaëll am besten im ersten Bande ihres Werkes „Der Anschlag“, das sie auf französisch schrieb, entwickelt. Bei der deutschen, bei Breitkopf & Härtel erschienenen Ausgabe war ich als anonymer Übersetzer beteiligt.

Die Doktorarbeit hatte weder unter der Kunst noch unter der Geselligkeit zu leiden, da mir meine gute Gesundheit ausgiebige Nachtarbeit gestattete. Es kam vor, daß ich morgens Widor auf der Orgel vorspielte, ohne überhaupt im Bett gewesen zu sein.

Auf der Bibliothèque Nationale die Literatur über Kants Religionsphilosophie einzusehen, erwies sich wegen des schwerfälligen Betriebs auf dem Lesesaal als undurchführbar. So entschloß ich mich kurzerhand, die Arbeit zu machen, ohne mich mit der Literatur abzugeben, und zu sehen, was sich mir bei einem Vergraben in die Kantschen Texte ergäbe.

Bei diesem Studium fielen mir Schwankungen im Sprachgebrauch auf, zum Beispiel, daß in manchen religionsphilosophischen Abschnitten der „Kritik der reinen Vernunft" das dem Kantschen Kritizismus allein entsprechende Wort „intelligibel" verschwand und durch das naivere „übersinnlich" ersetzt war. Daraufhin verfolgte ich die in der Kantischen Religionsphilosophie eine Rolle spielenden Ausdrücke durch die ganze Reihe der Schriften hindurch auf Vorkommen und etwaige Wandlung in der Bedeutung hin. Dabei konnte ich feststellen, daß der große Abschnitt über den „Kanon der reinen Vernunft" sprachlich und gedanklich aus dem Zusammenhang der „Kritik der reinen Vernunft" herausfällt und eine frühere Arbeit Kants ist, die er als religionsphilosophische Ausleitung in die „Kritik der reinen Vernunft" übernahm, obwohl sie nicht mit ihr in Einklang steht. Diese frühere, vorkritische Arbeit bezeichnete ich als „Religionsphilosophische Skizze".

Weiter ergab sich mir, daß Kant den religionsphilosophischen Plan der transzendentalen Dialektik der „Kritik der reinen Vernunft" überhaupt nie durchgeführt hat. Die in der „Kritik der praktischen Vernunft" entwickelte Religionsphilosophie der drei Postulate: Gott, Freiheit und Unsterblichkeit ist gar nicht die in der „Kritik der reinen Vernunft" in Aussicht gestellte. In der „Kritik der Urteilskraft" und in der „Religion innerhalb der Grenzen der bloßen Vernunft" wird dann wiederum die Religionsphilosophie der Postulate verlassen. Die in diesen späteren Werken auftretenden Gedankengänge lenken wieder in die Bahn der religionsphilosophischen Skizze zurück.

Die Religionsphilosophie Kants, die man mit der Religionsphilosophie der drei Postulate identisch setzen wollte, ist also in stetem Fluß. Dies geht darauf zurück, daß die Voraussetzungen des kritischen Idealismus und die religionsphilosophischen Forderungen des Sittengesetzes in Antagonismus zueinander stehen. Eine kritische und eine ethische Religionsphilosophie gehen bei Kant nebeneinander her. Er sucht sie miteinander auszugleichen und ineinander zu arbeiten. In der transzendentalen Dialektik der „Kritik der reinen Vernunft“ glaubt er sie ohne Schwierigkeiten vereinigen zu können. Aber der dazu entworfene Plan erweist sich als undurchführbar, weil Kant nicht bei dem Begriffe des Sittengesetzes, wie ihn die transzendentale Dialektik der „Kritik der reinen Vernunft“ voraussetzt, verbleibt, sondern ihn stetig vertieft. Die vertiefte Auffassung des Sittengesetzes stellt aber religiöse Forderungen auf, die über das, was der kritische Idealismus nach Kantscher Auffassung zugestehen kann, hinausgehen. Zugleich verliert die Religionsphilosophie des vertieften Sittengesetzes das Interesse an Forderungen, die für den kritischen Idealismus an erster Stelle stehen. Bedeutungsvoll ist in dieser Hinsicht, daß in den von der tiefsten Ethik beherrschten religiösen Gedankengängen Kants das Postulat der Unsterblichkeit keine Rolle spielt.

Statt bei der von dem kritischen Idealismus festgelegten Religionsphilosophie zu verharren, läßt Kant sich also von der Religionsphilosophie des sich immer vertiefenden Sittengesetzes weiterführen. Weil er tiefer wird, kann er nicht konsequent bleiben.

Mitte März 1899 kehrte ich nach Straßburg zurück und trug Theodor Ziegler die fertige Arbeit vor. Er äußerte sich sehr zustimmend. Die Promotion wurde auf Ende Juli festgesetzt.

*

Den Sommer 1899 verbrachte ich in Berlin, hauptsächlich mit philosophischer Lektüre beschäftigt. Ich wollte die Hauptwerke der alten und neueren Philosophie gelesen haben. Daneben hörte ich bei Harnack, Pfleiderer, Kaftan, Paulsen und Simmel. Bei Simmel wurde ich aus einem gelegentlichen ein regelmäßiger Hörer des Kollegs.

Mit Harnack, dessen Dogmengeschichte mich schon in Straßburg beschäftigt und begeistert hatte, kam ich eigentlich erst später richtig in Fühlung, obwohl ich damals, durch Freunde an ihn empfohlen, in seinem Hause verkehrte. Ich war durch sein Wissen und seine Universalität so eingeschüchtert, daß ich ihm vor Verlegenheit nicht richtig Bescheid geben konnte, wenn er das Wort an mich richtete. Später habe ich dann manche liebe und inhaltsreiche Postkarte – er bediente sich bei der Korrespondenz hauptsächlich der Postkarte – von ihm empfangen. Zwei ausführliche Postkarten nach Lambarene über meine eben erschienene

„Mystik des Apostels Paulus“ aus dem Jahre 1930 gehören wohl zum letzten, was er geschrieben hat.

Sehr viel Zeit verbrachte ich damals in Berlin bei Karl Stumpf. Die psychologischen Studien über Tonempfindung, mit denen er damals beschäftigt war, interessierten mich sehr. Regelmäßig nahm ich an den von ihm und seinen Assistenten veranstalteten Experimenten teil und war bei ihm Versuchstier, wie ich es bei Marie Jaëll gewesen war.

Die Berliner Organisten, mit Ausnahme Egidis, enttäuschten mich etwas, weil sie mehr auf äußerliche Virtuosität als auf die wahre Plastik des Spiels, auf die Widor einen so großen Wert legte, ausgingen. Und wie dröhnend und trocken war der Klang der neueren Berliner Orgeln, verglichen mit dem der Instrumente Cavaillé-Colls in St. Sulpice und Notre-Dame.

Professor Heinrich Reimann. der Organist der Kaiser-Wilhelm-Gedächtniskirche, an den ich durch Widor empfohlen war, erlaubte mir, regelmäßig auf seiner Orgel zu spielen, und bestellte mich zu seinem Vertreter, als er auf Urlaub ging. Durch ihn kam ich mit Berliner Musikern, Malern und Bildhauern zusammen.

Die akademische Welt lernte ich im Hause der Witwe des bekannten Hellenisten Ernst Curtius kennen, die mich als einen Bekannten ihres Stiefsohnes, des Kreisdirektors Friedrich Curtius zu Colmar, liebevoll aufnahm. Öfters war ich dort mit Hermann Grimm zusammen, der sich alle Mühe gab, mich von der Ketzerei zu bekehren, daß die Darstellung des vierten Evangeliums mit der der drei ersten nicht vereinbar sei. Noch heute sehe ich es als ein großes Glück an, daß ich in jenem Hause in unmittelbare Berührung mit Führern des geistigen Lebens des damaligen Berlin kommen durfte.

Von dem geistigen Leben Berlins wurde ich stärker berührt als von dem von Paris. In Paris, der Weltstadt, war das geistige Leben zersplittert. Man mußte sich schon gründlich in sie eingelebt haben, um sich von den vorhandenen Werten Rechenschaft zu geben. Hingegen besaß das geistige Leben Berlins einen Mittelpunkt in seiner großartig organisierten und einen lebendigen Organismus bildenden Universität. Zudem war es damals noch nicht Weltstadt, sondern mutete als eine in jeder Hinsicht glücklich aufstrebende größere Provinzialstadt an. Sein ganzes Gebaren war von einem gesunden Selbstbewußtsein und einem zuversichtlichen Glauben an die Führer seiner Geschicke getragen, die dem damaligen, durch den Dreyfusprozeß zerrissenen Paris abgingen. So habe ich Berlin in seiner schönsten Zeit kennengelernt und liebgewonnen. Besonderen Eindruck machten auf mich die einfache Lebensweise der Berliner Gesellschaft und die Leichtigkeit, mit der man in den Familien Eingang fand.

III
DIE ERSTEN JAHRE DER TÄTIGKEIT IN STRASSBURG

In den letzten Tagen des Juli 1899 kehrte ich nach Straßburg zurück und promovierte. Im mündlichen Examen blieb ich nach dem übereinstimmenden Urteil Zieglers und Windelbands hinter dem zurück, was sie auf Grund meiner Dissertation von mir erwartet hatten. Die bei Stumpf in Experimenten verbrachte Zeit war der Vorbereitung auf das Examen verloren gegangen. Auch hatte ich über der Lektüre der Originalwerke das Studium der Lehrbücher allzusehr vernachlässigt.

Die Dissertation erschien noch 1899 als Buch unter dem Titel „Die Religionsphilosophie Kants von der Kritik der reinen Vernunft bis zur Religion innerhalb der Grenzen der bloßen Vernunft“ [1].

Theobald Ziegler legte mir nahe, mich in der philosophischen Fakultät als Privatdozent zu habilitieren. Ich entschloß mich aber für die theologische. Ziegler deutete mir nämlich an, daß man nicht gern sehen würde, wenn ich als Privatdozent der Philosophie mich zugleich als Prediger betätigte. Nun war mir das Predigen aber ein innerliches Bedürfnis. Ich empfand es als etwas Wunderbares, allsonntäglich zu gesammelten Menschen von den letzten Fragen des Daseins reden zu dürfen.

---

1) „Die Religionsphilosophie Kants.“ 325 Seiten. 1899. (Mohr & Siebeck. Tübingen.) Daß dieser bekannte Verlag mein so umfangreiches Erstlingswerk übernahm, verdankte ich einer warmen Empfehlung Holtzmanns.

Von nun an blieb ich in Straßburg. Obwohl ich nicht mehr Student war, erhielt ich doch die Erlaubnis, in dem mir so lieben Collegium Wilhelmitanum (Thomasstift) als zahlender Gast unter den Alumnen zu leben. Das auf den stillen Garten mit den großen Bäumen gehende Zimmer, in dem ich als Student so glücklich gewesen war, schien mir der tauglichste Ort für die nun kommende Arbeit.

Kaum waren die Druckkorrekturen der Doktordissertation erledigt, ging ich an meine theologische Lizentiatenarbeit. Ich nahm mir vor, den Lizentiatengrad so schnell wie möglich zu erwerben, damit die Gollsche Stiftung für einen anderen frei wurde, der für die Fortsetzung seiner Studien darauf angewiesen schien. Derjenige, für den ich mich so beeilte – mein für semitische Sprachen begabter Kommilitone Jäger, später Direktor des Protestantischen Gymnasiums zu Straßburg –, machte nachher keinen Gebrauch davon. Hätte ich dies gewußt, so wäre ich noch länger auf Reisen geblieben und hätte dann auch an englischen Universitäten studiert. Daß ich mir dies durch eine gegenstandslose Rücksichtnahme entgehen ließ, hat mich zeitlebens gereut.

Am 1. Dezember 1899 erhielt ich ein Predigtamt zu St. Nicolai in Straßburg, zuerst als sogenannter „Lehrvikar", später, nach bestandener zweiter theologischer Prüfung, als regulärer Vikar.

Diese zweite, hauptsächlich durch ältere Pfarrer abgehaltene Prüfung bestand ich – am 15. Juli 1900 – mit knapper Not. Ganz mit der Dissertation für das Lizentiatenexamen beschäftigt, hatte ich es unterlassen, meine Kenntnisse in den verschiedenen Fächern der Theologie auf dieses Examen hin gebührend aufzufrischen. Nur dem energischen Eintreten des alten Pfarrers Will, dem ich durch meine dogmengeschichtlichen Kenntnisse Freude bereitet hatte, verdankte ich es, daß ich nicht durchfiel. Besonders wurde mir verübelt, daß ich über die Dichter von Kirchenliedern und ihr Leben nicht genügend Bescheid wußte. Zu allem Unglück war mir noch das Mißgeschick widerfahren, daß ich meine Unwissenheit in bezug auf den Verfasser eines Kirchenliedes – es war von Spitta, dem berühmten Dichter von „Psalter und Harfe" – damit zu entschuldigen suchte, daß ich es für zu unbedeutend gehalten hätte, um mir zu merken, von wem es sei. Diese Ausrede brachte ich, sonst ein Bewunderer Spittas, zum Entsetzen aller in Gegenwart von Professor Friedrich Spitta, seinem Sohne, vor, der als Vertreter der theologischen Fakultät in der Examenskommission saß.

An St. Nicolai amtierten zwei betagte, aber noch rüstige Pfarrer, Herr Knittel, einer der Vorgänger meines Vaters in Günsbach, und Herr Gerold, ein intimer Freund des frühverstorbenen Bruders meiner Mutter, der zu St. Nicolai Pfarrer gewesen war. Diesen beiden wurde ich hauptsächlich zur Übernahme der Nachmittagsgottesdienste, der allsonntäglichen Kindergottesdienste und des Religionsunterrichts beigegeben. Die mir zufallende Tätigkeit war mir eine stete Quelle der Freude. In den Nachmittagsgottesdiensten, in denen nur ein kleiner Kreis von Andächtigen zugegen war, konnte ich mich in meiner vom Vater ererbten intimen Art zu predigen viel besser ausgeben als in den Morgengottesdiensten. Bis auf den heutigen Tag werde ich vor einer größeren Zuhörerschar eine gewisse Befangenheit nicht los. Als mit den Jahren die beiden alten Herren sich mehr Schonung auferlegen mußten, fielen mir natürlich auch häufig Morgenpredigten zu. Meine Predigten arbeitete ich schriftlich aus, wobei der Reinschrift oft zwei oder drei Skizzen vorausgingen. Im Vortrag band ich mich aber nicht an diese genau memorierte Fassung, sondern gab der Predigt oft eine ganz andere Form.

Meine Nachmittagspredigten, die ich mir mehr als einfache Andachten denn als Predigten dachte, waren so kurz, daß einst bei Pfarrer Knittel, der zugleich die Würde eines geistlichen Inspektors bekleidete, aus Kreisen der Gemeinde eine Klage deswegen gegen mich einlief und er mich in dieser Sache vor sich zitieren mußte, wobei er nicht weniger verlegen war als ich. Auf seine Frage, welchen Bescheid er den sich beschwerenden Gemeindemitgliedern geben solle, erwiderte ich, er möge ihnen sagen, daß ich nur ein armer Vikar sei, der zu reden aufhöre, wenn er über den Text nichts mehr zu sagen wisse. Daraufhin entließ er mich mit einer milden Zurechtweisung und der Ermahnung, nicht unter zwanzig Minuten zu predigen.

Pfarrer Knittel vertrat eine durch Pietismus gemilderte Orthodoxie; Pfarrer Gerold war liberal. Aber sie walteten ihres Amtes miteinander in wahrhaft brüderlicher Gesinnung. Alle Angelegenheiten wurden im Geiste des Friedens erledigt. So war es ein wirklich ideales Arbeiten an dieser unscheinbaren, St. Thomas gegenüber gelegenen Kirche.

Gar manchmal bin ich in jenen Jahren auf den Sonntag, wenn ich zu St. Nicolai frei war, nach Günsbach gefahren, um meinen Vater zu ersetzen.

Dreimal in der Woche hatte ich von elf bis zwölf Uhr, nach Schluß der Schule, den Konfirmandenunterricht für die Knaben abzuhalten. Ich bestrebte mich, ihnen möglichst wenig Aufgaben zu geben, damit ihnen diese Stunden eine ungetrübte Erholung des Geistes und des Herzens wären. Darum verwandte ich die letzten zehn Minuten des Unterrichts dazu, sie die Bibelsprüche und Liederverse, die sie aus diesem Unterricht fürs Leben mit hinausnehmen sollten, durch Vorsprechen und Wiederholen auswendig lernen zu lassen. Als Ziel meiner Unterweisung nahm ich mir vor, die Wahrheiten des Evangeliums ihren Herzen und ihrem Denken nahezubringen und sie in der Art religiös werden zu lassen, daß sie den später an sie herantretenden Versuchungen zur Religionslosigkeit widerstehen könnten. Auch Liebe zur Kirche und Bedürfnis nach sonntäglicher Feierstunde der Seele im Gottesdienste suchte ich in ihnen zu wecken. Den überlieferten Dogmen lehrte ich sie Ehrfurcht entgegenzubringen und zugleich sich an das Wort Pauli zu halten, daß, wo der Geist Christi ist, Freiheit sei.

Von der Saat, die ich so durch Jahre hindurch säte, ist, wie ich erfahren durfte, einiges aufgegangen. Ich habe von Männern Dank dafür empfangen, daß ich ihnen in meinem Unterricht die Grundwahrheiten der Religion Jesu als etwas mit dem Denken zu Vereinendes nahebrachte und sie damit gegen die spätere Gefahr der Preisgabe der Religion stark machte.

In diesen Religionsstunden kam mir zum Bewußtsein, wieviel Schulmeisterblut ich von meinen Vorfahren her in mir trug.

Mein Gehalt zu St. Nicolai betrug hundert Mark im Monat. Dies reichte, da ich im Thomasstift billig wohnen und essen konnte, für meine Bedürfnisse aus.

*

Ein großer Vorzug meiner Stellung war, daß sie mir reichlich Zeit für die wissenschaftliche Arbeit und die Kunst ließ. Das Entgegenkommen der beiden Pfarrer ermöglichte es mir, daß ich in den Frühjahrs- und Herbstferien, wo der Konfirmandenunterricht ausfiel, Urlaub nehmen konnte, wenn ich einen Vertreter für die Predigten (soweit sie sie in ihrer Güte nicht selber übernahmen) stellte. So hatte ich drei Monate im Jahr frei: einen nach Ostern und zwei im Herbst. Die Frühjahrsferien verbrachte ich gewöhnlich in Paris, als Gast des ältesten Bruders meines Vaters, um meine Studien bei Widor fortzusetzen. Die Herbstferien verlebte ich zum größten Teil im Vaterhause zu Günsbach.

Bei dem öfteren Verweilen in Paris machte ich manche wertvolle Bekanntschaft. Mit Romain Rolland kam ich etwa um 1905 herum zum ersten Male zusammen. Anfangs waren wir nur Musikanten füreinander. Nach und nach aber entdeckten wir einander, daß wir auch Menschen waren, und gewannen uns als Freunde lieb.

Auch zu Henri Lichtenberger, dem feinsinnigen französischen Kenner der deutschen Literatur, kam ich in ein herzliches Verhältnis.

In der Pariser „Société des Langues étrangères" hielt ich, auf deutsch, in den ersten Jahren des Jahrhunderts eine Reihe von Vorträgen über deutsche Literatur und Philosophie. In Erinnerung habe ich noch die über Nietzsche, Schopenhauer, Gerhart Hauptmann, Sudermann und Goethes Faust. Während ich im August 1900 an dem Vortrag über Nietzsche arbeitete, kam die Kunde, daß der Tod ihn endlich von seinem Leiden erlöst habe.

So verlief mein Leben in jenen für mein Schaffen entscheidenden Jahren in der einfachsten Weise. Ich arbeitete viel, in ununterbrochener Konzentration, aber ohne Hast.

In der Welt kam ich nicht viel herum, da ich dazu nicht die Zeit und auch nicht die Mittel besaß. Anno 1900 begleitete ich die Frau des ältesten Bruders meines Vaters nach Oberammergau. Die wunderbare Natur im Hintergrunde der Bühne machte eigentlich einen größeren Eindruck auf mich als das Passionsspiel. In diesem störte mich die Einrahmung der eigentlichen Passionshandlung durch zahlreiche alttestamentliche Bilder, der zu große theatralische Aufwand, die Unvollkommenheiten des Textes und die

Banalität der Musik. Innerlich berührt wurde ich durch die fromme Hingabe der Darsteller an ihre Rollen.

Das Unbefriedigende, das mit der Tatsache gegeben ist, daß ein Passionsdrama, das durch Dörfler für Dörfler in primitiver Darstellung als Gottesdienst aufgeführt werden sollte, durch den Zustrom der fremden Zuschauer aus diesem Rahmen herausgedrängt und zu einem Schauspiel wird, das suchen muß, Ansprüchen zu genügen, läßt sich nicht vermeiden. Daß die Oberammergauer diese veränderte Passion aber im alten einfachen Geiste zu spielen bestrebt sind, muß ihnen jeder zugestehen, der das Empfinden für das Geistige der Dinge bewahrt hat.

Langten meine Ersparnisse, so pilgerte ich nach Bayreuth, wenn dort in dem betreffenden Jahre gerade gespielt wurde.

Einen großen Eindruck machte Frau Cosima Wagner auf mich, die ich, während ich an meinem Bach arbeitete, in Straßburg kennengelernt hatte. Sie interessierte sich für meine Ansicht, daß Bachs Musik deskriptiv sei, und ließ sie sich von mir, als sie zu Besuch bei dem Kirchenhistoriker Johannes Ficker in Straßburg weilte, auf der schönen Orgel der dortigen Neuen Kirche an einigen seiner Choralvorspiele darlegen. Manches Interessante erzählte sie mir in jenen Tagen aus dem Religionsunterricht, den sie in ihrer Jugend und nachher, als sie sich zum Übertritt zum Protestantismus vorbereitete, genossen hatte. Die Schüchternheit konnte ich aber bei keinem Zusammensein mit dieser durch ihr künstlerisches Können und ihr hoheitsvolles Wesen einzigartigen Frau ganz ablegen.

An Siegfried Wagner schätzte ich die Einfachheit und die Bescheidenheit, die dieser in so mancher Hinsicht hervorragend tüchtige Mensch an sich hatte. Wer ihn in Bayreuth an der Arbeit sah, konnte ihm Bewunderung für das, was er tat, und für die Art, wie er es tat, nicht versagen. Auch seine Musik enthielt wirklich Bedeutendes und Schönes.

Houston Stewart Chamberlain, der in Bayreuth lebte und mit Eva Wagner verheiratet war, lernte ich durch Unterhaltungen über Philosophie kennen. Aber erst seine späteren Schriften und die Art, wie er das lange Leiden trug, das ihm vor dem Sterben beschieden war, offenbarten mir sein eigentliches Wesen. Unvergeßlich ist mir die letzte Stunde, die ich einige Zeit vor seinem Tode bei ihm verbringen durfte.

IV
STUDIEN ÜBER DAS ABENDMAHL UND DAS LEBEN JESU. 1900–1902

Als ich nach der Arbeit über Kant wieder zur Theologie zurückkehrte, wäre es für mich das Nächstliegende gewesen, die Studien über die Probleme des Lebens Jesu, die mich seit meinem ersten Studienjahr beschäftigten, zusammenzufassen und als Dissertation für die Lizentiatenprüfung auszuarbeiten. Durch die Arbeit über das Abendmahl hatten sich aber mein Gesichtskreis und mein Interessenkreis erweitert. Aus dem Gebiete der Probleme des Lebens Jesu war ich zugleich in das der Probleme des Urchristentums gelangt. Das Problem des Abendmahls gehört ja beiden Gebieten an. Es steht im Mittelpunkt der Entwicklung des Glaubens Jesu zum Glauben des Urchristentums. Wenn, sagte ich mir, das Aufkommen und der Sinn des Abendmahls uns so rätselhaft bleiben, so ist es, weil wir weder die Gedankenwelt Jesu noch die des Urchristentums vollständig begriffen haben, wie wir andererseits die Probleme des Glaubens Jesu und des Urchristentums nicht in ihrer eigentlichen Gestalt zu Gesicht bekommen, weil wir sie nicht von dem Probleme des Abendmahls und der Taufe aus in Augenschein nehmen.

Aus diesen Erwägungen heraus faßte ich den Plan, eine Geschichte des Abendmahls im Zusammenhange mit dem Leben Jesu und der Geschichte des Urchristentums zu schreiben. Eine erste Untersuchung sollte zu der bisherigen Abendmahlsforschung Stellung nehmen und das Problem beleuchten, eine zweite das Denken und Wirken Jesu als Voraussetzung des Verständnisses des Abendmahls, das er mit seinen Jüngern feierte, darstellen, eine dritte das Abendmahl in der urchristlichen und altchristlichen Epoche behandeln.

Mit der Arbeit über das Abendmahlsproblem erwarb ich am 21. Juli 1900 den Grad eines Lizentiaten der Theologie[1]. Die zweite, von dem Leidens- und Messianitätsgeheimnis handelnd, diente mir 1902 dazu, mich als Privatdozent an der Universität zu habilitieren[2].

Die als dritte in Aussicht genommene Studie über die Entwicklung des Abendmahls in der urchristlichen und altchristlichen Epoche wurde zwar ausgearbeitet und in Vorlesungen vorgetragen, wie auch ihr Gegenstück, die Geschichte der Taufe im Neuen Testament und im Urchristentum. Beide Arbeiten blieben aber ungedruckt, weil die Geschichte der Leben-Jesu-Forschung, die anfangs nur als ein Nachtrag zur Skizze des Lebens Jesu gedacht war und sich dann zu einem mächtigen Buche anwuchs, dazwischen kam und mich verhinderte, sie druckfertig zu machen. Nachher kam ein neues Intermezzo: das Buch über Bach, das anfangs ebenfalls nur als ein Aufsatz gedacht war; später, das Studium der Medizin. Und als ich gegen Ende meines medizinischen Studiums wieder Zeit zu theologischer Arbeit fand, erschien es mir angezeigt, eine Geschichte der wissenschaftlichen Erforschung der Gedankenwelt des Paulus als Gegenstück zur Geschichte der Leben-Jesu-Forschung und als Einleitung einer Darstellung der paulinischen Lehre zu liefern. Auf Grund des neu gewonnenen Verständnisses der Lehre Jesu und Pauli wollte ich dann, während des Ausruhens nach einem ersten, auf 1½ bis 2 Jahre veranschlagten Wirken in Afrika, der Geschichte der Entstehung und der frühchristlichen Entwicklung von Abendmahl und Taufe ihre definitive Gestalt geben. Diesen Plan machte der Krieg zunichte, indem er mich erst nach 4½ statt nach 2 Jahren, und dazu krank und der Existenzmittel beraubt, nach Europa zurückkehren ließ.

Und unterdessen – ein neues Intermezzo! – war ich in die Arbeit an der Kulturphilosophie hineingekommen! So ist die „Geschichte des Abendmahls und der Taufe in der frühchristlichen Periode“ im Zustande des Manuskripts für Vorlesungen geblieben. Ob ich noch Zeit und Kraft finden werde, sie für den Druck auszuarbeiten, weiß ich nicht.

---

1) „Das Abendmahlsproblem auf Grund der wissenschaftlichen Forschung des 19. Jahrhunderts und der historischen Berichte.“ 62 Seiten. 1901. (J. C. B. Mohr. Tübingen.) Neue unveränderte Auflage 1929.

2) „Das Messianitäts- und Leidensgeheimnis. Eine Skizze des Lebens Jesu.“ 109 Seiten. 1901. (J. C. B. Mohr. Tübingen.) Neue unveränderte Auflage 1929. Die englische Ausgabe führt den Titel: „The Mystery of the Kingdom of God.“ 1914. (Dodd. New York); 1925. (A. & C. Black. London.)

Ihre Grundgedanken trage ich in dem Werke über die Mystik des Paulus vor.

In der Arbeit über das Abendmahlsproblem gehe ich die von der wissenschaftlichen Theologie bis zum Ende des 19. Jahrhunderts versuchten Lösungen durch. Zugleich unternehme ich es, sein eigentliches Wesen dialektisch aufzudecken. Dabei ergibt sich, daß alle Versuche, die altchristliche Feier als eine Austeilung von Brot und Wein zu erklären, die durch die Wiederholung der Worte Jesu von Brot und Wein als seinem Leib und seinem Blut irgendwie die Bedeutung von Leib und Blut erhalten hätten, unmöglich sind.

Die Mahlfeier der ersten Christenheit war etwas ganz anderes als eine sakramentale Wiederholung oder symbolische Vergegenwärtigung des Sühnetodes Jesu. Diese Bedeutung hat die Wiederholung des letzten Mahles Jesu mit seinen Jüngern erst im katholischen Meßopfer und in der protestantischen Abendmahlsfeier zur Vergegenwärtigung der Sündenvergebung erhalten.

Jesu Gleichnisworte von Brot und Wein als seinem Leibe und seinem Blute haben, so merkwürdig uns dies vorkommen mag, für die Jünger und die ersten Gläubigen nicht das Wesen der Feier bestimmt; wie sie ja auch, soweit unsere Kenntnis des Urchristentums und Frühchristentums reicht, bei dem Gemeindemahl in der alten Zeit nicht wiederholt wurden. Das Konstituierende der Feier waren also nicht die sogenannten Einsetzungsworte Jesu von Brot und Wein als seinem Leibe und Blute, sondern die Danksagungsgebete über Brot und Wein. Diese gaben sowohl dem Abendmahle Jesu mit seinen Jüngern als auch der Mahlfeier der urchristlichen Gemeinde eine Bedeutung auf das erwartete messianische Mahl hin.

So erklärt sich auch, daß die Abendmahlsfeier in der ältesten Zeit als „Eucharistie", das heißt als „Danksagung" bezeichnet wird, und daß sie nicht alljährlich am Gründonnerstagabend, sondern in der Morgenfrühe eines jeden Sonntags, als des Auferstehungstages Jesu, an dem man auf seine Wiederkunft beim Anbruch des Reiches Gottes ausblickt, abgehalten wird.

*

In der unter dem Titel „Das Messianitäts- und Leidensgeheimnis" erschienenen Skizze des Lebens Jesu setze ich mich mit der Anschauung von dem Verlaufe der öffentlichen Wirksamkeit Jesu auseinander, wie sie am Ende des 19. Jahrhunderts als historisch gesichert gilt und von Holtzmann in seinen Arbeiten über die Evangelien im einzelnen begründet wird. Sie beruht auf den beiden Grundgedanken, daß Jesus die zu seiner Zeit unter dem jüdischen Volk verbreitete naiv-realistische messianische Erwartung nicht geteilt habe und daß er durch Mißerfolge, die er nach anfänglichen Erfolgen erlitt, zum Todesentschluß gekommen sei.

Der wissenschaftlichen Forschung der zweiten Hälfte des 19. Jahrhunderts zufolge versucht Jesus, den Blick der Gläubigen von dem erwarteten übernatürlichen Messiasreich abzulenken, indem er ihnen ein rein ethisches Gottesreich verkündet, das er auf Erden zu gründen unternimmt. Dementsprechend hält er sich auch nicht für den Messias, wie ihn sich seine Zuhörer vorstellen, sondern er unternimmt es, sie zu dem Glauben an einen geistigen, ethischen Messias zu erziehen, durch den sie fähig werden sollen, in ihm den Messias zu erkennen.

Zunächst hat er mit seiner Verkündigung Erfolg. Später aber fällt die von den Pharisäern und den Machthabern zu Jerusalem bearbeitete Menge von ihm ab. Angesichts dieser Tatsache ringt er sich zur Erkenntnis durch, daß er nach Gottes Willen für die Sache des Reiches Gottes und die Bewährung seines geistigen Messiastums sterben müsse. So zieht er dann beim nächsten Osterfest nach Jerusalem hinauf, um sich in die Hände seiner Feinde zu begeben und von ihnen den Tod am Kreuze zu erleiden.

Diese Ansicht von dem Verlauf des Auftretens Jesu ist unhaltbar, weil ihre beiden Grundgedanken nicht den Tatsachen entsprechen. Nirgends findet sich in den ältesten Quellen, den Evangelien des Markus und des Matthäus, irgend etwas davon, daß Jesus die unter dem Volke verbreitete realistische Erwartung eines auf übernatürliche Weise in Herrlichkeit kommenden Reiches durch eine vergeistigte ersetzen will. Ebensowenig wissen sie etwas davon, daß in seiner Wirksamkeit auf eine glückliche Periode eine unglückliche gefolgt sei.

Nach den Worten, die Markus und Matthäus von ihm überliefern, lebt Jesus in der auf die alten Propheten und das um 165 vor Christus entstandene Buch Daniel zurückgehenden messianischen Erwartung des Spätjudentums, wie wir sie durch das Buch Henoch (etwa 100 vor Christus), die Psalmen Salomos (63 vor Christus) und die Apokalypsen des Baruch und des Esra (etwa 80 nach Christus) kennen. Wie seine Zeitgenossen identifiziert er den Messias mit dem „Menschensohn“, von dem im Buche Daniel die Rede ist, und redet von seinem Kommen auf den Wolken des Himmels. Das Reich Gottes, das er predigt, ist das himmlische, messianische Reich, das bei der Ankunft des Menschensohnes am Ende der natürlichen Weltzeit auf Erden anbrechen wird. Ständig heißt er seine Hörer für alsbald des Gerichtes gewärtig sein, durch das die einen zur Herrlichkeit des messianischen Reiches und die anderen zur Verdammnis eingehen werden. Seinen Jüngern stellt er sogar in Aussicht, daß sie bei diesem Gerichte auf zwölf Stühlen um seinen Thron herum die zwölf Stämme Israels richten werden.

Jesus läßt also die spätjüdische messianische Erwartung in allen ihren Äußerlichkeiten gelten. In keiner Weise unternimmt er es, sie zu vergeistigen. Aber er erfüllt sie mit seinem gewaltigen ethischen Geiste, indem er über das Gesetz und die Schriftgelehrten hinaus von den Menschen die Betätigung der absoluten Ethik der Liebe als Erweis ihrer Zugehörigkeit zu Gott und dem Messias und ihres Erwähltseins zum kommenden Reiche verlangt. Bestimmt für die zukünftige Seligkeit sind nach seinen Worten die geistig Armen, die Barmherzigen, die Friedfertigen, die, die reinen Herzens sind, die nach der Gerechtigkeit des Reiches hungern und dürsten, die Leid tragen, die Verfolgung um des Reiches Gottes willen erdulden, die werden wie die Kinder.

Der Irrtum der bisherigen Forschung ist, daß sie Jesus eine Vergeistigung der spätjüdischen messianischen Erwartungen zuschreibt, wo er in Wirklichkeit die ethische Religion der Liebe einfach in sie hineinstellt. Daß so tiefe und geistige Religiosität und Ethik sich mit so naiv-realistischen Anschauungen verbinden könne, will uns zunächst nicht in den Sinn. Es ist aber Tatsache.

Gegen die Annahme, daß in der Wirksamkeit Jesu eine glückliche und eine unglückliche Periode zu unterscheiden sei, ist anzuführen, daß er sowohl in Galiläa als auch im Tempel zu Jerusalem von einer begeisterten Menge umlagert ist. Inmitten seiner Anhänger ist er vor den Nachstellungen seiner Gegner sicher. Auf sie gestützt darf er es sogar wagen, in seinen Reden im Tempel die Pharisäer auf das heftigste anzugreifen und Wechsler und Händler aus ihm zu vertreiben.

Wenn er nicht lange nach der Rückkehr der Jünger von der Verkündigung der Nähe des Reiches Gottes, zu der er sie ausgesandt hat, sich mit ihnen in die heidnische Gegend von Tyrus und Sidon begibt, so tut er dies nicht, weil er vor den Gegnern das Feld räumen muß. Das Volk fällt nicht von ihm ab, sondern er entweicht ihm, um auf einige Zeit mit seinen Intimen allein zu sein. Sowie er dann aufs neue in Galiläa erscheint, sammelt sich alsbald wieder die Schar der Anhänger um ihn. An der Spitze der galiläischen Festpilger zieht er in Jerusalem ein. Seine Gefangennahme und seine Kreuzigung werden nur dadurch möglich, daß er selber sich den Machthabern ausliefert und daß diese ihn in der Nacht verurteilen und am Morgen, ehe nur Jerusalem erwacht ist, bereits gekreuzigt haben.

*

Den klaren Angaben der beiden ältesten Evangelien folgend, setze ich der unhaltbaren bisherigen Erklärung des Lebens Jesu diejenige entgegen, die ihn in seinem Denken, Reden und Handeln durch die Erwartung des baldigen Weltendes und des dann anbrechenden übernatürlichen messianischen Reiches bestimmt sein läßt. Sie wird als die „eschatologische" bezeichnet, weil man unter Eschatologie („Eschatos" bedeutet auf griechisch „der Letzte") hergebrachterweise die jüdisch-christliche Lehre von den Ereignissen beim Weltende versteht. In dieser Art begriffen, stellt sich das Leben Jesu oder, besser gesagt, sein öffentliches Auftreten und sein Ende – da dies ja das einzige ist, was wir von seinem Leben wissen – folgendermaßen dar. Wie Jesus das Reich Gottes nicht als etwas bereits Beginnendes, sondern als etwas rein Zukünftiges verkündet, so hat er auch von sich nicht die Meinung bereits der Messias zu sein, sondern ist nur überzeugt, daß er beim Anbrechen des messianischen Reiches, wenn die Erwählten in die ihnen bestimmte übernatürliche Daseinsweise eingehen werden, als der Messias offenbar werden wird. Dieses Wissen um seine zukünftige Würde bleibt sein Geheimnis. Vor dem Volk tritt er einfach als Verkünder des nahen Gottesreiches auf. Die Hörer brauchen nicht zu wissen, mit wem sie es zu tun haben. Bei Anbruch des messianischen Reiches werden sie es erfahren. Jesu Selbstbewußtsein macht sich nur insofern geltend, als er denjenigen, die sich zu ihm und seiner Botschaft vom Reiche bekennen, verheißt, daß der Menschensohn (von dem er, als wäre er mit ihm nicht identisch, in der dritten Person redet) sie daraufhin als die Seinigen anerkennen werde.

Für sich und die, die mit ihm auf das alsbaldige Kommen des Reiches Gottes ausschauen, erwartet Jesus, daß sie miteinander zuvor die vormessianische Drangsal erdulden und sich in ihr bewähren müssen. Nach der spätjüdischen Lehre von den Ereignissen der Endzeit werden nämlich alle die, die zum messianischen Reich berufen sind, unmittelbar vor Anbruch desselben auf einige Zeit den widergöttlichen Weltmächten ausgeliefert.

Zu einer bestimmten Zeit – ob dies Wochen oder Monate nach seinem Auftreten war, wissen wir nicht – hat Jesus die Gewißheit, daß die Stunde des Anbruchs des Reiches gekommen sei. Eilends entsendet er seine Jünger zu zweien und zweien in die Städte Israels, daß sie diese Kunde verbreiten. In der Rede (Matthäus 10), mit der er sie entläßt, bereitet er sie auf die messianische Drangsal vor, die jetzt alsbald anbrechen soll und in der sie, wie die anderen Erwählten, schwere Verfolgungen, ja vielleicht den Tod erleiden werden. Er erwartet nicht, daß sie wieder zu ihm zurückkehren werden, sondern verkündet ihnen, daß die „Erscheinung des Menschensohnes“ (welche gleichzeitig mit dem Anbrechen des Reiches erwartet wird) stattfinden werde, ehe sie nur mit den Städten Israels zu Ende sein würden.

Seine Erwartung verwirklicht sich aber nicht. Ohne irgendwelche Verfolgung erduldet zu haben, kehren die Jünger zu ihm zurück. Die vormessianische Drangsal hebt nicht an und das messianische Reich wird nicht offenbar. Dies kann Jesus sich nur so erklären, daß etwas, das sich zuvor ereignen muß, noch aussteht. In dem Ringen mit der Tatsache des Ausbleibens des Reiches Gottes geht ihm dann die Erkenntnis auf, daß es erst kommen kann, wenn er, als der zukünftige Messias, durch sein Leiden und Sterben Sühne für die zum Reiche Erwählten geleistet und sie dadurch davon befreit habe, die vormessianische Drangsal durchmachen zu müssen.

Mit der Möglichkeit, daß Gott in seiner Barmherzigkeit den Erwählten die vormessianische Drangsal erlassen könne, hat Jesus von jeher gerechnet. Im Vaterunser, das ein Gebet um das Kommen des Reiches Gottes ist, heißt er die Gläubigen darum bitten, daß Gott sie nicht in „Versuchung“ (πειρασμός) führe, sondern sie von dem „Bösen“ erlöse. Mit dieser Versuchung meint er nicht irgendein individuelles Versuchtwerden zur Sünde, sondern die Verfolgung, die unter Gottes Zulassung von dem „Bösen“, das heißt, von dem Satan als dem Vertreter der widergöttlichen Mächte, am Ende der Tage über alle Gläubigen gebracht werden soll.

Der Gedanke, mit dem Jesus in den Tod geht, ist also der, daß Gott seinen selbstgewählten Tod als eine für die Gläubigen geleistete Sühne gelten lassen will und daraufhin die vormessianische Drangsal, in der sie sich in Leiden und Sterben läutern und des Reiches Gottes wert erweisen sollen, ausfallen läßt.

Irgendwie gründet sich Jesu Entschluß zum Sühnetod auf die jesajanischen Stellen vom Knechte Gottes (Jesaja 53), der für die Sünden der anderen leidet, ohne daß diese sich den Sinn dessen, was er erduldet, erklären können. Ursprünglich handelten diese aus der Zeit des Exils stammenden Abschnitte des Jesajabuches von dem, was das Volk Israel in der Verbannung als „Knecht Gottes“ unter den anderen Völkern litt, damit diese durch es zur Erkenntnis Gottes kämen.

Mit der Notwendigkeit des Leidens und Sterbens desjenigen, dem die Würde des Messias-Menschensohnes bestimmt ist, macht Jesus seine Jünger während des Aufenthaltes in der Gegend von Cäsarea Philippi bekannt. Gleichzeitig eröffnet er ihnen, daß er diese Persönlichkeit sei (Markus 8 $^{27-33}$). Zur Osterzeit zieht er dann mit der galiläischen Festkarawane nach Jerusalem hinauf. Noch weiß außer den Jüngern niemand, für wen er sich hält. Der Jubel bei seinem Einzug in Jerusalem gilt nicht dem Messias, sondern dem Propheten von Nazareth aus dem Geschlechte Davids. Der Verrat des Judas besteht nicht darin, daß er dem Hohen Rate angibt, wo Jesus gefangengenommen werden könne, sondern darin, daß er ihm von seinem Anspruch auf die messianische Würde Kunde gibt.

Beim letzten Mahle, das er mit seinen Jüngern hält, gibt er ihnen Brot und Wein, die er durch Danksagungsgebete geweiht hat, zu essen und zu trinken und verkündet ihnen, daß er hinfort von dem Gewächse des Weinstocks nicht mehr trinken werde, bis er es neu trinken werde mit ihnen in seines Vaters Reich. Beim letzten irdischen Mahle weiht er sie also zu seinen Genossen beim kommenden messianischen Mahle. Als solche, die die Gewißheit in sich tragen, zum messianischen Mahle berufen zu sein, halten die Gläubigen dann in Fortsetzung jenes Abendmahles Mahlfeiern ab, bei denen über Speise und Trank Danksagungsgebete für das Kommen des Reiches und des messianischen Mahles gesprochen werden.

Jesus erwartet also, durch seinen Sühnetod das messianische Reich alsbald, ohne vorherige messianische Drangsal, herbeizuführen. Seinen Richtern stellt er in Aussicht, daß sie ihn als Menschensohn zur Rechten Gottes sitzend und auf den Wolken des Himmels kommend erschauen werden (Markus 14 [62]).

Weil die Jünger das Grab am Morgen nach dem Sabbat leer finden und in ihrer enthusiastischen Erwartung der Herrlichkeit, in der ihr Meister offenbar werden soll, ihn in Visionen als Auferstandenen zu Gesicht bekommen, sind sie gewiß, daß er bei Gott im Himmel ist und bald als Messias erscheinen und das Reich bringen werde.

Was die beiden ältesten Evangelien über das Auftreten Jesu berichten, spielt sich im Verlaufe eines Jahres ab. Im Frühjahr beginnt Jesus, mit dem Gleichnis vom Säemann das Geheimnis des Reiches Gottes zu verkündigen. Zur Zeit der Ernte erwartet er, daß nun auch die himmlische Ernte anbrechen werde (Matthäus 9 [37-38]), und sendet seine Jünger aus, den letzten Ruf von der Nähe des Reiches Gottes ergehen zu lassen. Bald darauf gibt er die öffentliche Tätigkeit auf und verweilt mit den Jüngern allein auf heidnischem Gebiete in der Gegend von Cäsarea Philippi wohl bis gegen Ostern, wo er dann zum Zuge nach Jerusalem aufbricht. Es kann also sein, daß die Zeit seiner öffentlichen Wirksamkeit höchstens fünf oder sechs Monate betrug.

V
LEHRTÄTIGKEIT AN DER UNIVERSITÄT. GESCHICHTE DER LEBEN-JESU-FORSCHUNG

Am 1. März 1902 hielt ich meine Antrittsvorlesung vor der theologischen Fakultät zu Straßburg über die Logoslehre im Johannesevangelium.

Gegen meine Habilitation waren, wie ich später erfuhr, von zwei Mitgliedern der Fakultät Bedenken erhoben worden. Sie waren mit meiner Art geschichtliche Forschung zu treiben nicht einverstanden und befürchteten, daß ich mit meinen Ansichten die Studenten verwirren würde. Aber gegen die Autorität Holtzmanns, der sich für mich einsetzte, hatten sie nicht aufkommen können.

In meiner Antrittsvorlesung führte ich aus, daß die dunkeln Stellen der Reden des johanneischen Christus untereinander zusammenhängen und erst verständlich werden, wenn man sie als Hinweise auffaßt, durch die er die Zuhörer auf das nach seinem Tode zu erwartende Inkrafttreten von durch den Logos gewirkten Sakramenten vorbereiten will. Diese Theorie ausführlich darzulegen fand ich erst in dem Buche über die Mystik des Apostels Paulus Gelegenheit.

Im Sommersemester 1902 begann ich meine Vorlesungen mit einem Kolleg über die Pastoralbriefe.

Anlaß, mich mit der Geschichte der Leben-Jesu-Forschung zu beschäftigen, gab mir ein Gespräch mit Studenten, die bei Professor Spitta ein Kolleg über Leben Jesu gehört und in diesem sozusagen nichts von der früheren Leben-Jesu-Forschung erfahren hatten. So entschloß ich mich, im Einvernehmen mit Professor Holtzmann, im Sommersemester 1905 zwei Stunden wöchentlich über Geschichte der Leben-Jesu-Forschung zu lesen. Mit Eifer ging ich an die Arbeit. Der Stoff packte mich so, daß ich mich, nachdem ich mit dem Kolleg fertig war, erst recht in ihn versenkte. Aus dem Nachlasse von Eduard Reuß und anderer Straßburger Theologen besaß die Straßburger Universitätsbibliothek die Leben-Jesu-Literatur sozusagen vollständig und dazu noch fast alle polemischen Schriften, die gegen die Leben-Jesu von Strauß und Renan erschienen waren. Wohl kaum irgendwo auf der Welt wären die Verhältnisse für eine Studie über die Geschichte der Leben-Jesu-Forschung so günstig gewesen.

Während ich an diesem Werke arbeitete, war ich Leiter des theologischen Studienstifts (Collegium Wilhelmitanum). Schon gleich nach dem Tode von Erichson hatte ich, aber nur provisorisch, diese Stelle innegehabt (1. Mai 1901 bis 30. September 1901), bis Gustav Anrich – damals Pfarrer in Lingolsheim bei Straßburg, später Professor der Kirchengeschichte in Tübingen – sie antreten konnte. Im Sommer 1903 wurde Anrich, als Nachfolger des plötzlich verstorbenen Ernst Lucius, zum Professor für Kirchengeschichte ernannt. So übernahm ich am 1. Oktober 1903 das Amt des Stiftsdirektors mit der schönen Amtswohnung auf den sonnigen Thomasstaden und einem jährlichen Gehalt von 2000 Mark. Zum Arbeiten behielt ich aber mein früheres Studentenzimmer.

In der Zeit, da Gustav Anrich das Stift leitete, hatte ich in der Stadt gewohnt.

*

Die Geschichte der Leben-Jesu-Forschung erschien schon 1906. In der ersten Auflage führte sie den Titel „Von Reimarus zu Wrede“ [1].

Johann Samuel Reimarus (1694–1768), der als Professor der orientalischen Sprachen zu Hamburg lebte, versuchte in seiner nach seinem Tode von Lessing ohne Nennung des Verfassers herausgegebenen Abhandlung „Vom Zwecke Jesu und seiner Jünger“ als erster eine Erklärung des Lebens Jesu von der Annahme aus, daß er die eschatologisch-messianischen Erwartungen seiner Zeitgenossen geteilt habe. William Wrede (1859–1907), Professor der Theologie zu Breslau, machte in seinem Werke „Das Messiasgeheimnis in den Evangelien“ (1901) den ersten großzügig durchgeführten Versuch, Jesu alle eschatologischen Vorstellungen abzusprechen, wobei er sich konsequenterweise genötigt sah zur Behauptung fortzuschreiten, daß er sich auch nicht für den Messias gehalten habe, sondern erst nach seinem Tode von den Jüngern dazu gemacht worden sei. Da diese beiden Namen also die beiden Pole bezeichnen, zwischen

---

[1]) „Von Reimarus zu Wrede.“ Eine Geschichte der Leben-Jesu-Forschung. 418 Seiten. 1906. (J. C. B. Mohr. Tübingen.) Die zweite Auflage (1913) führte dann, wie die folgenden, einfach den Titel „Geschichte der Leben-Jesu-Forschung“.

denen sich die Leben-Jesu-Forschung bewegt, bildete ich aus ihnen den Titel meines Buches.

Große Schwierigkeiten bereitete es mir, die vielen Leben-Jesu, nachdem ich sie durchgearbeitet hatte, in Kapitel zu gruppieren. Nachdem ich es vergeblich auf dem Papier versucht hatte, schichtete ich alle Leben-Jesu in der Mitte meines Zimmers zu einem großen Haufen auf, gab jedem geplanten Kapitel seinen Platz in einer Ecke oder zwischen den Möbeln und warf dann, nach gründlichem Überlegen, die Bücher in entsprechender Weise zu Haufen zusammen, mich vor mir selber verpflichtend, in dem betreffenden Kapitel alle Bücher jenes Haufens auf irgendeine Weise unterzubringen und jeden Haufen an seiner Stelle zu lassen, bis das entsprechende Kapitel in der Skizze fertig wäre, was ich auch gehalten habe. Während einer Reihe von Monaten mußten die Menschen, die mich besuchten, mein Zimmer auf Pfaden, die sich zwischen Bücherhaufen hindurchwanden, durchschreiten. Schwer hatte ich darum zu kämpfen, daß der Aufräumeeifer von Frau Wölpert, der braven württembergischen Witwe, die meinen Haushalt führte, vor diesen Bücherhaufen haltmachte.

Die ersten Vertreter der mit der Erforschung des Lebens Jesu sich beschäftigenden Geschichtswissenschaft haben darum zu ringen, daß sie es unternehmen dürfen, das Dasein Jesu rein historisch zu ergründen und die Evangelien, als die Quellen, auf die unsere Kunde von ihm zurückgeht, kritisch zu prüfen. Nur nach und nach wird anerkannt, daß Jesu Bewußtsein seiner göttlichen Sendung nicht gegen die kritisch-historische Beschäftigung mit den Ereignissen, die sein Leben ausmachen, und den Ideen, die er verkündigt, geltend gemacht werden könne.

Die Leben-Jesu des 18. und beginnenden 19. Jahrhunderts schildern Jesum als den großen Aufklärer, der sein Volk von den ungeistigen Lehren der jüdischen Religion zu dem vernunftgemäßen, über allen Dogmen stehenden Glauben an den Gott der Liebe und des auf Erden zu gründenden ethischen Gottesreiches führen will. Besonders sind sie darauf aus, alle Wunder Jesu als natürliche, von der Menge mißverstandene Geschehnisse zu erklären und damit dem Wunderglauben überhaupt ein Ende zu machen. Das berühmteste dieser rationalistischen Leben-Jesu ist Karl Heinrich Venturinis „Natürliche Geschichte des großen Propheten von Nazareth“, das in den Jahren 1800 bis 1802, 2700 Seiten stark, in vier Bänden anonym zu „Bethlehem“ (in

Wirklichkeit zu Kopenhagen) in deutscher Sprache erschien. Von dem Versuche des Reimarus, die Verkündigung Jesu von der eschatologisch-messianischen Lehre des Spätjudentums aus zu verstehen, nimmt jene Zeit keine Notiz.

In wirklich historisches Fahrwasser gerät die Forschung erst durch die kritische Prüfung der Evangelien auf den geschichtlichen Wert ihrer Berichte hin. In einer von Beginn des 19. Jahrhunderts an Jahrzehnte hindurch fortgesetzten Arbeit gelangt sie dann zu dem Ergebnis, daß die Darstellung des Evangeliums Johannis mit der der drei anderen unvereinbar ist, daß diese drei die älteren und also glaubwürdigeren Quellen sind, daß der Stoff, den sie miteinander gemeinsam haben, vom Evangelium des Markus in der ursprünglichsten Fassung geboten wird und, endlich, daß das Evangelium des Lukas bedeutend jünger ist als das des Markus und das des Matthäus.

In eine schwierige Lage wird die Leben-Jesu-Forschung durch David Friedrich Strauß (1808–1874) gebracht, der in seinem 1835 erschienenen Leben-Jesu nur einen kleinen Teil von dem, was die beiden ältesten Evangelien über Jesus berichten, als historisch gelten lassen will. Das meiste hält er für mythusartige Erzählungen, die im Urchristentum nach und nach entstanden seien und in der Hauptsache auf Motive zurückgingen, die in alttestamentlichen Wundergeschichten und alttestamentlichen Stellen über den Messias gegeben seien. Wenn Strauß bei einer solchen Bezweiflung der Glaubwürdigkeit der beiden ältesten Quellen anlangt, so ist es nicht, weil er von Hause aus ein Skeptiker ist, sondern weil er sich als erster davon Rechenschaft gibt, wie schwierig es ist, die Einzelheiten, die sie uns vom Auftreten und von der Verkündigung Jesu berichten, auch wirklich zu verstehen.

Von der Mitte des 19. Jahrhunderts an bildet sich dann nach und nach die modern-historische Anschauung aus, daß Jesus die realistischen messianischen Hoffnungen des zeitgenössischen Judentums zu vergeistigen versucht habe, als geistiger Messias und Gründer des ethischen Gottesreiches aufgetreten sei und zuletzt, als das Volk ihn nicht verstand und von ihm abfiel, zu dem Entschlusse gelangt sei, für seine Sache zu sterben, um sie auf diese Weise zum Siege zu führen. Von den Darstellungen des Lebens Jesu, die diesen Grundriß miteinander gemeinsam haben, sind die bekanntesten die von Ernest Renan (1863), Theodor Keim (3 Bände 1867; 1871; 1872), Karl Hase (1876) und Oskar Holtzmann (1901). Die wissenschaftliche Begründung dieser Auffassung im einzelnen versucht Heinrich Julius Holtzmann in seinen Arbeiten über die drei ersten Evangelien und in seiner „Neutestamentlichen Theologie" zu geben. Wohl die lebendigste

Darstellung dieser modernisierten Lehre Jesu findet sich in Adolf Harnacks „Wesen des Christentums" (1901).

Aber schon seit 1860 wird in Einzeluntersuchungen über die Probleme des Lebens Jesu offenbar, daß die Ansicht, er habe die eschatologisch-messianischen Anschauungen seiner Zeit vergeistigen wollen, nicht durchführbar ist, weil er in einer Reihe von Stellen in ganz realistischer Weise vom Kommen des Menschensohnes und des messianischen Reiches zur Zeit des Weltendes redet. Gibt man es auf, diese Stellen umdeuten oder entkräften zu wollen, so bleibt nur übrig, entweder anzuerkennen, daß Jesus wirklich in spätjüdisch-eschatologischen Vorstellungen lebte, oder zu behaupten, daß nur die Worte, in denen er in rein geistiger Weise vom Messias und vom messianischen Reiche redet, authentisch sind, während die anderen ihm später von einem Urchristentum, das in die spätjüdisch-realistischen Anschauungen zurückfiel, beigelegt wurden. Vor diese Alternative gestellt, entscheidet sich die Leben-Jesu-Forschung zunächst für den zweiten Weg. Daß Jesus die uns so fremdartig berührenden messianischen Vorstellungen des Spätjudentums geteilt haben solle, erscheint ihr so unfaßlich und so anstößig, daß sie es lieber unternimmt, die Glaubwürdigkeit der beiden ältesten Evangelien in etwas anzuzweifeln und einen Teil der von ihnen berichteten Jesusworte, ihres befremdlichen Inhalts wegen, als unecht anzusehen. Sowie sie aber, in den Werken von Timothée Colani („Jésus-Christ et les croyances messianiques de son temps", 1864) und Gustav Volkmar („Jesus Nazarenus", 1882), daran geht, diese Unterscheidung zwischen echten „geistig-messianischen" und unechten „eschatologisch-messianischen" Aussprüchen durchzuführen, zeigt sich, daß sie dann dazu geführt wird, in Abrede stellen zu müssen, daß Jesus sich überhaupt für den Messias gehalten habe. Die Stellen nämlich, in denen er seinen Jüngern sein Geheimnis der Messias zu sein preisgibt, sind allesamt „eschatologisch-messianisch" insofern, als er sich ihnen zufolge für denjenigen hält, der beim Weltende als Menschensohn erscheinen wird.

Die Frage, ob Jesus eschatologisch oder uneschatologisch gedacht habe, spitzt sich also dahin zu, ob er sich für den Messias gehalten habe oder nicht. Wer annimmt, daß er sich für den Messias gehalten hat, muß auch annehmen, daß seine messianischen Vorstellungen und Erwartungen spätjüdisch-eschatologischer Art waren. Wer Spätjüdisch-Eschatologisches bei ihm nicht anerkennen will, darf ihm auch kein Messianitätsbewußtsein beilegen.

In dieser Weise konsequent verfährt William Wrede in seinem Werke „Das Messiasgeheimnis in den Evangelien" (1901).

Er führt den Gedanken durch, daß Jesus einfach als Lehrer aufgetreten und erst nach seinem Tode, in der Vorstellung der Gläubigen, zum Messias geworden sei. In die ursprüngliche Überlieferung von dem Auftreten und Wirken des „Lehrers" Jesu sei dann diese spätere Anschauung in der Art eingetragen worden, daß er seine Messianität nicht öffentlich bekannt, sondern als Geheimnis für sich behalten habe. Natürlich gelingt es Wrede nicht, diesen angenommenen literarischen Prozeß auch nur einigermaßen begreiflich zu machen.

Die Bezweiflung der eschatologisch-messianischen Aussprüche Jesu führt also in unerbittlicher Folgerichtigkeit dahin, daß man in den beiden ältesten Evangelien zuletzt nur noch einige ganz allgemeine Nachrichten über die Lehrtätigkeit eines Jesus von Nazareth für historisch gelten lassen kann. Lieber als solchem Radikalismus zu verfallen, will sich die Forschung dann doch damit abfinden, eschatologisch-messianische Vorstellungen bei Jesus anzuerkennen. So beginnt sich gegen Ende des Jahrhunderts die Anschauung von dem eschatologischen Charakter der Verkündigung Jesu und seines messianischen Selbstbewußtseins durchzusetzen, wie sie der Heidelberger Theologe Johannes Weiß 1892 in seinem wunderbar klar geschriebenen Buche „Die Predigt Jesu vom Reiche Gottes" entwickelt. Dabei hofft die wissenschaftliche Theologie insgeheim, schließlich doch nicht alles zugestehen zu müssen, was Weiß vorbringt. In Wirklichkeit aber muß sie noch weiter gehen als er, der auf halbem Wege stehen bleibt. Er läßt Jesum eschatologisch denken und reden, ohne daraus die Folgerung zu ziehen, daß dann auch sein Handeln durch eschatologische Vorstellungen bestimmt gewesen sein müsse. Den Verlauf seiner Wirksamkeit und seinen Todesentschluß erklärt er durch die gewöhnliche Annahme eines anfänglichen Erfolges und späteren Mißerfolges. Für das geschichtliche Verständnis des Lebens Jesu ist aber erforderlich, daß man die Tatsache, daß er in der eschatologisch-messianischen Vorstellungswelt des Spätjudentums lebte, in allen ihren Konsequenzen ausdenkt und seine Entschlüsse und Handlungen nicht aus Erwägungen gewöhnlicher Psychologie, sondern allein aus Motiven, die in seiner eschatologischen Erwartung gegeben sind, zu begreifen sucht. Diese konsequent-eschatologische Lösung der Probleme des Lebens Jesu führe ich in der „Geschichte der Leben-Jesu-Forschung" im einzelnen durch, nachdem ich sie 1901 im „Leidens- und Messianitätsgeheimnis Jesu" nur skizziert hatte. Weil sie so vieles in dem Denken, Reden und Handeln Jesu, was bisher unbegreiflich war, begreiflich zu machen vermag, erweist sie so und so viele Stellen, die man bisher, weil unverständlich, für unhistorisch hielt, als durchaus echt. So macht die eschatologische Deutung des Lebens Jesu aller Bezweiflung der Glaubhaftigkeit der Evangelien des Markus und Matthäus ein Ende. Sie zeigt, daß sie von der öffentlichen Tätigkeit und dem Tode Jesu nach einer treuen, bis in die Einzelheiten zuverlässigen Überlieferung Bericht geben. Wenn in dieser Überlieferung einiges dunkel oder verworren ist, so geht dies in der Hauptsache darauf zurück, daß schon die Jünger selber in einer Reihe von Fällen den Sinn der Worte und des Handelns Jesu nicht verstanden.

*

Nach dem Erscheinen der „Geschichte der Leben-Jesu-Forschung“ hub ein freundschaftlicher Briefwechsel zwischen William Wrede und mir an. Es bewegte mich tief, von ihm zu erfahren, daß er an einer unheilbaren Herzkrankheit litt und auf den Tod gefaßt zu sein hatte. „Subjektiv geht es mir erträglich, objektiv ist mein Zustand hoffnungslos“ heißt es in einem der letzten Schreiben, die ich von ihm empfing. Daß ich, ohne auf meine Gesundheit Rücksicht nehmen zu brauchen, rastlos arbeiten durfte, während er im besten Mannesalter das Wirken aufgeben mußte, drückte mich nieder. Die Anerkennung, die seinem Forschen in meinem Werke ausgesprochen wurde, entschädigte ihn in etwas für die Anfeindung, die sein unerschrocken auf Wahrheit ausgehendes Arbeiten erfuhr. Er starb 1907.

Zu meiner Überraschung fand mein Werk in England alsbald Anerkennung. Als erster machte der Oxforder William Sanday in Vorlesungen, die er über die Probleme des Lebens Jesu hielt, meine Anschauungen dort bekannt. Seiner dringenden Einladung zu ihm zu kommen konnte ich leider nicht Folge leisten, weil ich die Zeit dazu nicht aufbrachte. Ich war damals bereits Student der Medizin und hatte daneben außer mit dem Ausarbeiten meiner theologischen Vorlesungen noch mit der deutschen Ausgabe meines französisch geschriebenen Werkes über Bach zu tun. So versäumte ich die zweite Gelegenheit England kennenzulernen.

In Cambridge trat Francis Crawford Burkitt für mein Werk ein und veranlaßte sein Erscheinen auf englisch. Die ausgezeichnete Übersetzung lieferte sein Schüler Rev. W. Montgomery [1]. Aus den theologischen Beziehungen mit

[1]) Die Übersetzung erschien 1910 unter dem Titel „The Quest of the Historical Jesus. A Critical Study of its Progress from Reimarus to Wrede.“ (Black. London.)

diesen beiden Männern erwuchsen bald solche herzlicher Freundschaft.

Während Burkitt meinen Anschauungen ein rein wissenschaftliches Interesse entgegenbrachte, fanden sie den Beifall Sandays, weil sie ihm für die von ihm vertretene religiöse Position wertvoll waren. Seiner katholisierenden Geistesrichtung war das von der liberalen protestantischen Forschung vertretene modernisierte Jesusbild unsympathisch. Daß es durch eine aus den Kreisen eben dieser liberalen Forschung ausgehende Kritik als unhistorisch dargetan wurde, bereitete ihm Genugtuung und schien ihm den Weg für seine katholisierende Religiosität frei zu machen.

Auch für Georges Tyrell hatte mein Werk Bedeutung. Ohne die wissenschaftliche Begründung der eschatologischen Bedingtheit des Denkens und Handelns Jesu, die er in ihm fand, hätte er in „Christianity at the Cross-Roads" (1910) Jesum nicht mit solcher Entschiedenheit als den ethischen Apokalyptiker, der seinem Wesen nach nicht protestantisch, sondern katholisch sei, zeichnen können.

VI
DER HISTORISCHE JESUS UND DAS HEUTIGE CHRISTENTUM

—

Als meine beiden Werke über das Leben Jesu nach und nach bekannt wurden, bekam ich von allen Seiten die Frage zu hören, was denn der eschatologische, in der Erwartung des Weltendes und des auf übernatürliche Weise kommenden Reiches Gottes lebende Jesus uns noch sein könne. Ich selber war über der Arbeit ständig mit ihr beschäftigt gewesen. Die Genugtuung, die ich darüber empfinden konnte, so manche historische Rätsel der Existenz Jesu gelöst zu haben, war von dem schmerzlichen Bewußtsein begleitet, daß diese geschichtliche Erkenntnis der christlichen Frömmigkeit Unruhe und Schwierigkeiten bereiten würde. Ich tröstete mich aber mit dem mir von Kindheit her vertrauten Worte des Apostels Paulus: „Wir vermögen nichts wider die Wahrheit sondern nur für die Wahrheit." Da das Wesen des Geistigen Wahrheit ist, bedeutet jede Wahrheit zuletzt einen Gewinn. Unter allen Umständen ist die Wahrheit wertvoller als die Nichtwahrheit. Dies muß auch von der geschichtlichen Wahrheit gelten. Auch wenn sie der Frömmigkeit befremdlich vorkommt und ihr zunächst Schwierigkeiten schafft, kann das Endergebnis niemals Schädigung, sondern nur Vertiefung bedeuten. Die Religion hat also keinen Grund, der Auseinandersetzung mit der historischen Wahrheit aus dem Wege gehen zu wollen.

Wie stark stünde die christliche Wahrheit in der heutigen Welt da, wenn ihr Verhältnis zur geschichtlichen in jeder Hinsicht so wäre wie es sein sollte! Statt dieser ihr Recht werden zu lassen, verfuhr sie mit ihr, wo sie ihr Verlegenheit bereitete, in vielfacher Weise, bewußt und unbewußt, in der Art, daß sie ihr auswich, sie umbog oder sie zudeckte. Statt sich das Neue, zu dem sie fortschreiten mußte, als neu einzugestehen und es als solches sachlich zu rechtfertigen, trug sie es mit gekünstelten und anfechtbaren Argumenten in die Vergangenheit zurück. Heute ist die Lage des Christentums die, daß es die so vielfach versäumte offene Auseinandersetzung mit der historischen Wahrheit nur unter schweren Kämpfen nachholen kann.

In welcher Lage befinden wir uns schon allein dadurch, daß man in der ersten christlichen Zeit Schriften zu Unrecht unter dem Namen von Aposteln ausgehen ließ, um den Ideen, die sie vertraten, mehr Autorität zu verleihen! Nun sind diese seit Generationen für uns eine Quelle schmerzlichen Zwists. Solchen, die sich auf Grund des Tatsachenmaterials der Erkenntnis nicht zu verschließen vermögen, daß im Neuen Testament Schriften enthalten sind, die trotz ihres wertvollen und uns lieben Inhalts unecht sind, stehen die gegenüber, die dies, um des Ansehens der ältesten Christenheit willen, als nicht erwiesen darzutun suchen. Dabei waren sich die, die an dem allem schuld sind, kaum bewußt, etwas Unrechtes zu tun. Sie folgten nur dem im Altertum allgemein geübten und nicht weiter beanstandeten Brauch, Schriften, die die Gedanken irgendeiner Persönlichkeit vertreten sollten, als von ihr verfaßt auszugeben.

Weil ich über meiner Beschäftigung mit der Geschichte des früheren Christentums es so oft mit den Folgen seiner Verfehlungen gegen die geschichtliche Wahrheit zu tun hatte, bin ich ein Eiferer für das Wahrhaftigsein unseres heutigen Christentums geworden.

*

Das Ideal wäre, daß Jesus die religiöse Wahrheit in einer von aller Zeitlichkeit losgelösten und von allen Generationen der Menschheit einfach zu übernehmenden Fassung verkündigt hätte. Es ist aber nicht so, und es hat wohl einen Sinn, daß es nicht so ist.

Wir haben uns also in die Tatsache zu finden, daß Jesu Religion der Liebe in der Weltanschauung der Weltenderwartung auftritt. In den Vorstellungen, in denen er sie verkündete, können wir sie nicht zu der unsrigen machen, sondern müssen sie uns in diejenigen unserer neuzeitlichen Weltanschauung übertragen.

Bisher taten wir dies unbefangen in versteckter Weise. Wir brachten es fertig, gegen den Wortlaut der Texte Jesu Lehre so zu verstehen, als stimmte sie mit unserer Weltanschauung überein. Jetzt aber müssen wir uns darüber klar sein, daß wir sie durch eine Tat, zu der wir uns aus Notwendigkeit das Recht nehmen, mit ihr in Einklang bringen.

Wir haben uns also zu der evidenten Tatsache zu bekennen, daß die religiöse Wahrheit Wandlungen durchmacht.

Wie ist dies zu verstehen?

Ihrem eigentlichen geistigen und ethischen Wesen nach bleibt die religiöse Wahrheit des Christentums dieselbe durch die Jahrhunderte hindurch. Wandelbar ist nur die äußere Gestalt, die sie in Weltanschauungsvorstellungen annimmt. So geht Jesu ursprünglich in der spätjüdisch-eschatologischen Weltanschauung aufgetretene Religion der Liebe nachher mit der spätgriechischen, der mittelalterlichen und der neuzeitlichen Verbindung ein. Durch die Jahrhunderte hindurch bleibt sie aber, was sie an sich ist. In welchen Weltanschauungsvorstellungen sie gedacht wird, ist etwas Relatives. Entscheidend allein ist, wieviel Gewalt die in ihr von Anfang an enthaltene geistig-ethische Wahrheit über die Menschen gewinnt.

Nicht mehr wie die, die der Predigt Jesu lauschen durften, erwarten wir, daß das Reich Gottes sich in übernatürlichen Ereignissen verwirklichen werde. Wir halten dafür, daß es allein durch die Kraft des Geistes Jesu in unseren Herzen und in der Welt entsteht. Das einzige aber, worauf es ankommt, ist, daß wir von der Idee des Reiches Gottes so beherrscht sind, wie Jesus es von den Seinen verlangt.

Den gewaltigen Gedanken der Seligpreisungen der Bergpredigt, daß wir durch die Liebe Gott erkennen und ihm angehören, stellt Jesus in die spätjüdisch-messianische Erwartung hinein, ohne irgendwie darum besorgt zu sein, diese realistischen Vorstellungen vom Reiche Gottes und der Seligkeit zu vergeistigen. Aber die Geistigkeit, die in dieser Religion der Liebe liegt, kann nicht anders als nach und nach wie ein läuternden Feuer auf alle Vorstellungen, die sich mit ihr verbinden, übergreifen. So ist es dem Christentum bestimmt, sich in einem stetigen Prozeß der Vergeistigung zu entwickeln.

Niemals unternimmt es Jesus, das spätjüdische Dogma vom Messias und dem messianischen Reiche darzulegen. Nicht damit, wie der Glaube sich die Dinge vorzustellen habe, ist er beschäftigt, sondern allein damit, daß die Liebe, ohne die niemand Gott angehören und des Reiches teilhaftig werden kann, in ihm mächtig sei. Von der Liebe und überhaupt von der innerlichen Vorbereitung auf das Reich handelt seine Verkündigung. Das messianische Dogma steht im Hintergrunde. Käme er nicht gelegentlich darauf zu reden, so könnte man vergessen, daß es vorausgesetzt ist. So erklärt sich, daß die zeitliche Bedingtheit seiner Religion der Liebe so lange übersehen werden konnte.

Die spätjüdisch-messianische Weltanschauung ist der Krater, aus dem die Flamme der ewigen Religion der Liebe hervorbricht.

In der christlichen Verkündigung an Menschen unserer Tage den historischen Jesus zu Wort kommen zu lassen, will nicht heißen, daß man ihnen fort und fort die Bedeutung, die der betreffende Ausspruch in der eschatologisch-messianischen Weltanschauung hatte, darlegt. Es genügt, daß es ihnen etwas Selbstverständliches geworden ist, daß Jesus in der Erwartung des Weltendes und eines auf übernatürliche Weise kommenden Gottesreiches lebte. Derjenige aber, der ihnen das Evangelium Jesu predigt, muß sich mit der ursprünglichen Bedeutung seiner Worte auseinandersetzen und sich durch die historische Wahrheit zur ewigen hindurcharbeiten. Dabei wird er immer wieder zu bemerken Gelegenheit haben, daß ihm bei diesem Beginnen erst wirklich aufgeht, was Jesus uns alles zu sagen hat!

Wie manche Pfarrer haben mir meine Erfahrung bestätigt, daß der historisch erkannte Jesus, obwohl er aus einer anderen Gedankenwelt als der unsrigen zu uns redet, das Predigen nicht schwerer sondern leichter macht.

Es hat einen tiefen Sinn, daß wir beim Hören der Worte Jesu jedesmal den Boden einer anderen Weltanschauung zu betreten haben. In unserer welt- und lebenbejahenden Weltanschauung ist das Christentum in steter Gefahr, zu veräußerlichen. Das aus der Weltenderwartung zu uns redende Evangelium Jesu führt uns von dem breiten Wege der Reich-Gottes-Geschäftigkeit auf den Pfad der Verinnerlichung und hält uns an, in geistiger Losgelöstheit von der Welt die wahre Kraft zum Wirken im Geiste des Reiches Gottes zu suchen. Das Wesen des Christentums ist Weltbejahung, die durch Weltverneinung hindurchgegangen ist. In der eschatologischen Weltanschauung der Weltverneinung stellt Jesus die Ethik tätiger Liebe auf!

*

Hat der historische Jesus auch etwas Fremdartiges an sich, so wirkt er doch so, wie er in Wirklichkeit ist, viel stärker und unmittelbarer auf uns, als wie er uns im Dogma und der bisherigen Forschung entgegentritt. Im Dogma hat seine Persönlichkeit an Lebendigkeit verloren; die bisherige Forschung modernisierte und verkleinerte ihn.

Wer dem historischen Jesus ins Auge zu blicken wagt und auf das hinhorcht, was er ihm in seinen gewaltigen Worten zu sagen hat, der gibt das Fragen, was dieser fremdartige Jesus ihm noch sein könne, bald auf. Er lernt ihn als denjenigen kennen, der Gewalt über ihn haben will.

Das wahre Verstehen Jesu ist das von Wille zu Wille. Das wahre Verhältnis zu ihm ist das des Ergriffenseins von ihm. Alle christliche Frömmigkeit ist nur so viel wert, als in ihr Hingabe unseres Willens an den seinen statthat.

Jesus mutet den Menschen nicht zu, daß sie in Worte und Begriffe fassen können, wer er ist. Er hielt es nicht für nötig, denen, die seinen Worten lauschten, Einblick in das

Geheimnis seiner Persönlichkeit zu geben und ihnen zu eröffnen, daß er der Abkomme Davids sei, der als Messias offenbar werden solle. Als einziges verlangte er von den Menschen, daß sie in Tun und Leiden sich als solche bewähren, die durch ihn aus dem Sein wie die Welt in das Anderssein als die Welt hineingezwungen sind und dadurch seines Friedens teilhaftig werden.

Weil mir dies über dem Forschen und Denken über Jesus zur Gewißheit wurde, lasse ich die Geschichte der Leben-Jesu-Forschung in den Worten ausklingen: „Als ein Unbekannter und Namenloser kommt er zu uns, wie er am Gestade des Sees an jene Männer, die nicht wußten, wer er war, herantrat. Er sagt dasselbe Wort: Du aber folge mir nach! und stellt uns vor die Aufgaben, die er in unserer Zeit lösen muß. Er gebietet. Und denjenigen, welche ihm gehorchen, Weisen und Unweisen, wird er sich offenbaren in dem, was sie in seiner Gemeinschaft an Frieden, Wirken, Kämpfen und Leiden erleben durften, und als ein unaussprechliches Geheimnis werden sie erfahren, wer er ist..."

*

Anstoß bereitet Vielen, daß der historische Jesus als „irrtumsfähig" gelten müsse, weil das übernatürliche Reich Gottes, dessen Erscheinen er für alsbald verkündigte, ausgeblieben ist.

Was vermögen wir gegen die Worte, die klärlich in den Evangelien stehen? Entspricht es wohl dem Geiste Jesu, daß wir sie durch die gewagtesten Deuteleien mit der dogmatischen Lehre seiner absoluten und universellen Irrtumslosigkeit in Einklang zu bringen suchen? Er selber hat auf solche Allwissenheit niemals Anspruch erhoben. Wie er den Jüngling, der ihn mit „Guter Meister" anredete, darauf hinwies, daß nur Gott gut sei (Markus 10^{17-18}), so wäre er auch denjenigen entgegengetreten, die ihm göttliche Unfehlbarkeit hätten beilegen wollen. Das Wissen um die geistige Wahrheit hat sich nicht in dem um die Ereignisse des Weltgeschehens und die Dinge der Welt zu erweisen. Es liegt auf einem anderen Gebiete als dieses und ist von ihm unabhängig.

Ergreifend am historischen Jesus ist seine Unterordnung unter Gott. In dieser steht er größer da als die um der griechischen Metaphysik willen allwissend und irrtumslos gedachte Christuspersönlichkeit des Dogmas.

*

Der Nachweis der eschatologischen Bedingtheit der Lehre Jesu war zunächst ein schwerer Schlag für den freisinnigen Protestantismus. Seit Generationen hatte er sich mit der Erforschung des Lebens Jesu in der Zuversicht beschäftigt, daß aller Fortschritt in der geschichtlichen Erkenntnis den undogmatischen Charakter der Religion Jesu nur immer besser an den Tag bringen würde. Am Ende des 19. Jahrhunderts sah er es als endgültig erwiesen an, daß unser religiöses Denken Jesu Religion von dem auf Erden zu gründenden Reiche Gottes ohne weiteres als die seine übernehmen könne. Bald darauf aber mußte er sich eingestehen, daß dies nur für die von ihm unbewußt modernisierte, nicht aber für die wirklich historische Lehre Jesu galt. Ich selber habe darunter gelitten, an der Zerstörung des Christusbildes, auf das sich das freisinnige Christentum berief, mitarbeiten zu müssen. Zugleich aber war ich der Überzeugung, daß dieses nicht darauf angewiesen sei, von einer geschichtlichen Illusion zu leben, sondern sich auch auf den geschichtlichen Jesus berufen könne und zudem sein Recht in sich selber trüge.

Muß das freisinnige Christentum auch darauf verzichten, seinen Glauben in der Art der Lehre Jesu gleichzusetzen, wie es dies tun zu können vermeint hatte, so hat es dennoch den Geist Jesu nicht wider sich, sondern für sich. Wohl stellt Jesus seine Lehre in das spätjüdisch-messianische Dogma hinein. Aber er denkt nicht dogmatisch. Er formuliert keine „Glaubenslehre“. Eine Beurteilung des Glaubens auf irgendwelche dogmatische Richtigkeit hin liegt ihm fern. Nirgends verlangt er von seinen Hörern, daß sie ihr Denken dem Glauben opfern. Im Gegenteil. Er heißt sie über Religion nachdenken. In der Bergpredigt läßt er sie sich in das Ethische als das Wesen des Religiösen versenken und die Frömmigkeit nach dem beurteilen, was sie aus dem Menschen in ethischer Hinsicht macht. In dem messianischen Hoffen, das seine Hörer im Herzen tragen, entzündet er das Feuer ethischen Glaubens. So ist die Bergpredigt die unanfechtbare Rechtsurkunde des freisinnigen Christentums. Die Wahrheit, daß das Ethische das Wesen des Religiösen ausmacht, ist durch Jesu Autorität sichergestellt.

Überdies ist Jesu Religion der Liebe durch das Hinfälligwerden der spätjüdisch-eschatologischen Weltanschauung von dem Dogmatischen, das sie an sich hatte, frei geworden. Die Form, in der der Guß stattfand, ist zerbrochen. Nun sind wir berechtigt, die Religion Jesu ihrem unmittelbaren geistigen ethischen Wesen nach in unserem Denken lebendig werden zu lassen. Wir wissen, wieviel Kostbares das kirchliche, in griechischen Dogmen überlieferte und durch die Frömmigkeit so vieler Jahrhunderte lebendig erhaltene Christentum in sich birgt, und halten an der Kirche mit Liebe und Ehrfurcht und Dankbarkeit. Aber wir gehören ihr als solche an, die sich auf Pauli Wort „Wo der Geist des Herrn ist, da ist Freiheit" berufen und dem Christentum durch die Stärke der Hingebung an die Religion der Liebe Jesu besser zu dienen glauben als durch Unterwerfung unter sämtliche Glaubenssätze. Hat die Kirche den Geist Jesu, so ist in ihr Platz für alle christliche Frömmigkeit, auch für die frei gerichtete.

Nicht leicht trage ich an dem mir zugefallenen Beruf, den christlichen Glauben dazu anzuhalten, sich mit der historischen Wahrheit aufrichtig auseinanderzusetzen. Aber ich bin ihm mit Freudigkeit ergeben, weil ich gewiß bin, daß Wahrhaftigkeit in allem zum Geiste Jesu gehört.

VII
DAS FRANZÖSISCHE UND DAS DEUTSCHE BUCH ÜBER BACH

—

Während ich mit der Geschichte der Leben-Jesu-Forschung beschäftigt war, vollendete ich ein französisch geschriebenes Werk über J. S. Bach. Widor, mit dem ich jedes Frühjahr und oft auch im Herbst einige Wochen in Paris zusammen war, hatte mir geklagt, daß es auf französisch nur rein erzählende, aber keine in Bachs Kunst einführende Werke gäbe. Ich mußte ihm versprechen, die Herbstferien 1902 darauf zu verwenden, einen Aufsatz über das Wesen der Bachschen Kunst für die Schüler des Pariser Konservatoriums zu schreiben.

Diese Aufgabe lockte mich, weil sie mir Gelegenheit bot, die Gedanken auszusprechen, zu denen ich über der eingehenden theoretischen und praktischen Beschäftigung mit Bach, wie sie mein Amt als Organist des Bachchors zu St. Wilhelm mit sich brachte, gelangt war.

Am Ende der Ferien war ich aber trotz angestrengtester Arbeit nicht über die Vorarbeiten der Abhandlung hinausgekommen. Auch war mir klar geworden, daß sie sich zu einem Buch über Bach auswachsen würde. Mutvoll ergab ich mich in mein Schicksal.

In den Jahren 1903 und 1904 verwandte ich alle meine freie Zeit auf Bach. Erleichtert wurde mir die Arbeit dadurch, daß ich in den Besitz der damals im Handel nur ganz selten und nur zu sehr hohem Preise erwerbbaren Gesamtausgabe der Werke Bachs gelangte und also nicht mehr darauf angewiesen war, die Partituren auf der Universitätsbibliothek zu studieren, was mich, da ich für Bach fast nur die Nachtstunden zur Verfügung hatte, sehr behinderte. Durch einen Straßburger Musikalienhändler erfuhr ich nämlich, daß eine Pariser Dame, die seinerzeit auf die Gesamtausgabe der Werke Bachs subskribiert hatte, um das Unternehmen der Bachgesellschaft zu unterstützen, die zahlreichen großen, grauen Bände, die ihr so viel Platz in ihrer Bibliothek wegnähmen, loswerden wollte. Froh, jemand eine Freude damit machen zu können, überließ sie sie mir für den lächerlich geringen Preis von 200 Mark. Daß mir dieses Glück widerfuhr, war mir ein gutes Vorzeichen für das Gelingen meines Werkes.

Eigentlich war es ein verwegenes Unternehmen, daß ich mich daran machte, ein Buch über Bach zu schreiben! Obgleich ich in Musikgeschichte und Musiktheorie auf Grund ausgedehnter Lektüre nicht ohne Kenntnisse war, war ich doch kein Musikwissenschaftler von Fach. Mein Vorhaben ging aber auch gar nicht darauf aus, neues geschichtliches Material über Bach und seine Zeit beizubringen. Als Musiker wollte ich zu Musikern von Bachs Musik reden. Was in den bisherigen Arbeiten viel zu kurz gekommen war, die Deutung des Wesens der Bachschen Musik und die Behandlung der Fragen der sinngemäßen Art der Wiedergabe, sollte das Hauptstück der meinigen werden. Dementsprechend bietet sie das Biographische und Geschichtliche nur mehr einleitungsweise.

Fiel mich über den Schwierigkeiten der Arbeit die Befürchtung an, daß ich etwas über meine Kräfte Gehendes gewagt hätte, so tröstete ich mich damit, daß ich nicht für Deutschland schrieb, wo die Bachgelehrsamkeit zu Hause war, sondern für Frankreich, wo die Kunst des Thomaskantors überhaupt erst bekanntzumachen war.

Daß ich das Werk auf französisch schrieb, während ich gleichzeitig deutsche Vorlesungen und deutsche Predigten hielt, bedeutete eine Anstrengung für mich. Wohl spreche ich von Kindheit auf Französisch gleicherweise wie Deutsch. Französisch aber empfinde ich nicht als Muttersprache, obwohl ich mich von jeher für meine an meine Eltern gerichteten Briefe ausschließlich des Französischen bediente, weil dies so Brauch in der Familie war. Deutsch ist mir Muttersprache, weil der elsässische Dialekt, in dem ich sprachlich wurzle, deutsch ist.

Nach meiner Erfahrung scheint es mir eine Selbsttäuschung, wenn jemand zwei Sprachen als Muttersprache zu besitzen glaubt. Mag er sie beide in gleicher Weise zu beherrschen vermeinen, so ist es doch immer so, daß er eigentlich nur in einer denkt und nur in dieser wirklich frei und schöpferisch verfährt. Wenn mir jemand behauptet, daß ihm zwei Sprachen absolut in derselben Weise vertraut seien, komme ich ihm alsbald mit der Frage, in welcher Sprache er zähle und rechne, in welcher er mir das Küchengeschirr und das Handwerkszeug des Schreiners und des Schmiedes am besten hersagen könne und in welcher er träume. Ich habe noch keinen gefunden, der bei dieser Probe nicht das Überwiegen der einen Sprache zugeben mußte.

Großen Nutzen hatte ich bei der Arbeit an dem Buch über Bach von den Bemerkungen, die Hubert Gillot, damals Lektor des Französischen an der Straßburger Universität, mir über den Stil meines Manuskriptes machte. Besonders eindringlich wies er mich darauf hin, daß der französische Satz in viel stärkerem Maße das Bedürfnis nach Rhythmus in sich trägt als der deutsche.

Den Unterschied zwischen den beiden Sprachen empfinde

ich in der Art, als ob ich mich in der französischen auf den wohlgepflegten Wegen eines schönen Parkes erginge, in der deutschen aber mich in einem herrlichen Wald herumtriebe. Aus den Dialekten, mit denen sie Fühlung behalten hat, fließt der deutschen Schriftsprache ständig neues Leben zu. Die französische hat diese Bodenständigkeit verloren. Sie wurzelt in ihrer Literatur. Dadurch ist sie im günstigen wie im ungünstigen Sinne des Wortes etwas Fertiges geworden, während die deutsche in demselben Sinne etwas Unfertiges bleibt. Die Vollkommenheit des Französischen besteht darin, einen Gedanken auf die klarste und kürzeste Weise ausdrücken zu können, die des Deutschen darin, ihn in seiner Vielgestaltigkeit hinzustellen. Als die großartigste sprachliche Schöpfung in Französisch gilt mir Rousseaus „Contrat Social". Als das Vollendetste in Deutsch sehe ich Luthers Bibelübersetzung und Nietzsches „Jenseits von Gut und Böse" an.

Vom Französischen her gewohnt, auf die rhythmische Gestaltung des Satzes bedacht zu sein und Einfachheit des Ausdrucks zu erstreben, ist mir dies auch im Deutschen zum Bedürfnis geworden. Über der Arbeit an dem französischen Buch kam ich zur Klarheit über die meiner Natur entsprechende Schreibweise.

Wie jeder, der über Kunst schreibt, hatte ich mit der Schwierigkeit zu ringen, künstlerischen Urteilen und Eindrücken in Worten Ausdruck zu geben. Alle Äußerungen über Kunst sind ja ein Reden in Gleichnissen.

Im Herbst 1904 konnte ich Widor, der mich fort und fort durch Briefe angetrieben hatte, nach Venedig, wo er seine Ferien verbrachte, die Meldung zukommen lassen, die Sache sei jetzt so weit, daß er sich an die versprochene Vorrede machen müsse, was er auch alsbald tat.

Gewidmet ist das 1905 erschienene Buch Frau Mathilde Schweitzer, der Frau des ältesten Bruders meines Vaters in Paris[1]. Hätte sie mich 1893 nicht mit Widor zusammengebracht und mir durch ihr gastliches Haus die Möglichkeit geboten, immer wieder mit ihm zusammen zu sein, so wäre ich nie dazu gekommen über Bach zu schreiben.

Daß mein Werk auch in Deutschland als eine Bereiche-

---

[1]) „J. S. Bach, le musicien-poète." 455 Seiten. (Costallat. Paris. Breitkopf & Härtel. Leipzig.) 1905.

rung der Bachforschung Anerkennung fand, wo ich es doch nur zur Ausfüllung einer Lücke in der französischen Musikliteratur geschrieben hatte, bereitete mir Überraschung und Freude. Im „Kunstwart“ regte von Lüpke eine Übersetzung an. Daraufhin wurde, im Herbst 1905, die deutsche Ausgabe mit dem Verlage von Breitkopf & Härtel vereinbart.

Als ich mich im Sommer 1906, nach Fertigstellung der Geschichte der Leben-Jesu-Forschung, an die Arbeit der deutschen Ausgabe des Bach machte, wurde ich bald gewahr, daß ich nicht imstande wäre, mich selber zu übersetzen, sondern mich, um etwas Befriedigendes zustande zu bringen, aufs neue in den Stoff versenken müsse. So klappte ich den französischen Bach zu und entschloß mich, den deutschen neu und besser zu schaffen. Aus dem Buche von 455 Seiten wurde zum Jammer des überraschten Verlegers eines von 844. Die ersten Seiten des neuen Werkes schrieb ich zu Bayreuth im Gasthof zum schwarzen Roß nach einer wunderbaren Aufführung des Tristan. Wochenlang hatte ich vergebens versucht, es in Angriff zu nehmen. In der gehobenen Stimmung, in der ich vom Festspielhügel heimkehrte, gelang es mir. Während das Stimmengewirr aus der darunter gelegenen Bierhalle in mein dumpfes Zimmer heraufdrang, fing ich zu schreiben an und hörte erst lange nach Sonnenaufgang auf. Von da an war ich mit solcher Freudigkeit bei der Arbeit, daß ich sie in zwei Jahren fertig hatte, obwohl das medizinische Studium, die Vorbereitung der Vorlesungen, die Predigttätigkeit und die Konzertreisen mir nicht erlaubten, mich anhaltend mit ihr zu beschäftigen. Oft mußte ich sie für Wochen beiseite legen.

Die deutsche Ausgabe des Bach erschien zu Beginn des Jahres 1908[1]. Sie liegt der englischen Übersetzung zugrunde, in deren Dienst Ernest Newman seine feine Feder setzte[2].

*

In ihrem Kampfe gegen Wagner beriefen sich die Antiwagnerianer auf das Ideal der klassischen Musik, wie sie es sich zu-

---

¹) Albert Schweitzer. „J. S. Bach.“ 844 Seiten. (Breitkopf & Härtel. Leipzig.) 1908.

²) Die englische Ausgabe erschien 1911 in zwei Bänden, ebenfalls bei Breitkopf & Härtel. Den Vertrieb übernahm 1923 der Verlag A. & C. Black in London.

rechtgemacht hatten. Sie definierten sie als reine Musik. Als solche galt ihnen diejenige, von der sie behaupten zu können glaubten, daß sie keinen dichterischen und malerischen Absichten Raum gäbe, sondern nur darauf bedacht sei, schöne Tonlinien sich in der vollendetsten Weise ausleben zu lassen. Bach, dessen Werke durch die Ausgabe der Bachgesellschaft von der Mitte des 19. Jahrhunderts an nach und nach in ihrer Gesamtheit bekannt wurden, nahmen sie in gleicher Weise wie auch Mozart für diese ihre klassische Kunst in Anspruch und spielten ihn gegen Wagner aus. Seine Fugen schienen ihnen der unumstößliche Beweis dafür, daß er ihrem Ideal der reinen Musik diente. Als Klassiker dieser Art stellte ihn Philipp Spitta in seinem großen zweibändigen Werke dar, in dem er als erster das Biographische auf Grund eingehender Erforschung der Quellen bot [1].

Dem Bach der Gralswächter der reinen Musik setze ich in meinem Buche denjenigen entgegen, der Dichter und Maler in Musik ist. Alles was in den Worten des Textes liegt, das Gefühlsmäßige wie das Bildliche, will er mit größtmöglicher Lebendigkeit und Deutlichkeit in dem Material der Töne wiedergeben. Vor allem geht er darauf aus, das Bildliche in Tonlinien zu zeichnen. Er ist noch mehr Tonmaler als Tondichter. Seine Kunst steht der von Berlioz näher als der von Wagner. Redet der Text von Nebeln, die auf- und niederwogen, von Winden, die einherbrausen, von Flüssen, die dahinrauschen, von Wellen des Sees, die sich heben und senken, von Blättern, die vom Baume sinken, von Sterbeglocken, die läuten, von dem zuversichtlichen Glauben, der in festen Schritten einherschreitet, und dem schwachen, der in unsicheren einherwankt, von Stolzen, die erniedrigt werden, vom Satan, der sich aufbäumt, und von Engeln, die sich auf den Wolken des Himmels wiegen: so sieht und hört man dies alles in seiner Musik.

Bach verfügt geradezu über eine Tonsprache. Es gibt bei ihm stetig wiederkehrende rhythmische Motive der friedvollen Glückseligkeit, der lebhaften Freude, des heftigen Schmerzes, des erhabenen Schmerzes.

Der Drang, dichterische und bildliche Gedanken auszudrücken, gehört zum Wesen der Musik. Sie wendet sich an die schöpferische Phantasie des Hörers und will in ihr die Gefühlserlebnisse und die Visionen lebendig werden lassen, aus denen sie entstanden ist. Dies vermag sie aber nur, wenn der, der in der Sprache der Töne redet, das geheimnisvolle Können besitzt, sie Gedanken in einer über ihr eigentliches Ausdrucksvermögen hinausgehenden Deutlichkeit und Bestimmtheit wiedergeben zu lassen. Darin ist Bach der Größte unter den Großen.

---

[1]) Der erste Band erschien 1873; der zweite 1880.

Dichterisch und malerisch ist seine Musik, weil ihre Themen dichterischen und malerischen Vorstellungen entsprungen sind. Aus ihnen entfaltet sich dann das Tonstück in vollendeter Tonlinien-Architektur. Was seinem Wesen nach dichterische und bildliche Musik ist, stellt sich als Klang gewordene Gotik dar. Das Größte an dieser urlebendigen, wunderbar plastischen, einzigartig formvollendeten Kunst ist der Geist, der von ihr ausgeht. Eine Seele, die sich aus der Unruhe der Welt nach Frieden sehnt und Frieden schon gekostet hat, läßt darin andere an ihrem Erlebnis teilhaben.

*

Aus der Art der Bachschen Kunst ergibt sich, daß sie, um zu wirken, in lebendiger und vollendeter Plastik vor dem Hörer erstehen muß. Dieses Grundprinzip der Wiedergabe muß noch heute um Anerkennung kämpfen.

Ein Vergehen gegen den Stil der Bachschen Musik ist schon, daß wir sie mit Massenorchester und Massenchören aufführen. Die Kantaten und Passionen sind für 25 bis 30 Stimmen und ein Orchester von etwa derselben Zahl geschrieben. Bachs Orchester begleitet den Chor nicht, sondern ist ihm gleichgestellt. Ein orchestrales Äquivalent zu einem Chor von 150 Stimmen gibt es nicht. Also werden wir dazu kommen, für Bachaufführungen Chöre von 40 bis 50 Stimmen und Orchester von 50 bis 60 Instrumentisten zu verwenden. Das wunderbare Stimmgewebe muß durchsichtig dastehen.

Für Alt und Sopran verwandte Bach nicht Frauenstimmen, sondern nur Knabenstimmen, auch für die Soli. Chöre aus männlichen Stimmen bestehend bilden ein homogenes Ganzes. Zum mindesten sollten also Knabenstimmen den Frauenstimmen beigegeben werden. Als Ideal ist aufzustellen, daß auch die Soli für Alt und Sopran von Knaben gesungen werden.

Weil Bachs Musik Architektur ist, sind bei ihr die crescendi und decrescendi, die in der Beethovenschen und Nachbeethovenschen Musik Gefühlserlebnissen entsprechen, nicht angebracht. Eine Abwechslung zwischen stark und schwach ist in ihr sinnvoll nur insoweit, als sie dazu dient, Hauptsätze hervor- und Nebensätze zurücktreten zu lassen. Nur innerhalb dieser forti und piani sind deklamatorische crescendi und decrescendi angebracht. Verwischen sie den Unterschied zwischen forte und piano, so machen sie die Architektur des Stückes zunichte.

Da eine Bachsche Fuge stets mit einem Hauptsatz beginnt und mit einem solchen aufhört, erträgt sie kein Anheben und Ausklingen in piano.

Durchweg wird Bach zu schnell gespielt. Eine Musik, die ein visuelles Erfassen nebeneinander einhergehender Tonlinien voraussetzt, wird für den Hörer, dem ein zu rasches Tempo dies unmöglich macht, zum Chaos.

Nicht so sehr durch das Tempo als durch die Phrasierung, die die Tonlinien in lebendiger Plastik vor dem Hörer erstehen läßt, wird das Leben, das in Bachs Musik liegt, zur Geltung gebracht.

Während man zur Mitte des 19. Jahrhunderts Bach merkwürdigerweise durchgängig staccato spielte, verfiel man nachher in das andere Extrem, ihn in monotonem Legato wiederzugeben. Also lernte ich es 1893 bei Widor. Mit der Zeit aber ging mir auf, daß Bach lebendige Phrasierung verlangt. Er denkt als Violinist. Die Noten sind bei ihm in der Art untereinander zu verbinden und voneinander abzusetzen, wie dies dem Violinbogen natürlich ist. Ein Bachsches Klavierstück gut spielen will heißen, es so wiederzugeben, als würde es von einem Streichquartett ausgeführt.

Die rechte Phrasierung ist durch die rechte Betonung zur Geltung zu bringen. Bach verlangt, daß die Noten, die für den Gang der Tonlinie entscheidend sind, in ihrer Bedeutung durch die Betonung hervortreten. Charakteristisch für die Struktur seiner Perioden ist, daß sie in der Regel nicht von einem Akzent ausgehen, sondern auf einen solchen zustreben. Sie sind in Auftaktform gedacht. Zu beachten ist auch, daß die Akzente der Bachschen Tonlinie in der Regel nicht mit den natürlichen Taktakzenten zusammenfallen, sondern frei neben ihnen einhergehen. Aus dieser Spannung zwischen den Akzenten der Tonlinie und denen der Taktart ergibt sich die außerordentliche rhythmische Belebtheit der Bachschen Musik.

Dies sind die äußerlichen Erfordernisse der Wiedergabe Bachscher Musik. Darüber hinaus verlangt sie von uns, daß wir gesammelte und innerliche Menschen werden, um fähig zu sein, etwas von dem tiefen Geiste, der in ihr ist, lebendig werden zu lassen.

*

Meine Ausführungen über das Wesen der Bachschen Musik und die sinngemäße Art sie wiederzugeben fanden Anerkennung, weil sie zur rechten Zeit erschienen. Über der Beschäftigung mit den gegen das Ende des 19. Jahrhunderts hin in Vollständigkeit erschienenen Werken Bachs war es den Musikern aufgegangen, daß er etwas anderes sei als der Vertreter einer akademisch-klassischen Musik. In gleicher Weise waren sie an der hergebrachten Art der Wiedergabe irre geworden und suchten nun nach derjenigen, die dem Stile Bachs entspräche. Aber noch waren diese neuen Erkenntnisse weder formuliert noch begründet worden. So legte mein Buch erstmalig Ansichten dar, die die mit Bach beschäftigten Musiker mit sich herumtrugen, und gewann mir damit viele Freunde.

Ergriffen denke ich an die vielen lieben Briefe, die es mir alsbald nach seinem Erscheinen eintrug. Felix Mottl, der von mir aus der Ferne verehrte Dirigent, schrieb mir aus Leipzig, nachdem er das Buch, das ihm Freunde in München als Reiselektüre in den Eisenbahnwagen gereicht, während der Fahrt und im Hotel in einem Zug durchgelesen hatte. Bald darauf kam ich mit ihm zusammen und habe nachher noch einige Male schöne Stunden mit ihm verbracht.

Durch das Buch über Bach wurde ich auch mit Siegfried Ochs, dem Berliner Bachdirigenten, bekannt, mit dem mich dann eine stets sich vertiefende Freundschaft verband.

Weil ich ihr ihren geliebten Bach noch lieber gemacht hatte, schrieb mir Carmen Sylva einen langen Brief, dem eine ganze Reihe anderer folgten. Die letzten, nach Afrika gerichteten, sind mit Bleistift mühsam hingemalt, weil die von Rheumatismus gequälte Hand die Feder nicht mehr zu führen vermochte. Der mehrmals wiederholten Einladung der königlichen Frau, Ferien bei ihr zu verleben mit der einzigen Verpflichtung ihr täglich zwei Stunden Orgel zu spielen, konnte ich nicht Folge geben, weil ich in den letzten Jahren vor meiner Abreise nach Afrika mir Ferien nicht mehr gönnen durfte. Als ich heimkehrte, weilte sie nicht mehr unter den Lebenden.

VIII
VON ORGELN UND VOM ORGELBAU

—

Als Seitentrieb der Arbeit über Bach entstand eine Studie über Orgelbau, die ich im Herbst 1905, bevor ich mit dem Studium der Medizin begann, fertigstellte.

Da mir die Beschäftigung mit dem Orgelbau von meinem Großvater Schillinger her im Blute lag, war ich schon als Knabe darauf aus, das Innere von Orgeln kennenzulernen.

Mit den gegen Ende des 19. Jahrhunderts erbauten Orgeln erging es mir merkwürdig. Obwohl sie als Wunder fortgeschrittener Technik gepriesen wurden, konnte ich keinen Gefallen an ihnen finden. Im Herbst 1896, auf der Heimkehr von meiner ersten Fahrt nach Bayreuth, machte ich den Umweg über Stuttgart, um die neue Orgel in der dortigen „Liederhalle", über die die Zeitungen begeisterte Berichte gebracht hatten, kennenzulernen. Herr Lang, der Organist der Stiftskirche, als Musiker ebenso vortrefflich wie als Mensch, hatte die Güte, sie mir zu zeigen. Als ich den harten Klang des vielgepriesenen Instruments hörte und bei einer Bachschen Fuge, die mir Lang darauf spielte, ein Chaos von Tönen vernahm, in dem ich die einzelnen Stimmen nicht auseinanderhalten konnte, wurde mir mein Ahnen, daß die moderne Orgel in klanglicher Hinsicht keinen Fortschritt, sondern einen Rückschritt bedeute, plötzlich zur Gewißheit. Um über diese Tatsache und ihre Gründe ins klare zu kommen, benutzte ich in den folgenden Jahren meine freie Zeit dazu, alte und neue Orgeln in möglichst großer Zahl kennenzulernen. Auch besprach ich die Frage mit allen Organisten und Orgelbauern, die mir in den Weg kamen. Gewöhnlich wurde ich ob meiner Ansicht, daß die alten Orgeln besser klängen als die neuen, verlacht und verspottet. Auch die Schrift, in der ich dann das Evangelium der wahren Orgel zu verkünden unternahm, fand anfangs nur bei einigen wenigen Verständnis. Sie erschien 1906, zehn Jahre nach meinem Damaskus zu Stuttgart, und führt den Titel „Deutsche und französische Orgelbaukunst und Orgelkunst"[1]. Ich erkenne in ihr dem französischen Orgelbau einen Vorzug vor dem deutschen zu, weil er in vielem noch der alten Bauart treu geblieben ist.

Die Qualität des Tones und die Wirkung einer Orgel sind durch vier Faktoren bestimmt: durch die Pfeifen, die Windladen, den Winddruck und die Stellung, die das Instrument im Raum einnimmt.

Durch Erfahrungen, die eine Generation von der anderen übernahm und ihrerseits machte, waren die alten Orgelbauer auf die besten Mensuren (Maßproportionen) und Formen der Pfeifen gekommen. Auch verwandten sie zum Bau derselben nur bestes Material. Der moderne Orgelbau konstruiert Pfeifen

[1]) „Deutsche und französische Orgelbaukunst und Orgelkunst." 51 Seiten. 1906. (Breitkopf & Härtel. Leipzig.) Zuvor war diese Abhandlung in der Zeitschrift „Die Musik" (Heft 13 und 14. 1906) erschienen. 2. Auflage 1927.

nach physikalischen Theorien, wobei er oft Errungenschaften der früheren Meister preisgibt. Auch spart er an Material, um möglichst billig zu bauen. So stehen in der heutigen Fabrikorgel vielfach Pfeifen, die nicht klingen, weil sie einen zu geringen Durchmesser und zu dünne Wandungen haben oder aus anderem Material gearbeitet sind als aus bestem Holz oder aus bestem Zinn.

Als Windlade, das heißt als Lade, auf der die Pfeifen stehen und aus denen der Wind in sie einströmt, benutzte man früher die sogenannte „Schleiflade". Sie hat eine Reihe technischer Nachteile, verglichen mit den Windladen, die der moderne Orgelbau verwendet. Überdies kommt sie bedeutend teurer zu stehen als diese. Hinsichtlich der Qualität des zustandekommenden Tones übertrifft sie sie aber bei weitem, weil ihre Bauart aus bestimmten Gründen in akustischer Hinsicht größere Vorteile bietet.

Auf der alten Windlade bringen die Pfeifen einen runden, weichen, vollen Ton hervor, auf der neuen einen harten und trockenen. Der Klang einer alten Orgel umflutet den Hörer, während der der neuen wie eine Brandung auf ihn zukommt.

Auf der alten Orgel wurden die Pfeifen mit Wind von mäßigem Druck gespeist, weil die damaligen unvollkommenen Blasbälge keinen stärkeren hervorbrachten. Als man dann mit vervollkommneten und elektrisch betriebenen Gebläsen Wind von beliebigem Druck erzeugen konnte, jagte man Wind von hohem Druck in die Pfeifen. Durch die Tatsache geblendet, daß nunmehr eine Orgel von 25 Registern so stark sein konnte, wie früher eine von 40, übersah man, daß der Ton jetzt aus den Pfeifen herauspolterte, statt wie auf einem Blasinstrumente angesetzt zu werden, und daß er an Qualität verlor, was er an Volumen gewann.

Auch hinsichtlich der Spielart der Orgeln, das heißt der Art, wie die Verbindung zwischen der Taste und der Pfeife hergestellt wird, war man einseitig auf Verbilligung und technische Vervollkommnung bedacht und schenkte dem Künstlerisch-Zweckmäßigen nicht genügend Beachtung.

Wenn die alten Orgeln besser klingen als die heute erbauten, so liegt dies gewöhnlich auch daran, daß sie günstiger stehen. Der beste Platz für die Orgel ist bei einem nicht besonders langen Schiff der über dem Eingang, gegenüber dem Chor. Hier steht sie hoch und frei. Ihr Klang kann sich nach allen Seiten hin ungehemmt entfalten.

Bei sehr langen Schiffen ist es besser, die Orgel in einer gewissen Höhe an der Seitenwand des Hauptschiffes, etwa in der Mitte desselben, anzubauen, weil dadurch der Widerhall, der der Klarheit des Spiels hinderlich wäre, vermieden wird. In dieser Art, als „Schwalbennest", hängt die Orgel noch in einer Reihe von Kathedralen Europas in das Mittelschiff hinein. Bei dieser Aufstellung entfaltet eine Orgel von 40 Stimmen die Wirkung einer von 60!

In dem Bestreben, möglichst große Orgeln zu bauen, und auch in der Absicht, Orgel und Singchor auf demselben Platz beisammen zu haben, kommt man heute vielfach dazu, der Orgel einen nicht günstigen Platz anzuweisen.

Bietet die Tribüne über dem Eingang, wie dies oft der Fall ist, nur Raum für eine mäßig große Orgel, so stellt man sie im Chor auf, was dann noch den praktischen Vorteil hat, daß Orgel und Singchor zusammen sind. Eine zu ebener Erde stehende Orgel entfaltet aber nie die Wirkung einer aus der Höhe ertönenden! Der Ton ist, besonders bei gefüllter Kirche, in der Entfaltung gehemmt. Wie viele an sich gute Orgeln sind so, namentlich in England, ihrer Wirkung durch ihre Stellung im Chor beraubt!

Das andere Verfahren, um Orgel und Chor beieinander zu haben, besteht darin, daß man die Tribüne über dem Hauptportal dem Chor und dem Orchester zuspricht und die Orgel dahinter in irgendeine Wölbung versetzt, wo sie nicht klingen kann.

Den modernen Architekten ist es bereits etwas geradezu Selbstverständliches geworden, daß die Orgel in irgendein Loch gehört.

Neuerdings benützen Architekten und Orgelbauer die durch die elektrische Verbindung der Pfeife mit der Taste verwirklichte Überwindung der Distanz dazu, die Orgel in Orgeln zu zerlegen, die an verschiedenen Plätzen stehen und von einem Spieltische aus miteinander zum Erklingen gebracht werden. Die dadurch ermöglichten Effekte können der Menge imponieren. Wahrhaft künstlerisch und feierlich wirkt aber nur die Orgel, die als einheitliche Klangpersönlichkeit von ihrem natürlich gegebenen Platze in der Höhe aus ihre Töne in das Schiff hineinfluten läßt.

Die einzig richtige Lösung des Problems von Orgel und Singchor, wenn es sich um eine größere Kirche und einen starken Singchor mit Orchester handelt, besteht darin, daß Sänger und Instrumentisten im Chorraum Aufstellung finden und von einer dort stehenden kleinen Orgel begleitet werden. Natürlich kann dann der Organist der großen Orgel nicht auch zugleich Leiter des Chors sein.

*

Die besten Orgeln wurden etwa zwischen 1850 und 1880 erbaut, als Orgelbauer, die Künstler waren, sich die Errungenschaften der Technik zunutze machten, um das Orgelideal Silbermanns und der anderen großen Orgelbauer des 18. Jahrhunderts in höchstmöglicher Vollendung zu verwirklichen. Der bedeutendste von ihnen ist Aristide Cavaillé-Coll, der Schöpfer der Orgeln zu St. Sulpice und zu Notre Dame in Paris. Die von St. Sulpice – sie wurde 1862 vollendet –, die ich, von einigen Mängeln abgesehen, für die schönste der mir bekannten Orgeln halte, funktioniert heute noch so gut wie am ersten Tage und wird in 200 Jahren, wenn sie weiter gut unterhalten wird, es noch ebenso tun. Die von Notre Dame hat dadurch gelitten, daß sie während des Krieges, als die gemalten Fenster der Kirche herausgenommen waren, allen Unbilden der Witterung ausgesetzt war. Mehrmals habe ich den greisen Cavaillé-Coll – er starb 1899 – auf der Orgel zu St. Sulpice angetroffen, wo er allsonntäglich zum Gottesdienst zu erscheinen pflegte. Eine seiner Lieblingssentenzen war: „Eine Orgel klingt am besten, wenn so viel Platz zwischen den Pfeifen ist, daß man um jede herumgehen kann." Von den anderen Vertretern des Orgelbaus aus jener Zeit schätze ich besonders Ladegast in Norddeutschland, Walcker in Süddeutschland und einige englische und nordische Meister, die, wie Ladegast, durch Cavaillé-Coll beeinflußt waren.

Gegen Ende des 19. Jahrhunderts werden die Orgelbaumeister zu Orgelfabrikanten. Diejenigen, die diese Entwicklung nicht mitmachen wollen, gehen zugrunde. Von jetzt an fragt man nicht mehr, ob eine Orgel gut klingt, sondern ob sie mit allen möglichen modernen Einrichtungen zum Wechsel der Register eingerichtet ist und ob sie für möglichst wenig Geld möglichst viele Stimmen enthält. In unglaublicher Verblendung reißt man schöne alte Orgelwerke, statt sie pietätvoll und sinngemäß zu restaurieren, ab und ersetzt sie durch Fabrikorgeln.

Am meisten Verständnis für die Schönheit und den Wert alter Orgeln hat man noch in Holland. Die Organisten dieses Landes ließen sich durch die schwere Spielart und die mancherlei technischen Nachteile ihrer wundervollen alten Orgeln nicht dazu verleiten, dafür den Vorzug ihres herrlichen Klanges preiszugeben. So stehen in den Kirchen Hollands zahlreiche große und kleine Orgeln, die im Laufe der Zeit durch sachgemäße Restaurierung ihre technischen Unvollkommenheiten verlieren und ihre klanglichen Schönheiten behalten werden. Auch an prachtvollen alten Orgelgehäusen ist Holland so reich wie kaum ein anderes Land.

*

Nach und nach wurde dem Gedanken einer Reform des Orgelbaus, den ich in meiner Schrift vorgetragen hatte, Beachtung geschenkt. Auf dem zu Wien im Mai 1909 abgehaltenen Kongreß der Internationalen Musikgesellschaft wurde auf Betreiben Guido Adlers erstmalig eine Sektion für Orgelbau vorgesehen. In dieser arbeiteten Gesinnungsgenossen und ich ein „Internationales Regulativ für Orgelbau" aus, das mit der blinden Bewunderung rein technischer Errungenschaften aufräumte und wieder gediegene, klangschöne Instrumente verlangte [1]. In der Folgezeit setzte sich dann nach und nach die Einsicht durch, daß die wahre Orgel die Tonschönheit der alten mit den technischen Vorzügen der neuen vereinigen müsse. 22 Jahre nach ihrem Entstehen konnte meine Schrift über Orgelbau als das im Prinzip nun anerkannte Programm der Reform des Orgelbaus in unverändertem Abdruck mit einem Nachwort über den heutigen Stand des Orgelbaus gewissermaßen als Jubiläumsgabe neu erscheinen [2].

Während mir die monumentale Orgel des 18. Jahrhunderts, wie sie später durch Cavaillé-Coll und andere ihre Vollendung erfuhr, in klanglicher Hinsicht als das Ideal gilt, wollen neuerdings Musikhistoriker in Deutschland auf die Orgel der Zeit von Bach zurückgehen. Diese ist aber nicht die wahre Orgel, sondern nur ihr Vorläufer. Es fehlt ihr das Majestätische, das zum Wesen der Orgel gehört. Die Kunst hat absolute, nicht archaistische Ideale. Für sie gilt das Wort: „Wenn aber kommen wird das Vollkommene, so wird das Stückwerk aufhören."

Obwohl die einfachen Wahrheiten des künstlerischen und gediegenen Orgelbaus zur Anerkennung gelangt sind, geht es mit ihrer praktischen Verwirklichung sehr langsam voran.

---

[1]) „Internationales Regulativ für Orgelbau." 47 Seiten. 1909. (Artaria. Wien; Breitkopf & Härtel. Leipzig.) – Französische Ausgabe „Règlement général international pour la facture d'orgues". 1909. (Artaria. Wien; Breitkopf & Härtel. Leipzig.) – Italienische Ausgabe „Regolamento generale internazionale per la costruzione degli organi". 170 Seiten. (Seite 123–170 Appendix des Übersetzers D. Carmelo Sangiorgio.) 1914. (Bronte.)

[2]) „Deutsche und französische Orgelbaukunst und Orgelkunst." Leipzig. Breitkopf & Härtel. 2. Auflage 1927. Seite 1–48: ursprüngliche Schrift; Seite 49–73: Nachwort.

Dies liegt daran, daß der Orgelbau heute fabrikmäßig im großen betrieben wird. Kaufmännische Interessen stehen den künstlerischen im Wege. Die wirklich gediegene und künstlerische Orgel kommt 30 Prozent teurer als die Fabrikorgel, die den Markt beherrscht. Der Orgelbauer, der das wirklich Gute liefern will, setzt also seine Existenz aufs Spiel. Nur in den seltensten Fällen lassen sich die Kirchen überzeugen, daß sie recht tun, wenn sie das Geld, für das sie eine Orgel von 40 Stimmen haben könnten, für eine von 33 ausgeben sollen.

Als ich einmal mit einem musikalischen Zuckerbäcker auf Orgel und Orgelbau zu reden kam, sagte er: „Mit dem Orgelbau steht es also wie mit der Zuckerbäckerei! Wie die Leute heutzutage nicht mehr wissen, was eine gute Orgel ist, so auch nicht mehr, was gutes Zuckerwerk ist. Sie haben keine Erinnerung mehr davon, wie die Sachen schmekken, die mit frischer Milch, mit frischem Rahm, mit frischer Butter, mit frischen Eiern, mit bestem Öl, mit bestem Fett, mit natürlichen Fruchtsäften hergestellt und ausschließlich mit Zucker gesüßt sind. Alle sind sie jetzt gewohnt gut zu finden, was mit konservierter Milch, konserviertem Rahm, konservierter Butter, getrocknetem Eiweiß, getrocknetem Eigelb, billigstem Öl, billigstem Fett, chemisch imitierten Fruchtsäften und allen möglichen Süßstoffen hergestellt wird, weil sie nichts anderes mehr vorgesetzt bekommen. Ohne Verständnis für die Qualität geben sie sich mit schöner Aufmachung zufrieden. Versuche ich die gute Ware von früher zu liefern, so verliere ich die Kundschaft, weil ich, wie der gute Orgelbauer, um 30 Prozent zu teuer bin..."

Wie weit wir noch von der wahren Orgel entfernt sind, habe ich auf meinen Konzertreisen, die mir Gelegenheit gaben, die Orgeln fast aller europäischen Länder kennenzulernen, immer wieder feststellen müssen. Es muß aber einmal dahin kommen, daß die Organisten die wirklich gediegene und künstlerische Orgel verlangen und damit die Orgelbauer instand setzen, die Produktion von Fabrikware aufzugeben. Wann wird es sein, daß die Idee den Sieg über die Verhältnisse davonträgt?

Das Hauptproblem bleibt das der Windlade. Solange es nicht gelingt, eine Windlade zu bauen, die die akustischen Qualitäten der von den Meistern des 18. Jahrhunderts und von Cavaillé-Coll verwendeten „Schleiflade“ ohne ihre technischen Nachteile besitzt, bleiben die Orgeln klanglich unbefriedigend. Natürlich rühmen die Orgelbauer ihre modernen Laden und geben sie als mit der „Schleiflade“ gleichwertig aus. In Wirklichkeit trifft dies aber nicht zu.

*

Dem Kampf um die wahre Orgel habe ich viel Zeit und viel Arbeit geopfert. Gar manche Nächte verbrachte ich über Orgelplänen, die ich zu begutachten oder zu überarbeiten hatte. Gar manche Fahrten unternahm ich, um die Fragen zu restaurierender oder neu zu erbauender Orgeln an Ort und Stelle zu studieren. In die Hunderte und Hunderte gehen die Briefe, die ich an Bischöfe, Dompröpste, Konsistorialpräsidenten, Bürgermeister, Pfarrer, Kirchenvorstände, Kirchenälteste, Orgelbauer und Organisten schrieb, sei es, um sie zu überzeugen, daß sie ihre schöne alte Orgel restaurieren sollten, statt sie durch eine neue zu ersetzen, sei es, um sie anzuflehen, nicht auf die Zahl, sondern auf die Qualität der Stimmen zu sehen und das Geld, das sie für die Ausstattung des Spieltisches mit so und so viel überflüssigen Vorrichtungen zum Wechsel der Register bestimmt hatten, für bestes Material der Pfeifen zu verwenden. Und wie oft waren so und so viele Briefe, so und so viele Reisen und so und so viele Besprechungen zuletzt umsonst, weil sich die Betreffenden dennoch für die sich auf dem Papier so reich ausnehmende Fabrikorgel entschlossen!

Die schwersten Kämpfe galten der Erhaltung alter Orgeln. Welche Beredsamkeit habe ich aufwenden müssen, um Todesurteile, die über schöne alte Orgeln ergangen waren, rückgängig zu machen! Wie manche Organisten nahmen die Nachricht, daß die von ihnen wegen ihres Alters und ihres baufälligen Zustandes gering geschätzte Orgel schön sei und erhalten werden müsse, mit demselben ungläubigen Lachen auf wie Sarah die Verkündigung der ihr beschiedenen Nachkommenschaft! Wie viele mir befreundete Organisten habe ich mir dadurch zu Feinden gemacht, daß ich ihrem Plane, die alte Orgel durch eine Fabrikorgel zu ersetzen, im Wege war, oder Schuld daran trug, daß sie zugunsten der Qualität der Stimmen von der Zahl derer, die sie sich gewünscht hatten, drei oder vier abstreichen mußten!

Ohnmächtig muß ich es noch heute mit ansehen, daß man vornehme alte Orgeln – weil sie für die heutigen Begriffe nicht stark genug sind – umbaut und vergrößert, bis von der ursprünglichen Schönheit nichts mehr vorhanden ist, oder sie gar abbricht und für teures Geld durch plebejische Fabrikorgeln ersetzt!

Die erste alte Orgel, die ich – mit welcher Mühe! – errettet habe, ist das schöne Werk von Silbermann zu St. Thomas in Straßburg.

„In Afrika errettet er alte Neger, in Europa alte Orgeln" sagten meine Freunde von mir.

Den Bau von sogenannten Riesenorgeln halte ich für eine moderne Verirrung. Eine Orgel soll nur so groß sein, als das Kirchenschiff es erfordert und der Platz, der für sie zur Verfügung steht, es erlaubt. Eine wirklich gute, hoch und frei stehende Orgel von 70 oder 80 Stimmen füllt das größte Kirchenschiff. Auf die Frage nach der größten und schönsten Orgel der Welt pflege ich zu antworten, daß es nach dem, was ich gehört und gelesen habe, 127 größte und 137 schönste Orgeln geben müsse.

Nicht so sehr von der Zahl der Stimmen als von der Art, wie sie aufgestellt sind, hängt die Wirkung einer Orgel ab. Vollständig ist eine Orgel, wenn sie, außer dem Pedal, ein Hauptklavier, ein Rückpositiv und ein Schwellkastenklavier besitzt. Von großer Bedeutung ist, daß das zweite Klavier wirklich als Rückpositiv gebaut ist, das heißt, daß es, wie auf den alten Orgeln, in einem eigenen Gehäuse der Hauptorgel vorgelagert ist und sich dadurch räumlich und klanglich von den beiden im Hauptgehäuse stehenden Klavieren abhebt. Steht das zweite Klavier ebenfalls im Hauptgehäuse, so hat es keine eigene klangliche Individualität, sondern ist nur eine Ergänzung des Hauptklaviers.

Weil ihnen das Rückpositiv fehlt, sind die modernen Orgeln unvollständig, mögen sie auch noch so viele Stimmen und Klaviere zählen. Sie bestehen nur aus zwei statt aus drei Klangindividualitäten.

Die Zeit wird kommen, wo man nicht mehr verstehen wird, daß durch drei Generationen hindurch Organisten und Orgelbauer sich von der Bedeutung des Rückpositivs für die klangliche Wirkung der Orgel keine Rechenschaft mehr gaben. Merkwürdigerweise ließ sich auch Cavaillé-Coll dazu verleiten, dem zweiten Klavier seine Selbständigkeit zu nehmen und es im Hauptgehäuse aufzustellen. Daß er in St. Sulpice das geräumige Gehäuse des Rückpositivs leer beibehielt, statt Stimmen in ihm unterzubringen, ist ein Fehler gewesen.

Natürlich kostet das Gehäuse eines Rückpositivs so viel, daß dafür auf einige Register verzichtet werden muß. Aber dies hat nichts zu bedeuten. Ein zweites Klavier von 10 Stimmen im Rückpositiv ist in der Wirkung einem von 16 im Hauptgehäuse überlegen.

Eine andere Torheit des modernen Orgelbaus besteht darin, mehrere Klaviere als Schwellkastenklaviere zu bauen. Dadurch wird die Wirkung des eigentlichen Schwellkastenklaviers beeinträchtigt, davon abgesehen, daß die vielen im Gehäuse stehenden Holzjalousien der Entfaltung des Tones hinderlich sind.

Die Klaviere der Orgel sind Individualitäten, wenn sie räumlich und klanglich ihre Besonderheiten haben. Das Hauptklavier soll dadurch charakterisiert sein, daß seine Stimmen das untere Stockwerk des Hauptgehäuses einnehmen und einen vollen, runden Ton haben; das Rückpositiv dadurch, daß es eine mit hellen Stimmen besetzte Orgel für sich ist, die unter der Hauptorgel frei in die Kirche hinaussingt; das Schwellkastenklavier dadurch, daß es im oberen Stockwerk des Hauptgehäuses untergebracht ist und aus der fernen Höhe einen intensiven, modulationsfähigen Ton in die Kirche heruntersendet.

Die Orgel ist die Trinität, in der diese drei Klangpersönlichkeiten eine Einheit ausmachen. Je besser die Eigenart jedes Klaviers ausgebildet ist und je vollkommener diese Dreiheit zur Einheit wird, desto schöner ist die Orgel.

Die alte Orgel ist unvollständig, weil ihr das Schwellkastenklavier fehlt, die moderne, weil sie kein Rückpositiv mehr besitzt. Aus der Verschmelzung der modernen mit der alten Orgel entsteht die vollständige Orgel.

Aus bautechnischen und klanglichen Gründen kann eine Orgel nicht mehr als drei Klaviere besitzen, die tatsächlich Klangindividualitäten sind. Orgeln mit vier und fünf Klavieren auszustatten, entspricht also keiner künstlerischen Notwendigkeit.

Wie im Orgelbau, so geht man auch im Klavierbau zu sehr auf Instrumente mit möglichst großem Ton aus. Sicherlich sind die gewaltigen Flügel, die dem Klange der vom Hammer angeschlagenen Saiten die Fülle verleihen, die unsere großen Konzertsäle erfordern, für diese Räume eine Notwendigkeit. Aber sie erreichen diese unnatürliche Tonfülle auf Kosten der eigentlichen Schönheit des Klaviertones. Wie ganz anders als diese dumpftönigen Riesenflügel klingt ein schöner alter Erardflügel im Musikzimmer! Wieviel besser eignet er sich zur Begleitung der Singstimme! Wieviel besser vermischt sich sein warmer Klang mit dem der Streichinstrumente! In einer Beethovenschen Violinsonate zur Violine einen modernen Flügel zu hören, ist mir eine Qual. Fortwährend sehe ich dabei einen silberhellen und einen schwarzen Wasserlauf unvereint nebeneinander einherfließen.

Für Konzertsaalorgeln interessierte ich mich nicht in derselben Weise wie für Kirchenorgeln. In einem Konzertsaale kann auch die beste Orgel nicht zur Wirkung kommen. Durch die Menge, die den Saal füllt, verliert der Orgelklang an Glanz und Fülle. Überdies verbannen die Architekten die Konzertsaalorgel gewöhnlich noch in irgendein Loch, wo sie sowieso nicht klingen kann. Die Orgel verlangt ein Gewölbe aus Stein, in dem die Menschenansammlung nicht Füllung des Raumes bedeutet. In dem Konzertsaal hat die Orgel nicht so sehr die Bedeutung eines Soloinstrumentes, wie in der Kirche, sondern wird mehr zu einem Begleitinstrument, das zu Chor und Orchester hinzutritt. Sicherlich werden die Komponisten in Zukunft viel mehr, als es bisher geschehen, zum Orchester die Orgel verwenden. Tritt die Orgel zum Orchester hinzu, so ergibt sich ein Klang, der von dem Orchester den Glanz und die Biegsamkeit und von der Orgel die Fülle besitzt. Technisch bedeutet die Ergänzung durch die Orgel für das moderne Orchester, daß es damit über den Flötenton in der Tiefe verfügt, durch den es erst einen den Oberstimmen entsprechenden Baß erhält.

Im Konzertsaal die Orgel mit dem Orchester erklingen zu lassen, ist mir eine Freude. Komme ich in die Lage, sie hier als Soloinstrument spielen zu müssen, so vermeide ich es nach Möglichkeit, sie als profanes Konzertinstrument zu behandeln. Durch die Wahl der Stücke und die Art der Wiedergabe suche ich den Konzertsaal zur Kirche zu machen. Am liebsten lasse ich, in der Kirche wie in dem Konzertsaal, durch Heranziehung eines Chors das Konzert zu einer Art von Gottesdienst werden, in welchem der Chor auf die Choralvorspiele der Orgel durch den gesungenen Choral respondiert.

Durch ihren gleichmäßig und dauernd aushaltbaren Ton hat die Orgel etwas von der Art des Ewigen an sich. Auch in dem profanen Raum kann sie nicht zum profanen Instrument werden.

Daß ich die Freude hatte, mein Ideal der Kirchenorgel in einigen neuen Orgeln zu einem guten Teil verwirklicht zu sehen, verdanke ich dem künstlerischen Können des bei den Orgeln Silbermanns in die Lehre gegangenen elsässischen Orgelbauers Fritz Haerpfer und der Einsicht einiger Kirchenvorstände, die sich überreden ließen, für die zur Verfügung stehende Summe nicht die größte, sondern die beste Orgel zu wollen.

Die Arbeit und die Aufregungen, die mir die Beschäftigung mit dem Orgelbau einträgt, ließen mich zuweilen wünschen, daß ich mich nie damit befaßt hätte. Wenn ich sie nicht aufgebe, so ist es, weil der Kampf um die gute Orgel für mich ein Stück des Kampfes um die Wahrheit ist. Und wenn ich am Sonntag an die und jene Kirche denke, in der eine edle Orgel erklingt, weil ich sie vor einer unedlen bewahrt habe, fühle ich mich für alle im Verlaufe von über 30 Jahren den Orgelbauangelegenheiten geopferte Zeit und Mühe reichlich belohnt.

IX
DER ENTSCHLUSS URWALDARZT ZU WERDEN

—

Am 13. Oktober 1905, einem Freitag, warf ich in Paris in einen Briefkasten der Avenue de la Grande Armée Briefe ein, in denen ich meinen Eltern und einigen meiner nächsten Bekannten mitteilte, daß ich mit Anfang des Wintersemesters Student der Medizin werden würde, um mich später als Arzt nach Äquatorialafrika zu begeben. In einem der Briefe kündigte ich im Hinblick auf die Inanspruchnahme durch das bevorstehende Studium meine Stellung als Leiter des theologischen Studienstifts zu St. Thomas.

Den Plan, den ich nun zu verwirklichen unternahm, trug ich schon länger mit mir herum. Sein Ursprung reicht in meine Studentenzeit zurück. Es kam mir unfaßlich vor, daß ich, wo ich so viele Menschen um mich herum mit Leid und Sorge ringen sah, ein glückliches Leben führen durfte. Schon auf der Schule hatte es mich bewegt, wenn ich Einblick in traurige Familienverhältnisse von Klassenkameraden gewann, und die geradezu idealen, in denen wir Kinder des

Pfarrhauses zu Günsbach lebten, damit verglich. Auf der Universität mußte ich in meinem Glücke, studieren zu dürfen und in Wissenschaft und Kunst etwas leisten zu können, immer an die denken, denen materielle Umstände oder die Gesundheit solches nicht erlaubten. An einem strahlenden Sommermorgen, als ich – es war im Jahre 1896 – in Pfingstferien zu Günsbach erwachte, überfiel mich der Gedanke, daß ich dieses Glück nicht als etwas Selbstverständliches hinnehmen dürfe, sondern etwas dafür geben müsse. Indem ich mich mit ihm auseinandersetzte, wurde ich, bevor ich aufstand, in ruhigem Überlegen, während draußen die Vögel sangen, mit mir selber dahin eins, daß ich mich bis zu meinem dreißigsten Lebensjahre für berechtigt halten wollte, der Wissenschaft und der Kunst zu leben, um mich von da an einem unmittelbaren menschlichen Dienen zu weihen. Gar viel hatte mich beschäftigt, welche Bedeutung dem Worte Jesu, „Wer sein Leben will behalten, der wird es verlieren, und wer sein Leben verliert um meinet- und des Evangeliums willen, der wird es behalten", für mich zukomme. Jetzt war sie gefunden. Zu dem äußeren Glücke besaß ich nun das innerliche.

Welcher Art das für später geplante Wirken sein würde, war mir damals noch nicht klar. Ich überließ es den Umständen, mich zu führen. Fest stand mir nur, daß es ein unmittelbar menschliches, wenn auch noch so unscheinbares Dienen sein müsse.

Zunächst dachte ich natürlich an eine Tätigkeit in Europa. Ich plante, verlassene oder verwahrloste Kinder aufzunehmen und zu erziehen und sie daraufhin zu verpflichten, später ihrerseits in derselben Weise solchen Kindern zu helfen. Als ich 1903 meine sonnige, geräumige Amtswohnung als Direktor des theologischen Studienstifts im zweiten Stock des Thomasstifts bezog, war ich in der Lage, einen Versuch damit zu machen. Ich bot mich bald hier, bald dort an, aber immer ohne Erfolg. Die Bestimmungen der Fürsorgeorganisationen für verwahrloste und verlassene Kinder waren auf eine solche Mitarbeit von Freiwilligen nicht eingestellt. Als ich zum Beispiel nach dem Brande des Straßburger Waisenhauses dem Direktor desselben anbot, bis auf weiteres einige Knaben bei mir aufzunehmen, ließ er mich überhaupt nicht ausreden. Auch andere Versuche schlugen fehl.

*

Eine Zeitlang gedachte ich, mich dereinst Vagabunden und entlassenen Gefangenen zu widmen. Gewissermaßen zur Vorbereitung daraufhin beteiligte ich mich an einem Unternehmen von Pfarrer August Ernst zu St. Thomas, das darin bestand, daß er jeden Tag von 1–2 Uhr für jeden, der eine Unterstützung oder ein Nachtlager brauchte, zu sprechen war und dann dem Betreffenden, statt ihm blindlings eine kleine Gabe zu geben oder ihn warten zu lassen, bis er Erkundigungen über ihn eingezogen hätte, das Anerbieten machte, ihn noch im Laufe des Nachmittags in seiner Wohnung oder in seiner Herberge aufzusuchen und mit ihm die Angaben, die er über seine Lage gemacht hatte, zu prüfen und ihm daraufhin Unterstützung zuteil werden zu lassen, so viel und so lange er sie brauchte. Wie gar manche Fahrten zu Rade haben wir zu solchen Zwecken in der Stadt und den Vorstädten unternommen, sehr oft mit dem Ergebnis, daß der Bittsteller dort, wo er zu wohnen angegeben hatte, nicht zu finden war. In einer Reihe von Fällen haben wir aber Gelegenheit gehabt, in Kenntnis der Sachlage wohlangebrachte Hilfe zu leisten. Liebe Freunde erlaubten mir, dafür auch über ihre Mittel zu verfügen.

Schon als Student hatte ich mich als Mitglied der im Thomasstift tagenden studentischen Vereinigung „Diaconat Thomana“ in der Fürsorge betätigt. Jeder von uns hatte allwöchentlich eine ihm überwiesene Anzahl von armen Familien zu besuchen, ihr die bewilligte Unterstützung zu überbringen und über ihre Lage Bericht zu erstatten. Die Gelder, die wir so verausgabten, sammelten wir bei Gönnern, die das in früheren Generationen entstandene und von uns übernommene Unternehmen in den alten bürgerlichen Familien Straßburgs besaß. Zweimal im Jahr, wenn ich nicht irre, hatte jeder von uns die ihm bestimmte Zahl solcher Bittgänge zu erledigen. Für mich, der ich schüchtern und gesellschaftlich ungewandt war, waren sie eine Pein. Ich glaube, daß ich mich bei diesen Vorstudien für mein späteres Betteln zuweilen sehr ungeschickt benommen habe, aber gelernt habe ich dabei, daß das Bitten mit

Takt und mit Zurückhaltung von den Menschen besser verstanden wird als das forsch auftretende, und daß zum rechten Betteln auch das freundliche Ertragen des Zurückgewiesenwerdens gehört.

Sicherlich haben wir in unserer jugendlichen Unerfahrenheit trotz besten Wollens nicht alles uns anvertraute Geld in der zweckmäßigsten Weise verwandt. Aber seine Bestimmung hat es dennoch vollauf dadurch erfüllt, daß es junge Menschen verpflichtete, sich um Arme zu bekümmern. Darum gedenke ich derer, die für unser Streben nach solcher Betätigung Verständnis und offene Hand hatten, in tiefer Dankbarkeit und wünsche, daß es vielen Studenten verliehen sein möge, in solcher Art, als Beauftragte von Gebern, Rekrutendienste im Kampfe gegen die Not zu tun.

Über der Beschäftigung mit Vagabunden und entlassenen Gefangenen war mir klar geworden, daß ihnen in wirksamer Weise nur durch viele sich ihnen widmende Einzelpersönlichkeiten geholfen werden könne. Zugleich aber hatte ich auch eingesehen, daß diese nur in Zusammenarbeit mit Organisationen etwas Ersprießliches leisten könnten. Mein Sinn ging aber auf ein absolut persönliches und unabhängiges Handeln. Obwohl ich entschlossen war, mich, wenn es sein müsse, einer Organisation zur Verfügung zu stellen, gab ich die Hoffnung nicht auf, zuletzt dennoch eine Tätigkeit zu finden, der ich mich als Einzelner und als Freier widmen dürfte. Daß sich diese Sehnsucht erfüllte, habe ich immer als eine große, stets aufs neue erlebte Gnade hingenommen.

Eines Morgens, im Herbst 1904, fand ich auf meinem Schreibtisch im Thomasstift eines der grünen Hefte, in denen die Pariser Missionsgesellschaft allmonatlich über ihre Tätigkeit berichtete. Ein Fräulein Scherdlin pflegte sie mir zuzustellen. Sie wußte, daß ich mich in besonderer Weise für diese Missionsgesellschaft interessierte, wegen des Eindrucks, den mir die Briefe eines ihrer ersten Missionare, Casalis mit Namen, gemacht hatten, als mein Vater sie, zur Zeit meiner Kindheit, in seinen Missionsgottesdiensten vorgelesen hatte. Mechanisch schlug ich dies am Abend zuvor in meiner Abwesenheit auf meinen Tisch gelegte Heft auf, während ich es, um alsbald an meine Arbeit zu gehen, beiseite legte. Da fiel mein Blick auf einen Artikel mit der

Überschrift „Les besoins de la Mission du Congo" (Was der Kongomission not tut)[1]. Er war von Alfred Boegner, dem Leiter der Pariser Missionsgesellschaft, einem Elsässer, und enthielt die Klage, daß es der Mission an Leuten fehle, um ihr Werk in Gabun, der nördlichen Provinz der Kongokolonie, zu betreiben. Zugleich sprach er die Hoffnung aus, daß dieser Appell solche, „auf denen bereits der Blick des Meisters ruhe", zum Entschluß bringe, sich für diese dringende Arbeit anzubieten. Der Schluß lautete: „Menschen, die auf den Wink des Meisters einfach mit: Herr, ich mache mich auf den Weg, antworten, dieser bedarf die Kirche."

Als ich mit dem Lesen fertig war, nahm ich ruhig meine Arbeit vor. Das Suchen hatte ein Ende.

*

Meinen dreißigsten Geburtstag, wenige Monate später, verbrachte ich als der Mann aus dem Gleichnis, der einen Turm bauen will und überschlägt, „ob er es habe hinauszuführen". Das Ergebnis war, daß ich den Plan des rein menschlichen Dienens nunmehr in Äquatorialafrika zu verwirklichen beschloß.

Außer einem treuen Kameraden wußte niemand um mein Vorhaben. Als es durch die von Paris aus versandten Briefe bekannt wurde, hatte ich schwere Kämpfe mit meinen Verwandten und meinen Bekannten zu bestehen. Fast noch mehr als das Beginnen selbst machten sie mir zum Vorwurf, daß ich ihnen nicht das Vertrauen erzeigt habe, es zuvor mit ihnen zu besprechen. Mit diesem Nebensächlichen quälten sie mich in jenen schweren Wochen über die Maßen. Daß theologische Freunde sich darin besonders hervortaten, kam mir darum so ungereimt vor, weil sie alle wohl schon eine schöne oder sehr schöne Predigt darüber gehalten hatten, daß der Apostel Paulus sich seinem Worte im Galaterbrief zufolge für das, was er für Jesum tun wollte, nicht zuvor mit Fleisch und Blut besprochen habe.

Miteinander hielten mir meine Angehörigen und meine Freunde die Sinnlosigkeit meines Beginnens vor. Ich sei, so sagten sie, ein Mensch, der das ihm anvertraute Pfund vergraben und mit einem falschen wuchern wolle. Das Wirken unter den Wilden solle ich solchen überlassen, die da-

[1]) „Journal des Missions Evangéliques" Juni 1904. Seite 389–393.

mit nicht Gaben und Kenntnisse in Wissenschaft und Kunst ungenützt liegen ließen. Widor, der mich wie einen Sohn liebte, schalt mich einen General, der sich mit der Flinte in die Schützenlinie (damals sprach man noch nicht vom Schützengraben) legen wolle. Eine von modernem Geiste erfüllte Dame bewies mir, daß ich durch Vorträge für die Sache der den Eingeborenen zu bringenden ärztlichen Hilfe viel mehr tun könne als durch die beabsichtigte Tat. Das „Im Anfang war die Tat" aus Goethes Faust gelte in der neuen Zeit nicht mehr. In dieser sei die Propaganda die Mutter des Geschehens.

In den vielen Diskussionen, die ich damals mit als christlich geltenden Leuten als ein müder Partner durchzufechten hatte, berührte es mich merkwürdig, wie fern ihnen der Gedanke lag, daß das Streben, der von Jesus verkündeten Liebe zu dienen, einen Menschen aus seiner Bahn werfen könne, obwohl sie es im Neuen Testament lasen und es dort ganz in der Ordnung fanden. Ich hatte als selbstverständlich angenommen, daß sich aus der Vertrautheit mit den Worten Jesu ein viel besseres Verständnis ergebe, als ich es in meinem Falle festzustellen Gelegenheit hatte. Mehrmals mußte ich es sogar erleben, daß meine Berufung auf die Gehorsamstat, die Jesu Gebot der Liebe von einem Menschen unter besonderen Umständen verlangen könne, mir den Vorwurf der Eingebildetheit eintrug, wo ich mir doch, um dieses Argument vorzubringen, Gewalt antun mußte. Überhaupt, wieviel habe ich damals darunter gelitten, daß so viele Menschen sich das Recht nehmen wollten, alle Türen und Läden zu meinem Inneren aufzureißen!

Gewöhnlich nützte es auch nichts, daß ich mich dazu überwand, sie Einblick in die Gedanken, aus welchen mein Entschluß entstanden war, nehmen zu lassen. Sie meinten, es müsse etwas anderes dahinter stecken, und rieten auf Enttäuschungen in meinem Fortkommen, obwohl es für solche keine Anhaltspunkte gab, da ich in jungen Jahren bereits Anerkennung gefunden hatte, wie andere erst nach einem ganzen Leben voll Kampf und Arbeit. Auch angenommenen traurigen Herzenserlebnissen sollte mein Entschluß entsprungen sein.

Eine wahre Wohltat waren mir die Menschen, die mir nicht mit der Faust ins Herz zu langen suchten, sondern mich für einen ein bißchen um seinen Verstand gekommenen ältlichen Jüngling ansahen und mich dementsprechend mit liebem Spott behandelten.

An sich fand ich es ganz angebracht, daß die Nächsten und die Freunde mir alles vorhielten, was gegen die Vernunftgemäßheit meines Planes sprach. Als einer, der vom Idealismus Nüchternheit verlangt, war ich mir bewußt, daß jedes Begehen eines ungebahnten Weges ein Wagnis ist, das nur unter besonderen Umständen Sinn und Aussicht auf Gelingen hat. In meinem Falle hielt ich das Wagnis für berechtigt, weil ich es mir lange und nach allen Seiten überlegt hatte und mir zutraute, Gesundheit, ruhige Nerven, Energie, praktischen Sinn, Zähigkeit, Besonnenheit, Bedürfnislosigkeit und was sonst noch zur Wanderung auf dem Wege der Idee notwendig sein konnte, zu besitzen und darüber hinaus noch mit der zum Ertragen eines etwaigen Mißlingens des Planes erforderlichen Gemütsart ausgerüstet zu sein.

*

Als Mann der individuellen Tat bin ich seither von vielen Menschen, die sie ebenfalls wagen wollten, um Meinung und Rat angegangen worden. Nur in verhältnismäßig wenigen Fällen habe ich die Verantwortung, sie ohne weiteres dazu zu ermutigen, auf mich genommen. Oft mußte ich feststellen, daß das Bedürfnis, „etwas Besonderes zu tun", einem unsteten Geiste entsprang. Die Betreffenden wollten sich größeren Aufgaben widmen, weil diejenigen, vor die sie sich gestellt sahen, ihnen nicht genügten. Oft zeigte sich auch, daß sie in ihrem Entschluß durch ganz nebensächliche Erwägungen bestimmt waren. Nur derjenige, der jeder Tätigkeit einen Wert abgewinnen kann und der sich jeder mit vollem Pflichtbewußtsein hingibt, hat das innerliche Recht dazu, sich ein außerordentliches Tun statt des ihm natürlich zufallenden zum Ziel zu setzen. Nur derjenige, der sein Vorhaben als etwas Selbstverständliches, nicht als etwas Außergewöhnliches empfindet und der kein Heldentum, sondern nur in nüchternem Enthusiasmus übernommene Pflicht kennt, besitzt die Fähigkeit, ein geistiger Abenteurer zu sein, wie sie die Welt nötig hat. Es gibt keine Helden der Tat, sondern nur Helden des Verzichtens und des Leidens. Ihrer sind viele. Aber wenige von ihnen sind bekannt, und auch diese nicht der Menge, sondern nur den Wenigen.

„Helden und Heldenverehrung" ist kein tiefes Buch Carlyles.

Von denen, die irgendwie den Drang in sich fühlen und tatsächlich befähigt wären, persönliches Tun zum Berufe ihres Lebens zu machen, müssen die meisten der Umstände halber darauf verzichten. Gewöhnlich liegt es daran, daß sie für Menschen, die von ihnen abhängen, zu sorgen haben oder zum Erwerb ihres eigenen Unterhaltes in einem Berufe verbleiben müssen. Nur wer aus eigener Kraft oder durch ergebene Freunde in materieller Hinsicht ein Freier ist, kann es heute wagen, den Weg persönlicher Tat zu begehen. Früher galt dies nicht in diesem Maße, weil der, der auf Erwerb verzichtete, immerhin noch Hoffnung haben konnte, irgendwie durchs Leben zu kommen, während derjenige, der in den heutigen schweren wirtschaftlichen Verhältnissen dasselbe tun wollte, Gefahr liefe, nicht nur materiell, sondern auch geistig zugrunde zu gehen.

So habe ich es mit ansehen und mit erleben müssen, daß liebe und tüchtige Menschen auf persönliche Tat, die für die Welt wertvoll gewesen wäre, verzichten mußten, weil sie durch die Umstände unmöglich wurde.

Diejenigen, denen es vergönnt ist, freies persönliches Dienen verwirklichen zu dürfen, haben dieses Glück als solche hinzunehmen, die dadurch demütig werden. Immer müssen sie derer gedenken, die zu gleichem Tun willig und fähig gewesen wären, aber es nicht unternehmen durften. Überhaupt müssen sie ihr starkes Wollen in Demut härten. Fast immer ist ihnen bestimmt, suchen und warten zu müssen, bis sie offene Bahn für das gewollte Tun finden. Glücklich diejenigen, denen die Jahre des Wirkens reichlich zugemessen sind als die des Suchens und Wartens! Glücklich diejenigen, die dazu kommen, sich wirklich voll ausgeben zu können!

Demütig haben diese Bevorzugten auch darin zu sein, daß sie sich über den Widerstand, den sie erfahren, nicht ereifern, sondern ihn als etwas hinnehmen, das unter das „Es muß also geschehen" fällt. Wer sich vornimmt, Gutes zu wirken, darf nicht erwarten, daß die Menschen ihm deswegen Steine aus dem Wege räumen, sondern muß auf das

Schicksalhafte gefaßt sein, daß sie ihm welche darauf rollen. Nur die Kraft, die in dem Erleben dieser Widerstände innerlich lauterer und stärker wird, kann sie überwinden. Die, die sich einfach dagegen auflehnt, verbraucht sich darin.

Von dem in der Menschheit vorhandenen idealen Wollen kann immer nur ein kleiner Teil zu öffentlich auftretender Tat werden. Allem übrigen ist bestimmt, sich in vielem Unscheinbaren zu verwirklichen, das miteinander einen Wert darstellt, der denjenigen des Tuns, das die Aufmerksamkeit auf sich zieht, tausendfach und abertausendfach übertrifft. Es verhält sich zu ihm wie das tiefe Meer zu den Wellen, die seine Oberfläche bewegen. Die unscheinbar wirkenden Kräfte des Guten sind in denjenigen verkörpert, die das persönliche unmittelbare Dienen, das sie nicht zum Berufe ihres Lebens machen können, im Nebenamt betreiben. Das Los der Vielen ist, zur Erhaltung ihrer Existenz und zu ihrer Betätigung in der Gesellschaft eine mehr oder weniger seelenlose Arbeit zum Beruf zu haben, in der sie nicht viel oder fast nichts von ihrem Menschentum verausgaben können, weil sie sich in ihr fast wie Menschenmaschinen zu betätigen haben. Dennoch aber befindet sich keiner in der Lage, daß er nicht Gelegenheit hätte, sich irgendwie als Mensch zu verausgaben. Nur zu einem Teile liegt die Lösung des durch die organisierte, spezialisierte und mechanisierte Arbeit geschaffenen Problems darin, daß die Gesellschaft die damit gegebenen Zustände nicht einfach hinnimmt, sondern, soweit sie nur immer kann, die Rechte der Menschenpersönlichkeit wahrt. Die Hauptsache ist, daß die Betroffenen ihr Schicksal nicht einfach über sich ergehen lassen, sondern sich mit aller Energie durch geistige Tat in den ungünstigen Verhältnissen als Menschenpersönlichkeiten zu behaupten suchen. Sein Menschenleben neben dem Berufsleben rettet sich, wer auf die Gelegenheit aus ist, in persönlichem Tun, so unscheinbar es sei, für Menschen, die eines Menschen bedürfen, Mensch zu sein. Dadurch stellt er sich in den Dienst des Geistigen und Guten. Kein Schicksal kann einem Menschen dieses unmittelbare menschliche Dienen im Nebenamt versagen. Wenn so viel davon unverwirklicht bleibt, liegt es daran, daß es versäumt wird.

Daß jeder in der Lage, in der er sich befindet, darum

ringt, wahres Menschentum an Menschen zu betätigen: davon hängt die Zukunft der Menschheit ab.

Ungeheure Werte bleiben durch Versäumnisse in jedem Augenblicke im Zustande des Nichts. Was aber davon Wille und Tat wird, bedeutet einen Reichtum, den man nicht unterschätzen soll. Unsere Menschheit ist gar nicht so materialistisch, wie es in törichtem Gerede immerfort behauptet wird. Nach dem, wie ich die Menschen kennengelernt habe, steht mir fest, daß unter ihnen viel mehr ideales Wollen vorhanden ist, als zum Vorschein kommt. Wie die Wasser der sichtbaren Ströme wenig sind im Vergleich zu denen, die unterirdisch dahinfluten, so auch der sichtbar werdende Idealismus im Vergleich zu dem, den die Menschen unentbunden oder kaum entbunden in sich tragen. Das Unentbundene entbinden, die Wasser der Tiefe an die Oberfläche leiten: die Menschheit harrt derer, die solches vermögen.

*

Als das Unvernünftigste an meinem Vorhaben erschien meinen Freunden, daß ich statt als Missionar als Arzt nach Afrika gehen wollte und mir also mit meinen dreißig Jahren vorerst noch ein langes und beschwerliches Studium auflud. Darüber, daß dieses Studium eine ungeheure Anstrengung für mich bedeuten würde, gab ich mich keinem Zweifel hin. Mit Bangen blickte ich auf die kommenden Jahre aus. Aber die Gründe, die mich bestimmten, den vorgenommenen Weg des Dienens als Arzt zu gehen, wogen so schwer, daß andere Erwägungen dagegen nicht aufkommen konnten.

Arzt wollte ich werden, um ohne irgendein Reden wirken zu können. Jahrelang hatte ich mich in Worten ausgegeben. Mit Freudigkeit hatte ich im Beruf des theologischen Lehrers und des Predigers gestanden. Das neue Tun aber konnte ich mir nicht als ein Reden von der Religion der Liebe, sondern nur als ein reines Verwirklichen derselben vorstellen. Ärztliche Kenntnisse ermöglichten mir dieses Vorhaben in der besten und umfassendsten Weise, wohin auch immer der Weg des Dienens mich führen mochte. In Hinsicht auf den Plan mit Äquatorialafrika war ihr Erwerb noch in besonderer Weise angezeigt, weil in der Gegend, wohin ich zu gehen gedachte, ein Arzt, nach den Berichten der

Missionare, das Notwendigste des Notwendigen war. Ständig klagten sie in dem Missionsblatt darüber, daß sie den Eingeborenen, die sie in körperlicher Not aufsuchten, nicht die erforderliche Hilfe bringen könnten. Um einmal der Arzt dieser Armen sein zu können, lohnte es sich, so urteilte ich, Student der Medizin zu werden. Wenn mir die dafür zu opfernden Jahre zu lange vorkommen wollten, hielt ich mir vor, daß Hamilkar und Hannibal den Marsch auf Rom durch die langwierige Eroberung Spaniens vorbereitet hatten.

Noch unter einem anderen Gesichtspunkt schien es mir geboten, Arzt zu werden. Nach dem, was ich von der Pariser Missionsgesellschaft wußte, mußte es mir sehr fraglich erscheinen, ob ich ihr als Missionar genehm wäre.

In pietistischen und strenggläubigen Kreisen entstanden zu Beginn des 19. Jahrhunderts die Gesellschaften zur Verkündigung des Evangeliums in der heidnischen Welt. Wohl fing zu derselben Zeit auch das freisinnige Christentum an, die Notwendigkeit des Hinaustragens der Lehre Jesu unter die fernen Völker zu begreifen. Aber mit der Tat kam ihm das dogmatisch gebundene zuvor. Dieses war durch eigene, außerhalb der kirchlichen Organisation stehende lebendige Gemeinschaften zu selbständigem Handeln fähiger als das freisinnige, das damals die führende Rolle in der Kirche inne hatte und dementsprechend ganz in der Kirche aufging. Auch besaß das dogmatisch gebundene in dem pietistischen Gedanken „der Errettung von Seelen" ein stärkeres Motiv zum Betreiben der Mission als das freisinnige Christentum, das das Evangelium vornehmlich als die Kraft zur Erneuerung der Menschen und der Verhältnisse der menschlichen Gesellschaft in der Heidenwelt wirksam werden lassen wollte.

Als die Missionsgesellschaften des Pietismus und der Orthodoxie einmal am Werke waren, fanden sie auch in freisinnigen missionsfreundlichen Kreisen Unterstützung. Lange Zeit glaubten diese, von der Gründung eigener Missionsgesellschaften absehen zu können, in der Erwartung, daß durch die Teilnahme aller Protestanten die bestehenden Missionsgesellschaften mit der Zeit dazu kommen würden, das Missionswerk des Protestantismus als solches zu betreiben. Darin irrten sie sich. Jene Missionsgesellschaften nahmen zwar alle materielle Unterstützung an, die ihnen vom freisinnigen Protestantismus zuteil wurde – wieviel haben mein Vater und seine freisinnigen Kollegen im Elsaß für die einen anderen Glaubensstandpunkt einnehmenden Missionsgesellschaften getan! – aber sie sandten keine Missionare aus, die sich nicht den von ihnen gestellten Glaubensforderungen unterwerfen wollten. Dadurch, daß der freisinnige Protestantismus in selbstloser Weise so lange auf eigene Missionsunternehmungen verzichtete und solche unterstützte, die nicht die seinen waren, kam er zuletzt in den Ruf, für Mission kein Verständnis zu haben und nichts für sie zu tun. Viel zu spät entschloß er sich dann, eigene Missionsgesellschaften zu gründen und damit die Hoffnung auf eine von der protestantischen Kirche als solcher betriebene Mission aufzugeben.

Hielt man führenden Persönlichkeiten der Missionsbewegung das Widerspruchsvolle vor, daß sie allerseits Unterstützung verlangten, als gälte es die Sache des Evangeliums überhaupt, aber als Missionare nur solche annähmen, die ihren Glaubensstandpunkt teilten, so beriefen sie sich auf „die hinter ihnen stehenden Kreise", auf deren Anschauungen sie Rücksicht nehmen müßten.

Interessant war mir immer, daß die Missionare selbst gewöhnlich viel freier dachten als die Vorstandsmitglieder ihrer Missionsgesellschaft. Sie hatten eben die Erfahrung gemacht, daß bei den Völkern draußen, besonders bei den Primitiven, die Voraussetzungen, die bei uns das Christentum vor das Problem dogmatischer Gebundenheit oder Freiheit stellen, nicht gegeben sind, sondern daß es sich dort darum handelt, das Elementare des Evangeliums der Bergpredigt zu verkünden und Menschen unter die Herrschaft des Geistes Jesu zu bringen.

Für die Pariser Mission hegte mein Vater eine besondere Sympathie, weil er in ihr einen freieren Zug zu verspüren glaubte als in anderen. Besonders schätzte er es, daß Casalis und andere ihrer bedeutenden Missionare in ihren Berichten statt der süßlichen Sprache Kanaans die des einfachen christlichen Herzens redeten.

Daß die Frage der Rechtgläubigkeit im Pariser Missionskomitee aber dieselbe Rolle spielte wie in den anderen, bekam ich sofort und gründlich zu erfahren, als ich ihm meine Dienste anbot. Der liebe Missionsdirektor Boegner war zwar sehr bewegt, daß sich jemand auf seine Bitte um Arbeiter für die Kongomission gemeldet hatte, eröffnete mir aber alsbald, daß vorerst schwere Bedenken, die von Mitgliedern des Komitees gegen meinen theologischen Standpunkt geltend gemacht wurden, weggeräumt werden müßten. Als ich ihm versicherte, daß ich „nur als Arzt" kommen wollte, fiel ihm ein Stein vom Herzen. Bald darauf mußte er mir aber mitteilen, daß einige Mitglieder des

Komitees sich sogar dagegen wehrten, die Dienste eines Missionsarztes anzunehmen, der nur die rechte christliche Liebe, nicht aber auch den rechten Glauben hätte. Doch machten wir uns beide darüber vorerst keine allzu großen Sorgen und vertrauten darauf, daß die Betreffenden noch einige Jahre Zeit hätten, um zur rechten christlichen Vernunft zu kommen.

Wohl hätte mich der freier gerichtete Allgemeine Evangelische Missionsverein in der Schweiz ohne weiteres als Missionar oder Arzt angenommen. Aber da ich mich durch jenen Artikel in dem Pariser Missionsblatt nach Äquatorialafrika berufen fühlte, mußte ich versuchen, bei der dort wirkenden Pariser Mission anzukommen. Auch reizte es mich, die Frage zum Austrag zu bringen, ob eine Missionsgesellschaft angesichts des Evangeliums Jesu sich das Recht zutrauen dürfe, den leidenden Eingeborenen ihres Arbeitsgebietes den Arzt zu versagen, weil er in ihrem Sinn nicht rechtgläubig genug wäre.

Überdies nahmen mich zu Beginn meines Medizinstudiums die tagtägliche Arbeit und die tagtäglichen Sorgen derart in Anspruch, daß ich weder Zeit noch Kraft hatte, mich mit dem, was nachher werden würde, zu befassen.

X
DIE JAHRE DES MEDIZINSTUDIUMS. 1905–1912

Als ich mich bei Professor Fehling, dem damaligen Dekan der medizinischen Fakultät, als Student anmeldete, hätte er mich am liebsten seinem Kollegen von der Psychiatrie überwiesen.

An einem der letzten Tage des Oktober machte ich mich in dichtem Nebel zum ersten Kolleg in Anatomie auf.

Nun galt es noch eine rechtliche Frage zu lösen. Als Angehöriger des Lehrkörpers der Universität konnte ich nicht auch zugleich als Student immatrikuliert sein. Hörte ich aber die medizinischen Kollegien nur als Gast, so konnte ich den geltenden Bestimmungen nach nicht zu den Prüfungen zugelassen werden. In freundlichem Entgegenkommen erlaubte die Regierung, daß ich auf Grund der Zeugnisse, die mir die Professoren der Medizin über die bei ihnen gehörten Vorlesungen ausstellen würden, mich zu den Prüfungen melden könne. Die Professoren ihrerseits beschlossen, daß ich als ihr Kollege alle Vorlesungen unentgeltlich hören sollte.

Meine Lehrer in den fünf vorklinischen Semestern waren: Schwalbe, Weidenreich und Fuchs für Anatomie; Hofmeister, Ewald und Spiro für Physiologie; Thiele für Chemie; Braun und Cohn für Physik; Goette für Zoologie; Graf Solms und Jost für Botanik.

Nun begann Jahre hindurch ein Ringen mit der Müdigkeit. Die theologische Lehrtätigkeit und das Predigtamt alsbald aufzugeben hatte ich mich nicht entschließen können. So studierte ich Medizin, indem ich daneben theologische Vorlesungen hielt und fast allsonntäglich predigte. Die Vorlesungen machten mir zu Beginn des medizinischen Studiums besonders viel Arbeit, weil ich in ihnen die Probleme der Lehre Pauli zu behandeln anfing.

Auch die Orgel nahm mich damals noch mehr in Anspruch als zuvor. Da Gustave Bret, der Dirigent der im Jahre 1905 von ihm, Dukas, Fauré, Widor, Guilmant, d'Indy und mir begründeten Pariser Bachgesellschaft, daran hielt, daß ich in allen ihren Konzerten den Orgelpart übernahm, mußte ich jahrelang im Winter mehrmals nach Paris reisen. Obwohl ich nur die letzte Probe mitzumachen brauchte und noch in der Nacht nach der Aufführung nach Straßburg zurückfahren konnte, kostete mich jedes Konzert zum mindesten drei Tage. Wie manche Predigt für St. Nicolai habe ich zwischen Paris und Straßburg in der Bahn entworfen! Auch bei Bachaufführungen des Orféo Català zu Barcelona hatte ich als Organist zu fungieren. Überhaupt spielte ich jetzt öfters in Konzerten als früher, nicht nur weil ich unterdessen als Orgelspieler bekannt geworden war, sondern auch weil ich nach Wegfall meines Gehaltes als Direktor des theologischen Studienstiftes auf Nebeneinnahmen ausgehen mußte.

Die häufigen Fahrten nach Paris waren mir eine willkommene Gelegenheit, mit den Freunden, die ich im Laufe der Jahre daselbst gefunden hatte, zusammen zu sein. Zu meinen besten Bekannten zählten die feinsinnige und hochmusikalische Frau Fanny Reinach, die Gattin des bekannten Gelehrten Theodor Reinach, und die Gräfin Melanie de Pourtalès, die Freundin der Kaiserin Eugenie, mit der sie auf dem berühmten Gemälde von Winterhalter abgebildet ist. Auf dem bei Straßburg gelegenen Landsitz der Gräfin de Pourtalès sah ich des öfteren ihre Freundin, die Fürstin Metternich-Sandor, die Frau des österreichischen Gesandten zu Paris zur Zeit Napoleons III. Dieser Fürstin Metternich hatte es Wagner seinerzeit zu verdanken, daß sein Tannhäuser in der Großen Oper zu Paris aufgeführt wurde. Im Laufe eines Ballgespräches mit Napoleon III. erwirkte sie, daß er den Befehl gab, das Werk auf den Spielplan zu setzen. Hinter einem etwas burschikosen Auftreten verbarg diese Frau viel Klugheit und Herzensgüte. Über den Pariser Aufenthalt Wagners und die Menschen um Napoleon III. habe ich manches Interessante durch sie erfahren. Was diese hervorragende Frau an Seele besaß, ist mir aber erst aus Briefen, die sie mir nach Afrika schrieb, aufgegangen.

Viel verkehrte ich in Paris auch bei Fräulein Adele Herrenschmidt, einer im Lehrberuf tätigen Elsässerin.

Luis Millet, den Dirigenten des Orféo Català, gewann ich gleich bei der ersten Begegnung als hervorragenden Künstler und tiefen Menschen lieb. Durch ihn kam ich mit dem berühmten katalanischen Baumeister Gaudi zusammen. Dieser war damals nur noch mit der Arbeit an der eigenartigen Kirche der Sagrada Familia (Heilige Familie) beschäftigt, von der erst ein gewaltiges, von Türmen überragtes Portal fertiggestellt war. Den mittelalterlichen Baumeistern vergleichbar begann Gaudi dieses Werk mit dem Bewußtsein, daß es erst im Laufe von Generationen zu Ende geführt werden könne. Unvergeßlich ist mir, wie er mich in der Bauhütte neben der Kirche, wie aus dem Geiste seines Landsmanns Raymundus Lullus redend, in seine mystische, allenthalben Symbole der göttlichen Dreieinigkeit aufzeigende Lehre von den in der geformten Linie waltenden Proportionen einführte. „Auf französisch, deutsch oder englisch läßt sich dies nicht ausdrücken", sagte er. „Darum erkläre ich es dir auf katalanisch, und du wirst es begreifen, obwohl du die Sprache nicht verstehst."

Als ich an der in Stein ausgehauenen „Flucht nach Ägypten", am Eingang des fertiggestellten Portals, den unter seiner Last so müde dahinziehenden Esel bewunderte, sagte er mir: „Du verstehst etwas von Kunst, denn du hast ein Empfinden dafür, daß dieser Esel nicht erfunden ist. Keine der Gestalten, die du hier in Stein abgebildet siehst, ist erdacht, sondern alle stehen sie da, wie ich sie in Wirklichkeit erschaut habe. Joseph, Maria, das Jesuskind, die Priester im Tempel: alle habe ich sie unter Gestalten, die mir begegneten, ausgesucht und nach Gipsformen, die ich von ihnen abnahm, in Stein ausgehauen. Mit dem Esel war es eine schwere Sache. Als bekannt wurde, daß ich nach einem Esel für die Flucht nach Ägypten ausschaute, führte man mir die schönsten Esel von Barcelona zu. Aber ich konnte sie nicht gebrauchen. Maria mit dem Jesuskinde ist nicht auf einem schönen und starken, sondern auf einem armen, alten, müden Esel gesessen, und zwar auf einem, der etwas Liebes im Gesicht hatte und verstand, um was es sich handelte. Diesen Esel suchte ich. Endlich fand ich ihn vor dem Wagen einer Frau, die mit Scheuersand handelte. Sein Kopf hing fast bis auf den Boden herunter. Mit großer Mühe überredete ich die Besitzerin, daß sie mit ihm zu mir kam. Als dann der Esel Segment um Segment in Gips abgezogen wurde, weinte sie, weil sie meinte, daß er nicht mit dem Leben davonkäme. Das ist der Esel der Flucht nach Ägypten, der Eindruck auf dich gemacht hat, weil er nicht erfunden, sondern wirklich ist."

*

In den ersten Monaten des Medizinstudiums schrieb ich die Abhandlung über Orgelbau und die letzten Kapitel der Geschichte der Leben-Jesu-Forschung. Das Amt als Stiftsdirektor legte ich im Frühjahr 1906 nieder. Nun hieß es, aus dem Thomasstift, in dem ich seit meiner Studentenzeit zu Hause war, ausziehen. Der Abschied von den großen Bäumen in dem ummauerten Garten, mit denen ich so manche Jahre über der Arbeit Zwiesprache gehalten hatte, fiel mir sehr schwer. Zu meiner großen Freude konnte ich aber dennoch im großen Hause des Thomaskapitels wohnen bleiben. Friedrich Curtius, der frühere Kreisdirektor von Colmar, der unterdes, auf Verlangen der elsässischen Geistlichkeit, zum Präsidenten der lutherischen Kirche des Elsaß ernannt worden war und als solcher eine große

Amtswohnung im Hause des Thomaskapitels inne hatte, stellte mir vier Zimmerchen im Giebelgeschoß desselben zur Verfügung. So durfte ich weiterhin im Schatten der Thomaskirche leben. An dem regnerischen Fastnachtstage 1906 trugen die Studenten meine Habseligkeiten aus der einen Tür des Hauses am Thomasstaden hinaus und in die andere hinein.

Daß ich in der Familie Curtius, als ob ich zu ihr gehörte, ein- und ausgehen durfte, schätzte ich als ein großes Glück. Friedrich Curtius, der, wie schon erwähnt, der Sohn des bekannten Berliner Hellenisten Ernst Curtius, des Erziehers Kaiser Friedrichs, war, hatte die Gräfin Luise von Erlach, die Tochter der Erzieherin der Großherzogin Luise von Baden, der Schwester Kaiser Friedrichs, geheiratet. Traditionen der Gelehrtenaristokratie verbanden sich in dieser Familie also mit denen der Geburtsaristokratie. Den geistigen Mittelpunkt des Hauses bildete die hochbetagte Gräfin von Erlach, eine geborene Gräfin May aus der Gegend von Neuchâtel. Ihre Gesundheit erlaubte ihr nicht mehr auszugehen. Um ihr einigermaßen die Konzerte zu ersetzen, die sie als leidenschaftliche Verehrerin der Musik sehr entbehrte, spielte ich ihr allabendlich ein Stündchen auf dem Klavier vor und wurde so mit ihr, die sonst kaum noch Menschen sah, näher bekannt. Mit der Zeit gewann diese bedeutende und edle Frau einen großen Einfluß auf mich. Ihr verdanke ich es, daß ich manche Kanten meines Wesens abgeschliffen habe.

Als am 3. Mai 1910 ein Flieger namens Wincziers vom Exerzierplatz bei Straßburg-Neudorf aus als erster Straßburg überflog, was sich ganz unerwartet ereignete, war ich zufällig in ihrem Zimmer und führte sie, die sich nicht mehr allein bewegen konnte, ans Fenster. Während das Flugzeug, das ganz tief vor dem Hause vorbeigekommen war, in der Ferne entschwand, sagte sie: „Combien curieuse est ma vie! J'ai discuté les règles du participe passé avec Wilhelm von Humboldt, et voici que je suis témoin de la conquête de l'air par les hommes!"

Ihre beiden mit ihr zusammen lebenden unverheirateten Töchter Ada und Greda von Erlach hatten von ihr das Talent für Malerei geerbt. Zur Zeit, als ich noch Stiftsdirektor war, hatte ich Ada, einer Schülerin von Henner, ein Nordzimmer meiner großen Amtswohnung als Atelier überlassen und ihr auf Bitten ihrer Mutter auch Modell gesessen, da sie nach einer schweren Operation, die ihr vorübergehende Besserung eines unheilbaren Leidens gebracht hatte, sich durch Wiederaufnahme der Maltätigkeit als gesundet fühlen sollte. Dieses Bild von mir stellte sie an meinem dreißigsten Geburtstag fertig, ohne zu ahnen, was ich während dieser letzten Sitzung alles in mir erwog.

Da ein Onkel der alten Gräfin von Erlach jahrelang als Offizier in holländischem Kolonialdienst gestanden hatte, ohne an Fieber zu leiden, und dies darauf zurückführte, daß er in den Tropen nach Sonnenuntergang außerhalb des Hauses nie barhäuptig ging, mußte ich ihr geloben, im Gedenken an sie dasselbe zu tun. So verzichtete ich ihretwegen darauf, nach einem heißen Tage auf dem Äquator das Haupt der abendlichen Brise hinzugeben. Das Halten des Gelöbnisses bekommt mir aber gut. Nie habe ich einen Malariaanfall gehabt, obwohl Malaria natürlich nicht davon kommt, daß man in den Tropen abends unbedeckten Hauptes geht.

*

Erst vom Frühjahr 1906 an, als ich mit der Geschichte der Leben-Jesu-Forschung fertig war und die Leitung des Studienstiftes abgegeben hatte, konnte ich dem neuen Studium die erforderliche Zeit widmen. Mit Eifer machte ich mich nun über die Naturwissenschaften her. Endlich war es mir vergönnt, mich mit dem Stoffe zu befassen, dem meine Neigung schon auf dem Gymnasium gegolten hatte! Endlich durfte ich mir die Kenntnisse erwerben, deren ich bedurfte, um in der Philosophie den Boden der Wirklichkeit unter den Füßen zu haben!

Die Beschäftigung mit den Naturwissenschaften brachte mir aber noch mehr als die ersehnte Vervollständigung des Wissens. Sie war mir ein geistiges Erlebnis. Von jeher hatte ich es als eine psychische Gefahr empfunden, daß es in den sogenannten Geisteswissenschaften, mit denen ich es bisher zu tun gehabt hatte, keine Wahrheit gibt, die sich von selbst als solche erweist, sondern daß eine Ansicht durch die Art, in der sie auftritt, Geltung von Wahrheit erlangen kann. Das Ergründen der Wahrheit auf dem Gebiete der Geschichte und der Philosophie spielt sich in stets wiederholten, endlosen Zweikämpfen zwischen dem Wirklichkeitssinn der einen und der erfindungsreichen Einbildungskraft der anderen ab. Nie vermag das sachliche Argument einen definitiven Sieg über die geschickt vorgebrachte Meinung davonzutragen. Wie oft besteht das, was als Fortschritt gilt, darin, daß eine mit Virtuosität argumentierende Ansicht die wirkliche Einsicht für lange außer Gefecht setzt!

Fort und fort diesem Schauspiel zusehen zu müssen und es so vielfältig mit Menschen zu tun zu haben, denen der Sinn für das Wirkliche abhanden gekommen war, hatte ich als etwas Deprimierendes erlebt. Nun war ich plötzlich im anderen Lande. Ich gab mich mit Wahrheiten ab, die aus Wirklichkeiten bestanden, und befand mich unter Menschen, denen es selbstverständlich war, daß sie jede Behauptung durch Tatsachen zu erweisen hatten. Dies empfand ich als ein für meine geistige Entwicklung notwendiges Erlebnis.

So berauscht ich von dem Umgang mit dem Feststellbar-Wirklichen war, so lagen mir doch Stimmungen der Geringschätzung der Geisteswissenschaften fern, wie sie andere in der gleichen Lage überkamen. Im Gegenteil. Durch die Beschäftigung mit Chemie, Physik, Zoologie, Botanik und Physiologie wurde mir noch stärker als vorher bewußt, in welchem Maße die Denk-Wahrheit neben der einfach festgestellten berechtigt und notwendig ist. Wohl haftet der in einem schöpferischen geistigen Akt zustande kommenden Erkenntnis naturgemäß etwas Subjektives an. Zugleich aber ist sie höherer Art als die rein tatsächliche.

Das Wissen, das sich aus der Registrierung der einzelnen Manifestationen des Seins ergibt, bleibt insoweit immer unvollständig und unbefriedigend, als es uns auf die große Frage, was wir in dem Universum sind und in ihm wollen, die letzte Antwort nicht zu geben vermag. Zurechtfinden können wir uns in dem uns umgebenden Sein nur, wenn wir das universelle Leben, das in ihm will und waltet, irgendwie in unserem individuellen Leben erleben. Das Wesen des lebendigen Seins außer mir kann ich nur aus dem lebendigen Sein, das in mir ist, begreifen. Zu dieser gedanklichen Erkenntnis des universellen Seins und des Verhältnisses des individuellen menschlichen Seins zu ihm suchen die Geisteswissenschaften zu gelangen. Wahrheit enthalten ihre Ergebnisse in dem Maße, als der sich in dieser Richtung schöpferisch betätigende Geist Wirklichkeitssinn besitzt und durch das Tatsachenwissen um das Sein zum Denken über das Sein hindurchgegangen ist.

*

Am 13. Mai 1909 – an dem Regentage, an dem die restaurierte Hohkönigsburg eingeweiht wurde – stieg ich ins Physikum. Der Erwerb der nötigen Examenskenntnisse war mir nicht leicht gefallen. Alles Interesse an dem Stoffe konnte mir nicht über die Tatsache hinweghelfen, daß das Gedächtnis eines Mannes von über dreißig Jahren nicht mehr so leistungsfähig ist wie das eines zwanzigjährigen Studenten. Dummerweise hatte ich mir auch in den Kopf gesetzt, bis zuletzt reine Wissenschaft zu treiben, statt auf das Examen hinzuarbeiten. Erst in den letzten Wochen ließ ich mich auf Zureden von Mitstudenten in einen „Paukverband" aufnehmen und wurde so mit den Fragen bekannt, die die Professoren, den von den Studenten geführten Listen zufolge, zu stellen pflegten, wie auch mit den Antworten, die sie zu hören beliebten.

Es ging über alles Erwarten gut, obgleich ich in jenen Examenstagen die schwerste Müdigkeitskrise, deren ich mich in meinem Leben entsinne, durchzumachen hatte.

Die nun folgenden klinischen Semester erwiesen sich als viel weniger anstrengend als die vorklinischen, weil der Stoff einheitlicher war. Meine hauptsächlichsten Lehrer waren: Moritz, Arnold Cahn und Erich Meyer für innere Medizin; Madelung und Ledderhose für Chirurgie; Fehling und Freund für Gynäkologie; Wollenberg, Rosenfeld und Pfersdorff für Psychiatrie; Forster und Levy für Bakteriologie; Chiari für pathologische Anatomie; Schmiedeberg für Pharmakologie. Besonderes Interesse hatte ich für die Lehre von den Arzneimitteln, in der Arnold Cahn den praktischen und Schmiedeberg, der bekannte Erforscher der Digitalissubstanzen, den theoretischen Unterricht erteilte.

Von Schmiedeberg und dem mit ihm befreundeten Anatomen Schwalbe erzählte man sich an der Universität folgende ergötzliche Geschichte. Als Schwalbe für den Volksbildungsverein einer elsässischen Stadt einen Vortrag über

Anthropologie halten sollte, in dem er naturgemäß auch auf die Lehre Darwins zu reden kommen mußte, äußerte er Schmiedeberg gegenüber die Befürchtung, damit Anstoß zu erregen. „Trage ihnen schonungslos den ganzen Darwinismus vor", sagte ihm dieser. „Nur hüte dich, dabei das Wort Affe auszusprechen. Dann werden sie mit Darwin und dir ganz zufrieden sein." Schwalbe befolgte diesen Rat und hatte den verheißenen Vorteil davon.

In jener Zeit, da man im Elsaß anfing, von den Straßburger Professoren Hochschulkurse für die bildungshungrige Bevölkerung zu verlangen, verkündete uns Windelband im Sprechzimmer der Universität eines Tages mit freudigem Erstaunen, daß eine Arbeiterdeputation ihn aufgefordert habe, Vorträge über Hegel zu halten, und wußte nicht genug darüber zu sagen, daß die Leute aus dem Volk in ihrem gesunden Empfinden für das wirklich Wertvolle auf die Bedeutung Hegels aufmerksam geworden wären. Nachher stellte sich aber heraus, daß sie etwas über Ernst Haeckel und die dem Sozialismus zusagende materialistische Popularphilosophie seiner 1899 erschienenen „Welträtsel" hatten hören wollen. In ihrer elsässischen Aussprache hatten ä wie e und k wie g geklungen.

Nach Jahren sollte ich Gelegenheit finden, dem von mir verehrten Schmiedeberg einen Dienst zu erweisen. Als ich im Frühling 1919 zufällig am Bahnhof Straßburg-Neudorf vorbeiging, von dem aus eben ausgewiesene Deutsche mit der Bahn abtransportiert werden sollten, sah ich den lieben Alten unter ihnen stehen. Auf meine Frage, ob ich ihm bei der Rettung seiner Möbel behilflich sein könne – er hatte sie, wie die anderen auch, zurücklassen müssen –, zeigte er mir ein in Zeitungspapier gewickeltes Bündel, das er im Arme hielt. Es war seine letzte Arbeit über Digitalin. Da alles, was die Ausgewiesenen bei sich und auf sich hatten, im Bahnhof von Unteroffizieren streng kontrolliert wurde und er Angst hatte, daß man ihm die Mitnahme des umfangreichen Manuskripts vielleicht nicht gestatten würde, nahm ich es ihm ab und ließ es ihm später durch sichere Gelegenheit nach Baden-Baden zugehen, wo er bei Freunden Unterkunft gefunden hatte. Nicht lange, nachdem es im Druck erschienen war, starb er.

Während ich zu Beginn meines medizinischen Studiums

mit Geldsorgen zu kämpfen hatte, besserte sich meine Lage später durch den Erfolg der deutschen Ausgabe meines Buches über Bach und durch Konzerthonorare.

Im Oktober 1911 ging ich ins medizinische Staatsexamen. Das zu erlegende Examensgeld hatte ich mir im September auf dem französischen Musikfest zu München verdient, wo ich Widors kurz zuvor vollendete Symphonia Sacra für Orgel und Orchester unter seiner Leitung gespielt hatte. Als ich am 17. Dezember, nach der letzten Station bei dem Chirurgen Madelung, aus dem Spital in das Dunkel des Winterabends hinausschritt, konnte ich es nicht fassen, daß die furchtbare Anstrengung des Medizinstudiums nun hinter mir lag. Immer wieder vergewisserte ich mich, daß ich nicht träumte, sondern wach war. Wie aus weiter Ferne hörte ich Madelung, der neben mir ging, einmal über das andere sagen: „Nur weil Sie so eine gute Gesundheit haben, haben Sie so etwas fertig bringen können."

*

Nun hieß es noch, das praktische Jahr als Volontär in den Kliniken absolvieren und die Doktorarbeit schreiben. Für diese wählte ich mir als Thema, das, was von ärztlicher Seite über bei Jesus anzunehmende Geisteskrankheit veröffentlicht worden war, darzustellen und nachzuprüfen.

In der Hauptsache handelte es sich um die Arbeiten von De Loosten, William Hirsch und Binet-Sanglé. In meinen Studien über das Leben Jesu hatte ich nachgewiesen, daß Jesus in der von uns als phantastisch empfundenen Ideenwelt der spätjüdischen Erwartung des Weltendes und eines dann erscheinenden überirdischen messianischen Reiches lebte. Daraufhin war mir vorgehalten worden, daß ich einen „Schwärmer", wenn nicht gar eine von Wahnideen beherrschte Persönlichkeit aus ihm machte. Nun lag mir ob, vom medizinischen Standpunkte aus zu entscheiden, ob sein so geartetes Messianitätsbewußtsein irgendwie mit einer Störung seiner Psyche zusammenhing.

De Loosten, William Hirsch und Binet-Sanglé hatten bei Jesus irgendwie paranoide Geistesstörung angenommen und krankhafte Größen- und Verfolgungsideen bei ihm gefunden. Um mich mit ihren eigentlich recht unbedeutenden Arbeiten auseinanderzusetzen, mußte ich mich in das uferlose Paranoiaproblem einarbeiten. So kam es, daß die Abhandlung von 46 Seiten mich über ein Jahr in Anspruch nahm. Mehr als einmal war ich im Begriff, sie liegen zu lassen und ein anderes Thema zur Dissertation zu wählen.

Als Resultat hatte ich festzustellen, daß die einzigen psychiatrisch eventuell zu diskutierenden und als historisch anzunehmenden Merkmale – die hohe Selbsteinschätzung und etwa noch Halluzinationen bei der Taufe – bei weitem nicht hinreichen, um das Vorhandensein einer Geisteskrankheit nachzuweisen.

Die Erwartung des Weltendes und des messianischen Reiches hat nichts mit einer Wahnidee gemein, da sie einer unter dem Judentum jener Zeit verbreiteten und in seinen religiösen Schriften enthaltenen Weltanschauung angehörte. Auch der Idee Jesu, derjenige zu sein, der beim Anbruch des messianischen Reiches als Messias offenbar werden sollte, haftet nichts von krankhaftem Größenwahn an. Ist er auf Grund der Traditionen seiner Familie überzeugt, aus dem Geschlechte Davids zu sein, so kann er sich auch für berechtigt halten, dereinst die in den Schriften der Propheten einem Nachkommen Davids verheißene messianische Würde zu erlangen. Wenn er die Gewißheit, der kommende Messias zu sein, als ein Geheimnis für sich behalten will und es dennoch in seinen Reden durchschimmern läßt, so verhält er sich damit, rein äußerlich betrachtet, wie Persönlichkeiten mit krankhaften Größenideen. In Wirklichkeit aber verfährt er total anders als sie. Das Geheimhalten seines Anspruches ist bei ihm in natürlicher Weise logisch begründet. Der jüdischen Lehre zufolge tritt der Messias erst beim Anbruch des messianischen Reiches aus der Verborgenheit heraus. Also kann Jesus sich den Menschen nicht als den kommenden Messias bekannt geben. Bricht andererseits in einer Reihe seiner Worte durch, daß er den Hörern das Kommen des Reiches Gottes in der Vollmacht dessen verkündet, der sein König sein wird, so ist auch dies logisch durchaus verständlich. Überhaupt verhält sich Jesus in keiner Weise wie einer, der sich in einem Wahnsystem bewegt. In ganz normaler Weise reagiert er auf die an ihn gerichteten Worte und die ihn angehenden Geschehnisse. Überall nimmt er auf die Wirklichkeit Bezug.

Daß jene Mediziner den einfachsten psychiatrischen Überlegungen entgegen dazu gelangen, die psychische Gesundheit Jesu zu bezweifeln, ist nur dadurch erklärlich, daß sie mit der historischen Seite der Frage nicht genügend vertraut sind. Nicht nur, daß sie die spätjüdische Weltanschauung zur Erklärung der Vorstellungswelt Jesu nicht heranziehen: sie machen auch keinen Unterschied zwischen historischen und unhistorischen Angaben über ihn. Statt sich an das zu halten, was die beiden ältesten

Quellen – Markus und Matthäus – berichten, tragen sie alles, was in den vier Evangelien über Jesus steht, zusammen und sitzen dann über eine Persönlichkeit zu Gericht, die nicht wirklich ist und dementsprechend als abnorm ausgegeben werden kann. Bezeichnend ist, daß die Hauptargumente einer Geistesgestörtheit Jesu dem Johannesevangelium entnommen werden.

In Wirklichkeit ist Jesus überzeugt, der kommende Messias zu sein, weil seine gewaltige ethische Persönlichkeit nach den religiösen Ideen seiner Zeit nicht anders kann, als in dieser Vorstellung zum Bewußtsein ihrer selbst zu kommen. Seinem geistigen Wesen nach war er tatsächlich der von den Propheten verheißene ethische Herrscher.

XI
VOR DER AUSREISE NACH AFRIKA

Während ich mit der Doktorarbeit beschäftigt war, betrieb ich schon die Vorbereitungen zur Ausreise nach Afrika. Im Frühjahr 1912 gab ich meine Lehrtätigkeit an der Universität und mein Amt an St. Nicolai auf. Meine im Wintersemester 1911 auf 1912 gehaltenen Vorlesungen behandelten die Auseinandersetzung der religiösen Weltanschauung mit den Ergebnissen der geschichtlichen Erforschung der Religionen und den Tatsachen der Naturwissenschaften.

Die letzte Predigt vor meiner Gemeinde zu St. Nicolai hielt ich über Pauli Segensspruch im Briefe an die Philipper „Der Friede Gottes, welcher höher ist denn alle Vernunft, bewahre eure Herzen und Sinne in Christo Jesu“, mit dem ich all die Jahre hindurch meine Gottesdienste beschlossen hatte.

Nicht mehr zu predigen und nicht mehr Vorlesungen zu halten, bedeutete einen schweren Verzicht für mich. Bis zu meiner Abreise nach Afrika vermied ich es dann nach Möglichkeit, an St. Nicolai oder an der Universität vorbeizugehen, weil der Anblick dieser Stätten eines nie wiederkehrenden Wirkens mir zu schmerzlich war. Noch heute kann ich den Blick nicht auf die Fenster des zweiten Hörsaals ostwärts vom Eingang des großen Universitätsgebäudes gerichtet halten, in dem ich gewöhnlich zu lesen pflegte.

Zuletzt verließ ich auch die Wohnung am Thomasstaden, um mit meiner Frau – ich hatte mich am 18. Juni 1912 mit Helene Breßlau, der Tochter des Straßburger Historikers, verheiratet – die letzten Monate, soweit ich nicht auf Reisen sein mußte, im väterlichen Pfarrhaus zu Günsbach zu verleben. Meine Frau, die mir schon vor unserer Verheiratung eine wertvolle Mitarbeiterin bei der Fertigstellung der Manuskripte und der Erledigung der Druckkorrekturen gewesen war, war mir eine große Hilfe bei allen noch vor der Abreise nach Afrika zu erledigenden literarischen Arbeiten.

Das Frühjahr 1912 hatte ich in Paris verbracht, um Tropenmedizin zu studieren und mit den Einkäufen für Afrika zu beginnen. Hatte ich zu Beginn meines medizinischen Studiums wissenschaftlich mit der Materie Bekanntschaft gemacht, so mußte ich mich nun praktisch mit ihr befassen. Auch dies war ein Erlebnis für mich. Bisher war ich ausschließlich mit geistiger Arbeit beschäftigt gewesen. Jetzt hieß es nach Katalogen Bestellungen ausarbeiten, tagelang Besorgungen machen, in den Geschäften herumstehen und Waren aussuchen, Lieferungen und Rechnungen prüfen, Kisten packen, genaue Listen für die Verzollung aufstellen und dergleichen mehr. Was hatte ich an Zeit und Mühe aufzuwenden, bis ich die Instrumente, die Medikamente, die Verbandstoffe und alles, was zur Ausstattung eines Spitals gehörte, zusammen hatte, von den mit meiner Frau zusammen erledigten Beschaffungen für den Haushalt im Urwald nicht zu reden! Anfangs empfand ich die Beschäftigung mit diesen Dingen als etwas Lästiges. Nach und nach aber kam ich dahinter, daß auch die praktische Auseinandersetzung mit der Materie wert ist, mit Hingebung betrieben zu werden. Heute bin ich so weit, daß mir das schöne Ausarbeiten einer Bestellung künstlerische Genugtuung bereitet. Ärger empfinde ich nur immer wieder darüber, daß so viele Warenkataloge, auch pharmazeutische, so unübersichtlich und unpraktisch angelegt sind, als hätte man die Pförtnersfrau des betreffenden Geschäfts mit der Abfassung betraut.

Um die für mein Unternehmen notwendigen Mittel zusammenzubringen, unternahm ich Bittgänge im Kreise meiner Bekannten. In vollem Maße empfand ich die Schwierigkeit, sie für ein Werk zu gewinnen, das seine Berechtigung noch nicht durch Leistungen erwiesen hatte, sondern nur erst als Absicht bestand. Die meisten meiner Freunde und Bekannten halfen mir über diese Verlegenheit hinweg, indem sie mir sagten, daß sie für einen solchen abenteuerlichen Plan etwas spenden wollten, weil er von mir ausginge. Freilich habe ich auch erlebt, daß die Tonart, in der ich empfangen wurde, eine merklich andere wurde, als es sich herausstellte, daß ich nicht als Besuch, sondern als Bittsteller gekommen war. Aber die Liebe, die ich auf diesen Gängen erfuhr, wog die Demütigungen, die ich hinnehmen mußte, hundertfach auf.

Daß die deutsche Professorenschaft der Universität Straßburg für das auf französischem Kolonialgebiet zu gründende Werk so reichlich gab, bewegte mich tief. Einen bedeutenden Teil der Mittel empfing ich von Angehörigen der Gemeinde zu St. Nicolai. Auch Kirchengemeinden des Elsasses, besonders solche, die Studiengenossen oder Schüler von mir als Pfarrer hatten, unterstützten mich. Mittel flossen dem zu gründenden Werk auch aus einem Konzert zu, das die Pariser Bachgesellschaft mit ihrem Chor, Maria Philippi und mir zu seinen Gunsten gab. Auch ein Konzert und ein Vortrag in Le Havre, wo ich durch Mitwirkung bei einer Bachaufführung bekannt war, hatten einen starken materiellen Erfolg.

So war die finanzielle Frage vorläufig gelöst. Ich besaß die Mittel zu den nötigen Anschaffungen, für die Reise und für den Betrieb des Spitals auf etwa ein Jahr hinaus. Überdies hatten mir vermögende Freunde in Aussicht gestellt, daß sie mir weiterhelfen würden, wenn ich mit dem Vorhandenen zu Ende wäre.

Eine wertvolle Hilfe für die Erledigung der finanziellen und geschäftlichen Angelegenheiten war mir Frau Annie Fischer, die Witwe eines jung verstorbenen Professors der Chirurgie an der Straßburger Universität, die dann, als ich in Afrika war, alle in Europa zu leistende Arbeit auf sich nahm. Ihr Sohn ist später auch Tropenarzt geworden.

*

Als ich gewiß war, die nötigen Mittel zur Gründung eines kleinen Spitals zusammenbringen zu können, machte ich der Pariser Missionsgesellschaft das definitive Angebot, auf meine eigenen Kosten ihr Missionsgebiet am Ogowefluß von der zentral gelegenen Station Lambarene aus als Missionsarzt zu bedienen.

Die Missionsstation Lambarene ist von dem amerikanischen Missionar und Arzt Dr. Nassau im Jahre 1876 gegründet, wie überhaupt die evangelische Mission im Ogowegebiet von den 1874 ins Land gekommenen amerikanischen Missionaren in Angriff genommen wurde. Als dann Gabun französischer Besitz wurde, löste, von 1892 an, die Pariser Missionsgesellschaft die amerikanische ab, da die Amerikaner nicht imstande waren, den Schulunterricht, der Forderung der französischen Regierung entsprechend, in französischer Sprache zu erteilen.

Missionsdirektor Jean Bianquis, der Nachfolger Boegners, dessen phrasenlose Frömmigkeit und kluge Leitung der Geschäfte der Pariser Mission viele Freunde gewann, setzte sich mit seiner ganzen Autorität dafür ein, daß man sich diese Gelegenheit, kostenlos den so heiß ersehnten Missionsarzt für Gabun zu erhalten, nicht entgehen lasse. Aber die Strenggläubigen leisteten Widerstand. Man beschloß, mich vor das Komitee zu laden und ein Glaubensexamen mit mir anzustellen. Darauf ging ich nicht ein, mit der Begründung, daß Jesus bei der Berufung seiner Jünger von ihnen nichts anderes verlangt habe, als daß sie ihm nachfolgen wollten. Auch ließ ich dem Komitee sagen, daß nach dem Worte Jesu „Wer nicht wider mich ist, der ist für mich" eine Missionsgesellschaft sogar nicht recht daran täte, wenn sie einen Mohammedaner, der sich ihr anböte, um ihre kranken Schwarzen zu behandeln, abwiese. Nicht lange zuvor hatte die Pariser Mission einen Pfarrer, der für sie hinausziehen wollte, nicht angenommen, weil ihm seine wissenschaftliche Überzeugung nicht erlaubte, die Frage, ob er das vierte Evangelium für das Werk des Apostels Johannes ansehe, mit einem uneingeschränkten Ja zu beantworten.

Um nicht ein gleiches Schicksal zu haben, lehnte ich es ab, vor versammeltem Komitee zu erscheinen und mir von ihm theologische Fragen vorlegen zu lassen. Hingegen erbot ich mich, jedem Mitglied einen persönlichen Besuch zu machen, damit es sich auf Grund der mit mir geführten Unterhaltung darüber klarwerden könne, ob ich wirklich eine so große Gefahr für die Seelen der Neger und die Reputation der Missionsgesellschaft bedeutete. Dieser Vorschlag wurde angenommen und kostete mich einige Nachmittage. Einige wenige empfingen mich kalt. Die meisten versicherten mir, daß mein theologischer Standpunkt ihnen besonders deswegen Bedenken mache, weil ich in Versuchung kommen könne, drüben mit meiner Wissenschaft die Missionare zu verwirren und mich auch als Prediger betätigen zu wollen. Als ich ihnen versicherte, daß ich nur Arzt sein wolle und mir im übrigen vornähme, „d'être muet comme une carpe" (stumm wie ein Karpfen zu sein), waren sie beruhigt. Mit einer Reihe von Mitgliedern des Komitees kam ich durch diese Besuche sogar in ein wirklich herzliches Verhältnis.

Also wurde, unter der Voraussetzung, daß ich alles unterließe, was den Missionaren und den schwarzen Christen in ihrem Glauben Anstoß geben könnte, mein Anerbieten angenommen, weswegen allerdings ein Mitglied des Komitees seinen Austritt erklärte.

Nun galt es noch, im Kolonialministerium zu erreichen, daß mir die ärztliche Tätigkeit in Gabun gestattet wurde, obwohl ich nur das deutsche Doktordiplom besaß. Durch Hilfe einflußreicher Bekannter wurde auch diese letzte Schwierigkeit hinweggeräumt. Endlich war die Bahn frei!

Im Februar 1913 wurden die 70 Kisten zugeschraubt und als Fracht nach Bordeaux vorausgesandt. Als wir dann unser Handgepäck zurechtmachten, hielt sich meine Frau darüber auf, daß ich darauf bestand, 2000 Mark in Gold statt in Scheinen mitzunehmen. Ich antwortete ihr, daß wir mit der Möglichkeit des Krieges rechnen müßten, wo dann irgendwo in der Welt draußen das Gold allenthalben seinen Wert behielte, während das Schicksal des Papiergeldes ungewiß sei und Bankguthaben gesperrt werden könnten.

Mit der Kriegsgefahr rechnete ich, obwohl mir feststand, daß weder das französische noch das deutsche Volk den Krieg wollten, und obwohl die Parlamentarier beider Länder Gelegenheit suchten, sich kennenzulernen und sich gegenseitig auszusprechen. Als einer, der seit Jahren für die Verständigung zwischen Deutschland und Frankreich arbeitete, wußte ich, wieviel gerade damals für die Erhaltung des Friedens im Werke war, und behielt einige Hoffnung, daß es gelingen könne. Andererseits aber gab ich mich keiner Täuschung darüber hin, daß das Schicksal Europas nicht mehr von dem Verhältnis Deutschland-Frankreich allein abhängt.

Ein böses Anzeichen sah ich darin, daß in Deutschland wie in Frankreich das Gold von Staats wegen nach Möglichkeit aus dem Verkehr zurückgezogen und durch Papiergeld ersetzt wurde. In beiden Ländern erhielten etwa von 1911 ab die Beamten bei der Auszahlung ihrer Gehälter fast kein Gold mehr.

XII
LITERARISCHE ARBEITEN AUS DER ZEIT DES MEDIZINSTUDIUMS

In den beiden letzten Jahren des Medizinstudiums und in der Zeit, die ich bis zu meiner Abreise als Volontär in den Kliniken verbrachte, fand ich durch starke Inanspruchnahme der Nächte die Zeit, ein Werk über die Geschichte der wissenschaftlichen Erforschung der Gedankenwelt Pauli fertigzustellen, die Geschichte der Leben-Jesu-Forschung für die zweite Auflage zu überarbeiten und zu erweitern, und mit Widor zusammen eine Ausgabe der Bachschen Präludien und Fugen für Orgel zu veranstalten, die zu jedem Stück Angaben über seine Wiedergabe bietet.

Alsbald nach der Beendigung der Geschichte der Leben-Jesu-Forschung war ich dazu übergegangen, mich mit der Lehre des Paulus zu beschäftigen. Von jeher hatten mich die Erklärungen, die sie in der wissenschaftlichen Theologie gefunden hatte, unbefriedigt gelassen, weil sie als etwas Kompliziertes und mit Widersprüchen Behaftetes dartaten, was mit der Originalität und Großzügigkeit des sich in ihr kundgebenden Denkens unvereinbar schien. Vollends fraglich wurden sie mir von der Zeit an, wo mir feststand, daß die Verkündigung Jesu ganz durch die Erwartung des Weltendes und des auf übernatürliche Weise kommenden Reiches Gottes bestimmt war. Jetzt nämlich stellte sich mir die für die bisherige Forschung noch nicht in Sicht gekommene

Frage, ob nicht auch die Gedankenwelt Pauli ganz in der Eschatologie wurzle.

Als ich sie daraufhin untersuchte, gelangte ich überraschend schnell zu dem Ergebnis, daß dies wirklich der Fall sei. Schon 1906 konnte ich die Grundgedanken der eschatologischen Erklärung der so merkwürdigen paulinischen Lehre vom Sein in Christo und vom Gestorben- und Auferstandensein mit ihm im Kolleg vortragen.

Über dem Ausarbeiten dieser neuen Ansicht reizte es mich dann, von allen zuvor unternommenen Versuchen einer wissenschaftlichen Deutung der paulinischen Lehre Kenntnis zu nehmen und festzustellen, in welcher Weise der gesamte Komplex der das Problem ausmachenden Fragen sich in ihnen nach und nach geltend gemacht habe.

Mit der Erforschung der Lehre Pauli erging es mir also in derselben Weise wie mit der des Abendmahls und des Lebens Jesu. Statt daß ich mich damit begnügte, die gefundene Lösung einfach darzulegen, lud ich mir darüber hinaus jedesmal noch die Arbeit auf, die Geschichte des Problems zu schreiben. Daß ich mich dreimal zur Begehung eines so beschwerlichen Seitenpfades entschloß, ist die Schuld des Aristoteles. Wie oft habe ich die Stunde verwünscht, in der ich erstmals den Abschnitt seiner Metaphysik las, in dem er das Problem der Philosophie aus der Kritik des vorherigen Philosophierens entwickelt! Damals wurde etwas geweckt, das in mir schlummerte. Fort und fort habe ich seither den Drang in mir erlebt, das Wesen eines Problems nicht nur an sich, sondern auch aus der Art seiner Selbstentfaltung in der Geschichte begreifen zu wollen.

Ob sich die Mehrarbeit gelohnt hat, weiß ich nicht. Sicher ist mir nur, daß ich nicht anders konnte als in solcher Weise aristotelisch zu verfahren, und daß ich wissenschaftliche und künstlerische Befriedigung davon hatte.

Einen besonderen Reiz hatte die Erforschung der Geschichte der wissenschaftlichen Auslegung der Briefe Pauli für mich noch darum, weil diese Arbeit überhaupt noch nicht unternommen worden war. Zustatten kam mir dabei, daß die Straßburger Universitätsbibliothek die Werke über Paulus fast in derselben Vollständigkeit besaß, wie die über das Leben Jesu, und daß Herr Oberbibliothekar Dr. Schorbach mir in rührender Weise behilflich war, alle in Betracht kommenden Bücher und Zeitschriftenartikel ausfindig zu machen.

Ursprünglich hatte ich geglaubt, diese literarisch-geschichtliche Studie so kurz abhandeln zu können, daß sie nur ein einleitendes Kapitel zur Darlegung der eschatologischen Deutung der Lehre Pauli abgeben würde. Über der Arbeit wurde mir aber klar, daß sie sich zu einem ganzen Buche auswachsen würde.

*

Die wissenschaftliche Erforschung der Gedankenwelt Pauli beginnt mit Hugo Grotius. In seinen um die Mitte des 17. Jahrhunderts erschienenen „Annotationes in Novum Testamentum" tritt er für das an sich selbstverständliche Prinzip ein, daß man darauf ausgehen müsse, die Briefe des Paulus nach ihrem eigentlichen Wortsinn zu verstehen. Bis dahin hatte man sie in der katholischen wie in der protestantischen Theologie nach dem kirchlichen Dogma der Rechtfertigung aus dem Glauben gedeutet.

Daß die Sätze vom Sein in Christo und vom Gestorben- und Auferstandensein mit ihm große Probleme in sich bergen, kommt den Vertretern der historischen Auslegung zunächst freilich nicht zum Bewußtsein. Vor allem ist es ihnen um die Feststellung zu tun, daß die Lehre Pauli nicht dogmatisch sondern „vernunftgemäß" sei.

Die erste wirkliche Leistung der Paulusforschung besteht dann darin, daß sie auf gedankliche Unterschiede, die einzelne Briefe den anderen gegenüber aufweisen, aufmerksam wird und daraufhin dazu kommt, einige derselben als unauthentisch ansehen zu müssen. Im Jahre 1807 bezweifelt Schleiermacher die Echtheit des ersten Briefes an Timotheus. Sieben Jahre später weist Johann Gottfried Eichhorn mit überzeugenden Argumenten nach, daß beide Briefe an Timotheus wie auch der an Titus nicht von Paulus sein können. Weiter geht dann noch Ferdinand Christian Baur in seinem 1845 erschienenen Werke „Paulus, der Apostel Jesu Christi". Als unzweifelhaft echt erkennt er nur die beiden Korintherbriefe, den Römerbrief und den Galaterbrief an. Mit diesen verglichen erscheinen ihm alle anderen mehr oder weniger beanstandbar.

Die spätere Forschung mildert dann die Härte dieses grundsätzlich richtigen Urteils dahin, daß sie den Philipperbrief, den Philemonbrief und den ersten Thessalonicherbrief ebenfalls als echt erweist. Der weitaus größte Teil der den Namen des Paulus tragenden Briefe geht also wirklich auf ihn zurück. Als ausgemacht unecht gelten der kritisch gerichteten Wissenschaft heute der zweite Thessalonicherbrief, der Brief an Titus und die beiden Briefe an Timotheus. Über den Epheserbrief und den Kolosserbrief ist ein sicherer Entscheid nicht möglich. Sie enthalten Gedanken, die sich mit denen der sicher echten Briefe nahe berühren, in Einzelheiten aber merkwürdig von ihnen abweichen.

Das Kriterium für echt und unecht findet Baur dadurch, daß er den Gegensatz zwischen dem Christenglauben Pauli und dem der Apostel zu Jerusalem aufdeckt. Als Erster wagt er festzustellen, daß der Galaterbrief eine Streitschrift ist, die sich eigentlich gegen die Apostel zu Jerusalem richtet. Als Erster erkennt er auch, daß die Meinungsverschiedenheit hinsichtlich der Geltung des Gesetzes in der Verschiedenheit der Lehre von der Bedeutung des Todes Jesu begründet ist. Aus diesem aufgezeigten Gegensatz schließt er, daß die Briefe, in denen er zur Sprache kommt, von Paulus selber herrühren, während die anderen, in denen er keine Rolle spielt, von Schülern Pauli geschrieben sind, die die später erfolgte Versöhnung zwischen den beiden Parteien in die Zeit Pauli zurücktragen wollen.

Von den Paulinischen Briefen ausgehend rollt Baur also erstmalig das Problem der Entstehung des christlichen Dogmas auf. Er läßt, mit Recht, den Vorgang darin bestehen, daß der paulinische Gedanke der Freiheit vom Gesetze und paulinische Sätze über die Bedeutung des Todes Jesu im Laufe von ein oder zwei Generationen Gemeingut des Christenglaubens werden, obwohl sie ursprünglich im Widerspruch zu der von den Aposteln zu Jerusalem vertretenen Lehrtradition stehen.

Der Ausgleich kommt nach Baur dann dadurch zustande, daß die um die Wende des ersten zum zweiten Jahrhundert entstehende gnostisch-christliche Lehre alle nichtgnostischen Richtungen in der Kirche zu gemeinsamer Abwehr und damit zur Versöhnung miteinander zwingt. Diese Erklärung hat sich in der Folge als zum Teil richtig, aber bei weitem nicht ausreichend erwiesen.

Durch seine Erkenntnis, daß das Problem der Lehre Pauli den Kern des Problems der Entstehung des Dogmas bilde, hat Baur die historische Erforschung der Anfänge des Christentums erst wirklich in Fluß gebracht. Bis dahin war sie nicht voran gekommen, weil ihre Aufgabe noch nicht sachlich formuliert war.

Eduard Reuß, Otto Pfleiderer, Karl Holsten, Ernest Renan, H. J. Holtzmann, Karl von Weizsäcker, Adolph Harnack und die anderen, die in der zweiten Hälfte des 19. Jahrhunderts das Werk Baurs fortführen, nehmen den Tatbestand der Lehre Pauli im einzelnen auf. Dabei stellen sie miteinander fest, daß bei ihm neben der auf den Gedanken des Sühnopfers zurückgehenden Lehre von der Erlösung noch eine andere, ganz anders geartete einhergeht, der zufolge die Gläubigen Tod und Auferstehung

Jesu in geheimnisvoller Weise an sich erleben und dadurch zu sündlosen, von dem Geiste Jesu beherrschten, ethischen Wesen werden. Die Grundgedanken dieser mystisch-ethischen Lehre finden sich erstmalig in Herrmann Lüdemann's 1872 erschienener „Anthropologie des Apostels Paulus" dargelegt.

Das paulinische Problem lösen heißt also erklären, warum Paulus behauptet, daß das Gesetz für die an Christum Gläubigen nicht mehr gelte, warum er neben die Lehre der Erlösung durch den Glauben an den Sühnetod Jesu, die er mit den Aposteln gemein hat, noch die mystische von dem Sein in Christo und dem Gestorben- und Auferstandensein mit ihm stellt, und wie er beide in seinem Denken vereinigt.

*

Die Anschauungen, in denen Paulus über das Urchristentum hinausgeht, glaubt die Forschung des ausgehenden 19. und beginnenden 20. Jahrhunderts durch die Annahme begreiflich machen zu können, daß er, auf Grund seiner Herkunft aus dem ganz unter dem Einfluß griechischer Sprache und griechischer Kultur stehenden Kleinasien, griechische Denkweise mit der jüdischen vereinige. Aus dieser heraus lehne er sich gegen das Gesetz auf. Aus ihr heraus empfinde er auch die Nötigung, die Erlösung durch den Tod Jesu nicht nur in der jüdischen Vorstellung des Sühneopfers, sondern auch als mystisches Teilhaben an diesem Sterben zu begreifen.

Diese Lösung des Problems erscheint als die nächstliegende und natürlichste auf Grund der Tatsache, daß sich in dem Judentum eine mystische Denkweise nicht findet, während sie dem Griechentum geläufig ist.

In der Annahme, daß die mystische Erlösungslehre Pauli griechischer Art sei, wird die Forschung noch durch das reiche neue Material über die griechisch-orientalischen Mysterienkulte bestärkt, das Herrmann Usener, E. Rhode, François Cumont, Hugo Hepding, Richard Reitzenstein und andere um die Jahrhundertwende aus der vordem wenig erforschten spätgriechischen Literatur und aus neu entdeckten Inschriften zusammentragen. Aus diesem wird ersichtlich, welche Rolle sakramentale Handlungen in der Religiosität der beginnenden griechisch-orientalischen Dekadenz spielen. Die Annahme, daß die Mystik des Paulus irgendwie durch griechisch-religiöse Vorstellungen bestimmt sei, scheint also auf das Beste zu erklären, daß Taufe und Abendmahl bei ihm das Teilhaben an Jesu Sterben und Auferstehen tatsächlich vermitteln, nicht etwa nur symbolisieren, wie man bis zum Ende des 19. Jahrhunderts annahm, als man sich noch nicht einzugestehen wagte, daß er wirklich sakramental denkt. Weil das Judentum Sakramente ebensowenig kennt als Mystik, glaubt man Paulus schon allein um seiner Anschauung von Taufe und Abendmahl willen mit der griechischen Religiosität in Verbindung bringen zu müssen.

Soviel diese Annahme von vornherein auch für sich hat, so erweist sie sich merkwürdigerweise doch als unvermögend, die paulinische Mystik des Seins in Christo wirklich zu erklären. Sowie man in die Einzelheiten geht, stellt es sich nämlich heraus, daß die Anschauungen Pauli doch so ganz anders geartet sind als die der griechisch-orientalischen Mysterienreligionen. Sie sind ihnen nicht wesensverwandt, sondern stehen nur in einer merkwürdigen Analogie zu ihnen. Da die Forschung die Lösung des Problems aber auf keinem anderen als dem von ihr eingeschlagenen Weg für erreichbar hält, läßt sie sich ihre Zuversicht nicht nehmen und redet sich ein, daß die sachliche Verschiedenheit, soweit sie nicht umhin kann sie einzugestehen, darauf zurückgehe, daß Paulus die griechischen Motive sozusagen unbewußt übernommen und in ganz persönlicher Weise ausgebildet habe.

In der Notlage, in der sie sich befindet, wagt sich die Forschung nicht einmal einzugestehen, daß die Nachrichten über die griechisch-orientalischen Mysterienreligionen, auf die sie sich beruft, uns diese schildern, wie sie im 2. und 3. Jahrhundert nach Christus waren, wo die alten griechischen und orientalischen Kulte miteinander verschmolzen und durch eine Art Renaissance, die sie erlebten, zu Trägern der Ideen der damaligen griechisch-orientalischen Dekadenz-Religiosität wurden. Damit erlangten sie eine Bedeutung, die sie zur Zeit Pauli nicht besaßen.

Der ursprünglich in Persien beheimatete Mithraskult kommt für Paulus nicht in Betracht, weil er erst im 2. Jahrhundert nach Christus in der griechischen Welt Bedeutung erlangt.

Interessant ist, daß Adolph Harnack sich stets dagegen sträubte, einen tiefgehenden Einfluß des Griechentums auf Paulus anzuerkennen.

*

Sind die mystische Erlösungslehre Pauli und seine sakramentalen Anschauungen nicht aus hellenistischen Voraussetzungen begreiflich zu machen, so bleibt nichts anderes übrig als das scheinbar Unmögliche zu versuchen, sie aus dem Spätjudentum, das heißt aus eschatologischen Ideen zu verstehen. Diesen Weg begehen Richard Kabisch in seinem 1893 erschienenen Werke „Die Eschatologie des Paulus in ihren Zusammenhängen mit dem Gesamtbegriff des Paulinismus“ und, unabhängig von ihm, William Wrede in seinem leider ganz skizzenhaft gehaltenen, im Jahre 1904 veröffentlichten „Paulus“. Eine vollständige Erklärung der Gedankenwelt Pauli gelingt ihnen nicht. Auch sie vermögen nicht das letzte Geheimnis der Logik, in der das Sein in Christo und das Gestorben- und Auferstandensein mit ihm nicht nur als etwas geistig zu Erlebendes, sondern auch als etwas naturhaft Wirkliches behauptet werden, zu enträtseln. Wohl aber führen sie in überzeugender Weise den Nachweis, daß, mit der Eschatologie zusammen gebracht, so und so viele Vorstellungen Pauli, die auf den ersten Blick in keiner Weise den Eindruck erwecken, mit ihr zusammenzuhängen, nicht nur als etwas viel Einfacheres und Lebendigeres offenbar werden, als sie es nach der bisherigen Auffassung waren, sondern sich auch in ihrem Zusammenhange untereinander als einem durchaus einheitlichen System angehörend erweisen.

Diese abseits von dem gewöhnlichen Weg gehenden Untersuchungen finden in der zeitgenössischen Forschung keine Beachtung, weil die Annahme eines zugleich griechisch und jüdisch denkenden Paulus nicht nur den Theologen, sondern auch den mit dem Späthellenismus beschäftigten Philologen als etwas Selbstverständliches gilt. Dabei bedenken sie nicht, in welche Gefahr der arme Apostel Paulus durch ihre Behauptung gebracht wird, daß die Grundgedanken der seinen Namen tragenden Briefe denen der griechisch-orientalischen Religiosität, wie wir sie aus Zeugnissen des zweiten und dritten nachchristlichen Jahrhunderts kennen, wesensverwandt sind! Unabweisbar erhebt sich ja daraufhin die Frage, ob diese Briefe dann wirklich in die fünfziger und sechziger Jahre des ersten christlichen Jahrhunderts gehören, oder ob sie nicht eher aus jener späteren Zeit stammen und dem urchristlichen Rabbinen Paulus nur durch eine literarische Fiktion beigelegt sind.

Schon in der zweiten Hälfte des 19. Jahrhunderts vertreten Bruno Bauer und Angehörige der sogenannten radikalen holländischen Schule – A. D. Loman, Rudolph Steck, W. C. van Manen und andere – die Behauptung, daß die griechischen Gedanken in den den Namen des Paulus tragenden Briefen sich viel einfacher daraus erklären, daß die Schreiben tatsächlich griechischen Ursprungs sind, als daraus, daß ein Rabbine gleich nach dem Tode Jesu den urchristlichen Glauben ins Griechische umgedacht habe. Als Hauptargument machen sie geltend, daß der Kampf gegen das Gesetz nicht von dem Rabbinen Paulus unternommen sein könne. Die Forderung der Freiheit vom Gesetz sei naturgemäß erst aufgestellt worden, als Griechen anfingen, das Übergewicht in den christlichen Gemeinden zu bekommen, und sich dann gegen das noch auf das Judentum eingestellte Christentum auflehnten. Der Kampf um das Gesetz sei also nicht in der Mitte des 1. Jahrhunderts zwischen Paulus und den Aposteln, sondern erst zwei oder drei Generationen später zwischen den beiden unterdes entstandenen Parteien ausgefochten worden. Um ihren Sieg zu legitimieren, hätten die Freigesinnten ihn bereits dem Paulus in eigens dazu verfaßten und ihm beigelegten Briefen zugeschrieben. Natürlich läßt sich diese paradoxe Theorie von der Entstehung der paulinischen Briefe nicht geschichtlich erweisen. Aber sie beleuchtet mit grellem Lichte die Schwierigkeiten, in die sich die Forschung begibt, wenn sie griechische Gedanken bei Paulus annimmt.

Als Ergebnis der Geschichte der wissenschaftlichen Erforschung der Gedankenwelt Pauli hatte ich im Jahre 1911 also festzustellen, daß das damals allgemein als aussichtsvoll angesehene Unternehmen, seine als nicht-jüdisch anmutende mystische Erlösungslehre auf griechische Vorstellungen zurückzuführen, undurchführbar sei und daß einzig und allein eine Erklärung aus der Eschatologie in Frage kommen könne.

Zur Zeit des Erscheinens dieser einleitenden Untersuchung war meine Darlegung der eschatologischen Erklärung der Gedankenwelt Pauli so weit ausgearbeitet, daß ich sie in wenigen Wochen hätte druckfertig machen können. Aber diese Wochen standen mir nicht zur Verfügung, da ich mich alsbald an die Arbeit auf das medizinische Staatsexamen hin machen mußte. Nachher wurde ich durch die medizinische Doktorarbeit und die Neubearbeitung der Geschichte der Leben-Jesu-Forschung so in Anspruch genommen, daß ich die Hoffnung aufgeben mußte, diesen zweiten Teil des Werkes über Paulus vor der Ausreise nach Afrika veröffentlichen zu können.

*

Schon mit dem Einkaufen und Einpacken beschäftigt machte ich mich im Herbst 1912 daran, in die Geschichte der Leben-Jesu-Forschung die seit deren Erscheinen neu veröffentlichten Werke auf diesem Gebiete einzuarbeiten und Abschnitte, die mich nicht mehr befriedigten, umzugießen. Insbesondere kam es mir darauf an, die spätjüdische Eschatologie, auf Grund der stetigen seitherigen Beschäftigung mit dem Gegenstand, gründlicher und besser darzustellen als ich es früher vermocht hatte, und zu den Werken von John M. Robertson, William Benjamin Smith, James George Frazer, Arthur Drews und anderer, die die historische Existenz Jesu bestritten, Stellung zu nehmen. Leider fußen die späteren englischen Ausgaben meiner Geschichte der Leben-Jesu-Forschung immer noch auf dem Texte der ersten deutschen.

Zu behaupten, daß Jesus nicht gelebt habe, ist nicht schwer. Der versuchte Beweis schlägt aber unfehlbar in das Gegenteil um.

In der jüdischen Literatur des 1. Jahrhunderts ist die Existenz Jesu nicht sicher und in der griechischen und lateinischen derselben Zeit überhaupt nicht bezeugt. Von den beiden Stellen, in denen der jüdische Schriftsteller Josephus in seinen „Antiquitäten" Jesum nebenbei erwähnt, ist die eine unzweifelhaft erst durch christliche Abschreiber dem Texte eingefügt worden. Der erste profane Zeuge für die Existenz Jesu ist Tacitus, der unter Trajan im 2. Jahrzehnt des 2. nachchristlichen Jahrhunderts in seinen „Annalen" (XV, 44) berichtet, daß der Urheber der Sekte der „Christianer", der Nero schuld an dem Brand von Rom gab, unter der Regierung des Tiberius durch den Prokurator Pontius Pilatus hingerichtet worden sei. Wer also davon nicht befriedigt ist, daß die römische Geschichtschreibung erst auf Grund des Bestehens der christlichen Bewegung und erst etwa achtzig Jahre nach dem Tode Jesu von seiner Existenz Notiz nimmt, und dazu noch gewillt ist, die Evangelien und die Briefe des Paulus für unecht zu erklären, kann sich für berechtigt halten, die geschichtliche Existenz Jesu nicht anzuerkennen.

Aber damit ist die Sache nicht getan. Nun heißt es erklären, wann, wo und wie das Christentum ohne Jesus und Paulus entstanden ist, wie es hernach dazu kam, sich auf diese erfundenen historischen Persönlichkeiten zurückführen zu wollen, und aus welchen Gründen es diese beiden merkwürdigerweise zu Angehörigen des jüdischen Volkes machte. Als „unecht" sind die Evangelien und die Briefe Pauli ja erst dargetan, wenn begreiflich gemacht ist, wieso sie als unecht entstehen konnten.

Von den Schwierigkeiten dieser ihnen zufallenden Aufgabe geben sich die Verfechter der Ungeschichtlichkeit Jesu keine Rechenschaft, wie sie überhaupt in unbegreiflich leichtsinniger Weise zu Werke gingen. Bei noch so großer Verschiedenheit in den Einzelheiten läuft das angewandte

Verfahren bei allen auf den versuchten Nachweis hinaus, daß es bereits in vorchristlicher Zeit in Palästina oder anderswo im Orient einen gnostisch gearteten Christus- oder Jesuskult gegeben habe, bei dem es sich, wie in den Kulten des Adonis, Osiris und Tammuz, um einen sterbenden und auferstehenden Gott oder Halbgott handelte. Da es keine Nachrichten über einen solchen vorchristlichen Christuskult gibt, muß er durch Kombinieren und Phantasieren so gut es geht wahrscheinlich gemacht werden. Daraufhin heißt es dann durch weiteres Phantasieren dartun, daß die Anhänger dieses angenommenen vorchristlichen Christuskultes zu einer bestimmten Zeit Gründe dafür hatten, die von ihnen verehrte sterbende und auferstehende Gottheit zu einer geschichtlichen Menschenpersönlichkeit werden zu lassen und ihren Kult, den in den Kreisen der Gläubigen bekannten Tatsachen entgegen, als erst von dem Zeitpunkte des Auftretens derselben an existierend auszugeben, wo doch die anderen Mysterienreligionen keinerlei Tendenz zeigen, Mythen in Geschichte umzugießen. Als wäre dies nicht schon schwer genug, verlangen die Evangelien und die Briefe Pauli von den Vertretern der Ungeschichtlichkeit Jesu noch überdies, daß erklärt werde, wieso jener Christuskult, statt sich aus einer längst verflossenen, unkontrollierbaren geschichtlichen Zeit herzuleiten, darauf verfiel, seinen erfundenen Jesus kaum um zwei oder drei Generationen zurück zu datieren und ihn dazu noch als Juden unter Juden auftreten zu lassen.

Als letzte und allerschwerste Aufgabe stellt sich dann noch die, den Inhalt der Evangelien im einzelnen als Geschichte gewordenen Mythus zu erklären. Ihrer Theorie zufolge müssen Drews, Smith und Robertson ja behaupten, daß die Vorgänge und die Reden, die Matthäus und Markus berichten, nur Einkleidungen von Gedanken sind, die jene Mysterienreligion vertrat. Daß Arthur Drews und andere zur Durchführung dieser Deutung nicht nur alle auftreibbaren Mythen, sondern auch noch Astronomie und Astrologie in Anspruch nehmen, zeigt, welche Anforderungen sie an die Phantasie stellt.

Tatsächlich ergibt sich aus den Werken der Bestreiter der Geschichtlichkeit Jesu also, daß die Annahme seiner Existenz tausendmal leichter zu erweisen ist als die seiner

Nichtexistenz. Dies will nicht heißen, daß das aussichtslose Unternehmen aufgegeben wird. Fort und fort erscheinen Bücher über die Nichtexistenz Jesu und finden gläubige Leser, obwohl sie nichts Neues über Robertson, Smith, Drews und die anderen Klassiker dieser Literatur hinaus vorbringen können, sondern sich damit begnügen müssen, schon vordem Gesagtes als neu auszugeben.

Soweit sie der historischen Wahrheit dienen wollen, können sich diese Versuche darauf berufen, daß die so schnelle Aufnahme eines in dem Judentum entstandenen Glaubens durch die griechische Welt, wie sie nach der überlieferten Geschichte der Anfänge des Christentums stattgefunden haben soll, nicht so ohne weiteres begreiflich sei und also die Hypothese der Herleitung des Christentums aus dem Griechentum Gehör verlangen dürfe. Die Durchführung dieser Hypothese scheitert aber daran, daß der Jesus der beiden ältesten Evangelien so gar nichts an sich hat, was ihn als eine aus einem Mythus entsprungene Persönlichkeit zu erklären erlaubt, und überdies noch durch seine eschatologische Denkweise eine Eigenart aufweist, die eine spätere Zeit einer von ihr erdachten Persönlichkeit schon um deswillen nicht hätte beilegen können, weil sie nicht mehr über das dazu erforderliche Wissen von der spätjüdischen Eschatologie in der Generation vor der Zerstörung Jerusalems durch Titus verfügte. Und welches Interesse sollte die angenommene Mysterienreligion des Christuskults gehabt haben, dem pseudohistorischen Jesus, den sie sich ersann, einen offensichtlich unerfüllt gebliebenen Glauben an das alsbaldige Weltende und seine Offenbarwerdung als Messias-Menschensohn beizulegen? Durch die Eschatologie ist Jesus so ganz und so fest in der Zeit, in der ihn die beiden ältesten Evangelien auftreten lassen, gewurzelt, daß er eben nur als eine in ihr wirklich aufgetretene Persönlichkeit vorstellbar ist. Bezeichnend ist, daß die Bestreiter seiner historischen Existenz die eschatologische Bedingtheit seines Denkens und Handelns wohlweislich unberücksichtigt lassen.

*

Daß ich vor der Ausreise nach Afrika mich nochmals mit Bach beschäftigte, geschah wiederum auf Verlangen Widors. Der New Yorker Verleger Schirmer hatte ihn gebeten, eine

Ausgabe der Orgelwerke Bachs mit Angaben über die Art sie zu spielen für ihn auszuarbeiten. Er sagte zu unter der Bedingung, daß ich sein Mitarbeiter würde. Unser gemeinsames Schaffen verlief in der Art, daß ich Skizzen entwarf, die wir nachher zusammen ausarbeiteten. Wie gar manchmal bin ich in den Jahren 1911 und 1912 zu diesem Zwecke auf ein oder zwei Tage nach Paris gefahren! Zweimal verbrachte Widor eine Reihe von Tagen bei mir in Günsbach, damit wir uns dort ganz in Ruhe miteinander der Sache widmen konnten.

Obwohl wir beide grundsätzlich die sogenannten „praktischen" Ausgaben, die den Spieler bevormunden wollen, ablehnten, so glaubten wir doch, daß für die Orgelwerke Bachs Ratschläge berechtigt wären. Von einigen wenigen Fällen abgesehen, hat Bach nämlich in seine Orgelwerke keine Angaben über die Registrierung und den Wechsel der Klaviere eingetragen, wie dies die späteren Orgelkomponisten dann in der Regel tun. Für die Organisten seiner Zeit war dies auch nicht nötig. Aus der Art der damaligen Orgeln und aus dem geltenden Brauche ergab sich für sie die Wiedergabe, wie sie Bach im Sinne hatte, von selbst.

Bald nach Bachs Tode waren seine Orgelwerke, die er ja nie veröffentlicht hatte, für längere Zeit so gut wie vergessen. Als sie dann von der Mitte des 19. Jahrhunderts an durch die Peters'sche Ausgabe bekannt wurden, hatten sich unterdessen sowohl das musikalische Empfinden als auch die Orgeln verändert. Wohl wußte man damals noch um die Spieltradition des 18. Jahrhunderts. Aber man lehnte diese stilgerechte Art der Wiedergabe der Orgelwerke Bachs als zu einfach und zu schmucklos ab und glaubte in seinem Geiste zu handeln, wenn man ihnen den steten Wechsel der Klangstärke und der Klangfarbe, wie er auf der modernen Orgel durchführbar wurde, in möglichst reichlichem Maße zugute kommen ließe. So hatte gegen Ende des 19. Jahrhunderts die modern-effektvolle Wiedergabe der Orgelwerke die stilgerechte so gründlich verdrängt, daß diese nicht mehr in Betracht gezogen wurde, wenn man überhaupt noch um sie wußte.

Eine Ausnahme machte Frankreich. Widor, Guilmant und die anderen hielten an der alten deutschen Tradition fest, die sie von dem bekannten Breslauer Organisten Adolph

Friedrich Hesse (1802–1863) überkommen hatten. Bis gegen die Mitte des 19. Jahrhunderts zu gab es nämlich keine Orgelkunst in Frankreich, weil die in der großen Revolution zerstörten Orgeln größtenteils nur notdürftig wieder instand gesetzt waren. Als nun Cavaillé-Coll und andere anfingen gute Orgeln zu bauen und die Organisten die in Frankreich nie bekannt gewesenen Orgelwerke Bachs durch die deutsche Petersausgabe in die Hand bekamen, wußten sie – ich gebe wieder, was Widor mir oft erzählt hat – nicht, was mit solch vollendeter, in Frankreich überhaupt nie dagewesener Orgelkunst anfangen, schon weil die Anforderungen, die sie an die Pedaltechnik stellte, für sie etwas Neues waren. Also mußten sie sich außer Landes begeben, um das Erforderliche zu lernen. Und zwar gingen sie alle – die Unbemittelten zum Teil auf Kosten Cavaillé-Coll's! – bei Lemmens, dem bekannten Brüsseler Organisten, der ein Schüler Hesses war, in die Lehre.

Adolph Friedrich Hesse (1802–1863) hatte die Tradition des Bachspiels von seinem Lehrer Kittel überkommen. Bei der Einweihung der neu erbauten Orgel zu St. Eustache, anno 1844, hörten die Pariser durch Adolph Hesse zum ersten Male Bachsche Orgelwerke. Auch in der Folgezeit wurde er des öfteren nach Frankreich gerufen, um sich bei Orgeleinweihungen hören zu lassen. Sein Spiel auf der Weltausstellung zu London (1854) trug viel dazu bei, daß Bachs Kunst in England bekannt wurde.

An der alten deutschen Tradition, mit der sie durch Hesse und durch Lemmens bekannt geworden waren, hielten die französischen Organisten dann nicht nur aus künstlerischem Empfinden, sondern auch aus rein sachlicher Nötigung fest. Die Orgeln Cavaillé-Coll's waren keine modernen Orgeln. Sie besaßen nicht die Einrichtungen, die eine so reiche Abwechslung in Klangstärke und Klangfarbe erlaubten, wie die deutschen. Die französischen Organisten waren also gezwungen, in der überlieferten, klassischen Weise zu spielen. Sie empfanden dies nicht als eine Benachteiligung, weil in dem wundervollen Klang ihrer Orgeln die Bachschen Fugen, wie auf den Orgeln der Bachschen Zeit, auch ohne Registriereffekte zur Wirkung kamen.

Waren so, durch eine Parodoxie der Geschichte, die Grundsätze der alten deutschen Tradition durch Pariser Orgelmeister in die Gegenwart herübergerettet worden, so wurde dies, als man nach und nach wieder anfing, die uns erhaltenen theoretischen Werke über Musik aus dem 18. Jahrhundert zu Rate zu ziehen, auch in den Einzelheiten bekannt. Wer vollends, wie ich, Gelegenheit suchte, Bach auf Orgeln des 18. Jahrhunderts zu spielen, dem wurden sie durch das, was sich auf ihnen als technisch möglich und nicht möglich und klanglich wirkungsvoll und nicht wirkungsvoll erwies, zu Lehrmeistern der authentischen Wiedergabe der Bachschen Orgelwerke.

Hinsichtlich der von uns zu liefernden Ausgabe erblickten Widor und ich unsere Aufgabe darin, den nur mit der modernen Orgel bekannten und durch sie dem Bachschen Orgelstil entfremdeten Organisten darzulegen, was an Registrierung und Manualwechsel für das betreffende Stück auf den Orgeln, mit denen Bach rechnete, in Betracht kam, und sodann Erwägungen anzustellen, inwieweit darüber hinaus, unter Wahrung des Stils, von dem auf der modernen Orgel möglichen, beliebigen Wechsel der Klangstärken und der Klangfarbe Gebrauch zu machen sei. Als eine Forderung des Taktes empfanden wir es, nichts von unseren Angaben und Vorschlägen in den Notentext selber einzutragen, sondern alles, was wir über die Stücke zu bemerken hatten, in kurzen Abhandlungen auszusprechen, die miteinander dem Notentext des betreffenden Bandes als Einleitung vorangestellt sind. So kann der Organist von unseren Ratschlägen Kenntnis nehmen, ist aber ohne Cicerone mit Bach allein, sowie er das betreffende Stück aufgeschlagen hat. Nicht einmal Fingersätze und Phrasierungsbezeichnungen findet er von uns vorgeschrieben.

Bachs Fingersatz unterscheidet sich von dem unsrigen dadurch, daß er noch, in alter Weise, mit jedem Finger über den andern hinweggreift und dafür weniger Gebrauch von dem Untersetzen des Daumens unter die Finger macht.

Was den Pedalsatz angeht, so konnte Bach, der Kürze der damaligen Pedaltasten wegen, den Absatz nicht verwenden, sondern war ganz auf das Spiel mit den Fußspitzen angewiesen. Durch die Kürze der Pedaltasten war er überdies noch in dem Übersetzen des einen Fußes über den andern behindert. Er war also öfters genötigt, mit einer Fußspitze von einer Taste auf die andere zu gleiten, wo wir durch Übersetzen des einen

Fußes über den anderen oder durch die Verwendung von Spitze und Absatz ein besseres Legato verwirklichen können, als es ihm möglich war.

Das kurze Pedal der Bachschen Zeit habe ich in meiner Jugend noch auf vielen alten Dorforgeln angetroffen. In Holland sind noch heute manche Pedale so kurz, daß die Verwendung des Absatzes unmöglich ist.

Was in Sachen der Phrasierung zu bemerken ist, geben Widor und ich dem Spieler in der Einleitung an. Weil ich ständig darunter leide, daß ich fast in allen Ausgaben von Musikwerken die Fingersätze, die Phrasierung, die Forti und Piani, die Crescendi und Decrescendi und nicht selten gar noch die pedantischen Analysen irgendeines Herausgebers vor Augen haben muß, auch wenn ich gar nicht mit ihnen einverstanden bin, drang ich darauf, daß wir uns dem hoffentlich einmal allgemein zur Anerkennung gelangenden Grundsatz unterwürfen, daß der Spieler als Musik von Bach, Mozart oder Beethoven im Drucke nur das vor Augen hat, was diese selber geschrieben haben.

*

Zu Konzessionen an das moderne Empfinden und an die moderne Orgel sahen wir uns schon durch den Umstand genötigt, daß auf den modernen Instrumenten die Bachschen Orgelstücke nicht so gespielt werden können, wie sie gedacht sind. Auf den Instrumenten der Bachschen Zeit waren das Forte und das Fortissimo bei aller Fülle so mild, daß ein Stück ganz in Fortissimo durchgespielt werden konnte, ohne daß der Hörer dabei ermüdete oder das Bedürfnis nach Abwechslung empfand, wie ja Bach ihm auch ein andauerndes Forte seines Orchesters zumuten durfte. Auf den modernen Orgeln hingegen ist das Fortissimo gewöhnlich so stark und so hart, daß der Hörer es nur einige Augenblicke ertragen kann. Zudem ist er nicht imstande, in diesem Getöse die einzelnen Tonlinien zu verfolgen, was doch zum Erfassen eines Bachschen Werkes erforderlich ist. Also muß man auf modernen Orgeln längere Abschnitte, die Bach sich in einem kontinuierlichen Forte oder Fortissimo wiedergegeben dachte, dem Hörer durch Wechsel in der Klangfarbe und Klangstärke erträglich machen.

Aber auch an sich ist gegen eine größere Abwechslung

in den Klangstärken und Klangschattierungen, als Bach sie auf seinen Orgeln verwirklichen konnte, nichts einzuwenden, sofern sie die Architektur des Stückes zur Geltung kommen läßt und nicht unruhig wirkt. Während Bach sich damit begnügte, eine Fuge in drei oder vier sich gegenseitig ablösenden, verschieden gefärbten Klangstärken durchzuführen, können wir deren sechs oder acht zur Verwendung kommen lassen. Oberstes Gesetz muß aber bleiben, daß Bachs Orgelwerke vor allem die Geltendmachung der Linie verlangen, während die durch das Kolorit zu erzielenden Wirkungen erst als zweites in Betracht kommen. Immer wieder hat der Organist zu bedenken, daß der Hörer das Bachsche Orgelstück nur dann wirklich vor sich erstehen sieht, wenn die sich nebeneinander einherbewegenden Tonlinien in voller Deutlichkeit vor ihm vorüberziehen. Darum dringen Widor und ich in unserer Ausgabe fort und fort darauf, daß der Spieler vor allem über die den Themen und Motiven des Stückes entsprechende Phrasierung ins klare komme und diese dann bis ins einzelne durchführe.

Nicht genug kann daran erinnert werden, daß auf der Orgel des 18. Jahrhunderts nicht in beliebig raschem Tempo gespielt werden konnte. Die Tasten gingen so schwer und mußten so tief herunter gedrückt werden, daß ein gutes Moderato schon eine Leistung bedeutete. Da Bach seine Präludien und Fugen in dem mäßigen Tempo gedacht hat, in dem sie auf seiner Orgel ausführbar waren, haben auch wir uns an dieses als das authentische und sinngemäße zu halten.

Von Hesse ist bekannt, daß er, der überkommenen Bachschen Tradition entsprechend, Bachs Orgelwerke in einem überaus ruhigen Tempo wiedergab.

Wird die wundervolle Belebtheit der Bachschen Tonlinie durch vollendetes Phrasieren zur Geltung gebracht, so empfindet der Hörer das Zeitmaß nicht als langsam, auch wenn es sich in den Grenzen des Moderato hält.

Da es auf der Orgel unmöglich ist, einzelne Töne durch Akzente hervorzubringen, muß die Phrasierung auf ihr ohne die Unterstützung durch die Betonung herausgearbeitet werden. Bach auf der Orgel plastisch spielen, heißt also, dem Hörer durch vollendete Phrasierung die Illusion von Akzenten zu geben. Weil dies noch nicht als das erste Erfordernis jeglichen Orgelspiels und des Bachspiels im besonderen erkannt ist, hört man Bachs Orgelwerke so selten in wirklich befriedigender Weise wiedergegeben. Und wie vollendet muß die Plastik des Spiels sein, wenn sie gar noch über die Gefahren der Akustik einer großen Kirche zu triumphieren hat!

Vor den nur mit der modernen Orgel vertrauten Organisten vertreten Widor und ich also die ihnen in vielfacher Hinsicht neue, stilgemäße Wiedergabe der Orgelwerke Bachs gegen die ihnen geläufige modern-effektvolle. Indem wir dies tun, können wir nicht anders, als immer wieder darauf hinweisen, wie schwer es ist, diese Art der Wiedergabe auf der in klanglicher Hinsicht so wenig dazu geeigneten modernen Orgel zu verwirklichen. Unsere Erwartung, daß die Forderungen, die Bachs Werke an die Orgel stellen, mehr als alle Abhandlungen über Orgelbau, das Aufkommen des Ideals der wahren, tonschönen Orgel befördern würden, hat uns nicht betrogen.

*

Nur die fünf ersten Bände der Ausgabe – die Sonaten, Konzerte, Präludien und Fugen enthaltend – brachten wir vor meiner Ausreise nach Afrika fertig. Die drei Bände der Choralvorspiele gedachten wir bei meinem ersten Urlaub in Europa auf Grund der von mir in Afrika zu entwerfenden Skizzen auszuarbeiten.

Auf Wunsch des Verlegers wurde unser Werk in drei Sprachen veröffentlicht. Die Abweichungen, die zwischen dem französischen Texte einerseits und dem deutschen sowie dem auf ihm fußenden englischen andererseits bestehen, gehen darauf zurück, daß Widor und ich hinsichtlich der Einzelheiten, über die unsere Meinungen auseinander gingen, uns dahin geeinigt hatten, daß in der französischen Ausgabe seine der Eigenart der französischen Orgel entsprechende Ansicht, in der deutschen und englischen aber die meine, die der modernen Orgel mehr Rechnung trägt, maßgebend sein sollte.

Der bald darauf ausbrechende Krieg und die damit gegebene bis heute andauernde Störung der buchhändlerischen Beziehungen zwischen den einzelnen Nationen haben es mit sich gebracht, daß das in New York verlegte Werk fast nur in den Ländern englischer Zunge Verbreitung fand, für die es in erster Linie ja auch bestimmt war. Schon sein auf Dollarbasis aufgestellter Preis machte es nach dem Kriege in Deutschland und Frankreich so gut wie unverkäuflich.

XIII
DAS ERSTE WIRKEN IN AFRIKA. 1913–1917

—

Am Karfreitagnachmittag 1913 verließen meine Frau und ich Günsbach; am Abend des 26. März schifften wir uns in Bordeaux ein.

In Lambarene bereiteten uns die Missionare einen sehr herzlichen Empfang. Leider war es ihnen nicht möglich gewesen, die kleine Wellblechbaracke, in der ich meine ärztliche Tätigkeit beginnen sollte, zu erstellen. Sie hatten die nötigen Arbeiter nicht zusammengebracht. Der damals im Ogowegebiet eben aufblühende Handel mit Okoumeholz bot den Eingeborenen, die einigermaßen anstellig waren, eine besser bezahlte Beschäftigung, als sie auf der Missionsstation zu finden war. So mußte ich als Konsultationsraum vorerst einen alten Hühnerstall neben unserem Wohnhaus benützen. Im Spätherbst konnte ich dann die 8 Meter lange und 4 Meter breite, mit einem Blätterdach gedeckte Wellblechbaracke unten am Fluß beziehen, die einen kleinen Konsultationsraum, einen ebensolchen Operationssaal und eine noch kleinere Apotheke enthielt. Um diesen Bau herum entstanden dann nach und nach eine Reihe von großen Bambushütten zur Unterbringung der eingeborenen Kranken. Die Weißen fanden bei den Missionaren und im Doktorhäuschen Aufnahme.

Gleich von den ersten Tagen an, ehe ich noch Zeit gefunden hatte, die Medikamente und Instrumente auszupacken, war ich von Kranken umlagert. Die auf Grund der Landkarte und der Angaben von Herrn Missionar Morel, einem Elsässer, getroffene Wahl Lambarenes als des Sitzes des Spitals erwies sich in jeder Hinsicht als richtig. Von 200 bis 300 Kilometern im Umkreis konnten die Kranken in den Kanus auf dem Ogowe und seinen Nebenflüssen von stromaufwärts und stromabwärts zu mir gebracht werden. Hauptsächlich hatte ich es mit Malaria, Lepra, Schlafkrankheit, Dysenterie, Frambösia und phagedänischen Geschwüren zu tun. Überrascht war ich von der Zahl der Fälle von Pneumonie und Herzkrankheiten, die ich zu Gesicht bekam. Auch in Urologie gab es viel zu tun. Für die Chirurgie kamen vor allem Hernien und Elephantiasistumoren in Betracht. Unter den Eingeborenen Äquatorialafrikas sind Hernien viel verbreiteter als bei uns Weißen. Ist kein Arzt in der Gegend, so sind jährlich so und so viele arme Menschen dazu verurteilt, an eingeklemmten Hernien eines qualvollen Todes zu sterben, von dem ihnen eine rechtzeitig ausgeführte Operation hätte Rettung bringen können. Mein erster chirurgischer Eingriff galt einem solchen Falle.

Gleich in den ersten Wochen hatte ich also Gelegenheit festzustellen, daß das körperliche Elend unter den Eingeborenen nicht geringer sondern eher noch größer war. als ich angenommen hatte. Wie froh war ich, allen Einwendungen zum Trotze, meinen Plan als Arzt hierher zu kommen ausgeführt zu haben!

Als ich Dr. Nassau, dem hochbetagten Gründer der Missionsstation Lambarene, nach Amerika meldete, daß sie jetzt wieder mit einem Arzt besetzt sei, war seine Freude groß.

Sehr behindert war ich anfangs in meiner Tätigkeit dadurch, daß es mir nicht gelang, alsbald Eingeborene zu finden, die sich zu Dolmetschern und Heilgehilfen eigneten. Der erste, der sich als tauglich erwies, war ein ehemaliger Koch, Joseph Azoawani mit Namen, der bei mir blieb, obwohl ich ihm nicht so viel Bezahlung geben konnte als er in seinem früheren Berufe gehabt hatte. Er erteilte mir sehr wertvolle Ratschläge für den Umgang mit den Eingeborenen. Auf einen, der ihm als der wichtigste erschien, konnte ich allerdings nicht eingehen. Er mutete mir nämlich zu, die Kranken, die voraussichtlich kaum zu retten waren, abzuweisen. Immer wieder hielt er mir das Beispiel der Fetischmänner vor, die sich mit solchen Fällen nicht abgaben, um den Ruf ihrer Heilkunst so wenig wie möglich in Gefahr zu bringen.

In einem Punkte dieser Frage kam ich aber dazu, ihm recht zu geben. Bei den Primitiven darf man es nämlich nie unternehmen, dem Kranken und den Seinen noch Hoffnung machen zu wollen, wenn eigentlich keine mehr vorhanden ist. Tritt der Tod ein, ohne gebührend vorausgesagt worden zu sein, so wird daraus geschlossen, daß der Arzt nicht wußte, daß die Krankheit diesen Ausgang nehmen werde, und sie also nicht richtig erkannt habe. Den eingeborenen Kranken muß man schonungslos die Wahrheit sagen. Sie wollen sie erfahren und können sie ertragen. Der Tod ist ihnen etwas Natürliches. Sie fürchten ihn nicht, sondern sehen ihm ruhig entgegen. Kommt dann der Kranke wider Erwarten mit dem Leben davon, so steht es um den Ruf des Arztes nur um so besser. Er gilt dann als einer, der sogar zum Tode führende Krankheiten heilen kann.

Wacker half meine Frau, die als Krankenpflegerin ausgebildet war, im Spitale mit. Sie sah nach den Schwerkranken, verwaltete die Wäsche und die Verbandstoffe, betätigte sich in der Apotheke, hielt die Instrumente in Ordnung und bereitete alles für die Operationen vor, bei denen sie die Narkosen übernahm, während Joseph als Assistent fungierte. Daß sie es fertig brachte, den komplizierten afrikanischen Haushalt zu führen und daneben täglich noch einige Stunden für das Spital zu erübrigen, war wirklich eine Leistung.

Um die Eingeborenen zu bestimmen, sich operieren zu lassen, brauchte ich keine große Überredungskunst aufzuwenden. Einige Jahre zuvor hatte ein auf der Durchreise in Lambarene weilender Regierungsarzt namens Jauré-Guibert einige gelungene Operationen ausgeführt, auf Grund deren nun auch meiner gar bescheidenen Chirurgie Vertrauen entgegengebracht wurde. Glücklicherweise verlor ich auch keinen meiner ersten Operierten.

Nach einigen Monaten hatte das Spital täglich etwa vierzig Kranke zu beherbergen. Aber nicht nur für diese, sondern auch für die Begleiter, die sie von ferne her im Kanu gebracht hatten und bei ihnen blieben, um sie wieder nach Hause zu rudern, mußte ich Unterkunft haben.

An der Arbeit, so groß sie auch war, trug ich nicht so schwer als an der Sorge und der Verantwortung, die sie mit sich brachte. Ich gehöre leider zu den Ärzten, die das zu dem Berufe erforderliche robuste Temperament nicht besitzen und sich in ständiger Sorge um das Ergehen ihrer Schwerkranken und Operierten verzehren. Vergebens habe ich mich zu dem Gleichmute zu erziehen versucht, der dem

Arzte, bei aller Teilnahme mit den Leiden seiner Kranken, das erforderliche Haushalten mit seinen seelischen Kräften ermöglicht.

Soweit es sich durchführen ließ, verlangte ich von den schwarzen Patienten, daß sie ihre Dankbarkeit für die empfangene Hilfe durch die Tat bekundeten. Immer wieder gab ich ihnen zu bedenken, daß sie die Wohltat eines Spitals genössen, weil so viele Menschen in Europa Opfer dafür gebracht hätten, und daß sie nun ihrerseits nach Kräften mithelfen müßten, es zu erhalten. So brachte ich es nach und nach dazu, daß ich für die Medikamente Geschenke in Geld, Bananen, Hühnern und Eiern erhielt. Natürlich entsprach das, was so einging, bei weitem nicht ihrem wirklichen Werte. Aber es trug doch etwas zum Unterhalte des Spitals bei. Mit den geschenkten Bananen konnte ich die Kranken, denen die Lebensmittel ausgegangen waren, ernähren, und mit dem Gelde Reis für sie kaufen, wenn nicht genug Bananen zu haben waren. Auch dachte ich, daß die Eingeborenen den Wert des Spitals besser schätzen würden, wenn sie selber nach Kräften zu seinem Unterhalte beitragen müßten, als wenn sie einfach alles umsonst geboten bekämen. In dieser Meinung von der erzieherischen Bedeutung des verlangten Geschenkes bin ich dann durch die Erfahrung nur bestärkt worden. Natürlich wurde von den ganz Armen und den Alten – alt ist bei den Primitiven gleichbedeutend mit arm – keine Gabe verlangt.

Die ganz Wilden hatten eine andere Auffassung vom Geschenk. Im Begriffe, das Spital als Geheilte zu verlassen, verlangten sie eines von mir, weil ich nun ihr Freund geworden wäre.

*

In dem Umgang mit den Primitiven kam ich naturgemäß dazu, mir die vielverhandelte Frage vorzulegen, ob sie einfach in Traditionen gefangene oder wirklich selbständigen Denkens fähige Wesen wären. Zu meinem Erstaunen fand ich in den Gesprächen, die ich mit ihnen führte, daß sie mit den elementaren Fragen nach dem Sinn des Lebens und nach dem Wesen von Gut und Böse durchweg viel mehr beschäftigt waren, als ich angenommen hatte.

Wie ich erwartet hatte, spielten die dogmatischen Fragen,

auf die der Vorstand der Missionsgesellschaft in Paris ein so großes Gewicht legte, in den Predigten der Missionare eigentlich keine Rolle. Wollten sie von ihren Zuhörern verstanden werden, so konnten sie nicht anders, als ihnen das einfache Evangelium vom Freiwerden von der Welt durch den Geist Jesu verkünden, wie es aus der Bergpredigt und den herrlichsten Sprüchen Pauli an uns ergeht. Mit Notwendigkeit trugen sie ihnen das Christentum in erster Linie als ethische Religion vor. Trafen sie sich auf den zweimal im Jahr bald auf dieser, bald auf jener Station stattfindenden Missionstagungen, so galten ihre Besprechungen den Fragen des in den Gemeinden zu verwirklichenden praktischen Christentums, nicht dogmatischen Problemen. Daß die einen in Dingen des Glaubens strenger, die anderen weniger streng dachten, spielte in der gemeinsam betriebenen missionarischen Arbeit keine Rolle. Da ich nicht den geringsten Versuch machte, sie mit meinen theologischen Anschauungen zu belästigen, legten sie bald alles Mißtrauen gegen mich ab und freuten sich, wie ich meinerseits, daß wir in der Frömmigkeit des Gehorsams gegen Jesus und in dem Willen zu schlichter christlicher Tat eins waren. Schon wenige Monate nach meiner Ankunft forderten sie mich auf, auch Predigten zu übernehmen, und entbanden mich damit von meinem in Paris gegebenen Versprechen, „d'être muet comme une carpe".

Auch zu den Sitzungen der Synode, in der die Missionare gemeinsam mit den schwarzen Predigern tagten, wurde ich als Gast geladen. Als ich mich aber einmal auf Verlangen der Missionare zu einer Frage äußerte, meinte ein schwarzer Prediger, daß dies dem Doktor, da er kein Theologe sei, eigentlich nicht zustehe.

Auch an den Prüfungen der Täuflinge durfte ich teilnehmen. Gewöhnlich ließ ich mir eine oder zwei alte Frauen zuweisen, um ihnen die schwere halbe Stunde möglichst leicht zu machen. Als ich einer braven Matrone bei einer solchen Prüfung einmal die Frage stellte, ob der Herr Jesus arm oder reich gewesen sei, erwiderte sie: „Frag doch nicht so dumm! Wenn Gott, der größte Häuptling, sein Vater war, kann er doch nicht arm gewesen sein." Auch sonst antwortete sie mit der Schlagfertigkeit des kananäischen Weibes. Es half ihr aber nichts, daß der Professor der Theologie ihr die entsprechende gute Note gab. Der schwarze Prediger, zu dessen Sprengel sie gehörte, setzte ihr nur desto schärfer zu. Er wollte sie dafür büßen lassen, daß sie den Katechumenenunterricht nicht allzu regelmäßig besucht hatte. Ihre trefflichen Antworten fanden keine Gnade vor ihm. Er wollte diejenigen hören, die im Katechismus standen. So fiel sie durch und mußte sich nach sechs Monaten wieder aufs neue zur Taufprüfung stellen.

Am Predigen hatte ich eine große Freude. Die Worte Jesu und Pauli denen verkünden zu dürfen, denen sie etwas Neues waren, erschien mir als etwas Herrliches. Als Übersetzer dienten mir die schwarzen Schullehrer der Missionsstation, die jeden meiner Sätze alsbald in der Sprache der Galoas oder der Pahouins oder gar in beiden nacheinander wiedergaben.

Die wenige freie Zeit, über die ich im ersten Jahre zu Lambarene verfügte, verwandte ich auf die Ausarbeitung der drei letzten Bände der amerikanischen Ausgabe der Bachschen Orgelwerke.

Zur Pflege des Orgelspiels stand mir das herrliche, eigens für die Tropen gebaute Klavier mit Orgelpedal zur Verfügung, das die Pariser Bachgesellschaft mir als ihrem langjährigen Organisten geschenkt hatte. Anfangs fehlte es mir aber an Mut zum Üben. Ich hatte mich mit dem Gedanken vertraut gemacht, daß das Wirken in Afrika das Ende meiner Künstlerlaufbahn bedeute, und glaubte, daß mir der Verzicht leichter würde, wenn ich meine Finger und Füße einrosten ließe. Eines Abends aber, als ich wehmütig eine Bachsche Orgelfuge durchspielte, überkam mich plötzlich der Gedanke, daß ich die freien Stunden in Afrika gerade dazu benutzen könnte, mein Spiel zu vervollkommnen und zu vertiefen. Alsbald faßte ich den Plan, Kompositionen von Bach, Mendelssohn, Widor, César Franck und Max Reger nacheinander vorzunehmen, sie bis in die letzten Einzelheiten durchzuarbeiten und auswendig zu lernen, gleichviel ob ich Wochen und Monate auf ein einziges Stück verwenden müßte. Wie genoß ich es nun, so ohne zeitliche Gebundenheit durch fällige Konzerte, in Muße und Ruhe zu üben, wenn ich zeitweise auch nur eine halbe Stunde im Tage dafür aufbringen konnte!

*

So hatten meine Frau und ich schon die zweite trockene Jahreszeit in Afrika zugebracht und fingen bereits an, Pläne für die Heimkehr zu Beginn des dritten zu schmieden, als am 5. August 1914 bekannt wurde, daß in Europa Krieg ausgebrochen sei. Bereits am Abend jenes Tages empfingen wir Weisung, daß wir uns als Gefangene zu betrachten hätten, bis auf weiteres zwar in unserer Wohnung verbleiben dürften, jeglichen Verkehr mit den Weißen und Eingeborenen aber aufgeben müßten und den Anordnungen der schwarzen Soldaten, die wir als Wächter bekämen, unbedingten Gehorsam schuldig wären. Wie wir wurden ein Missionar und seine Frau, die ebenfalls Elsässer waren, auf der Missionsstation Lambarene interniert.

Vom Kriege begriffen die Eingeborenen anfangs nur dies, daß es mit dem Holzhandel vorbei war und daß alle Waren viel teurer wurden. Erst später, als viele von ihnen als Träger für die kämpfenden Truppen nach Kamerun transportiert wurden, ging ihnen auf, was der Krieg wirklich war.

Als bekannt wurde, daß von den Weißen, die früher am Ogowe gelebt hatten, bereits zehn gefallen seien, äußerte ein alter Wilder: „Schon so viele Menschen sind in diesem Kriege getötet worden! Ja, warum kommen dann diese Stämme nicht zusammen, um das Palaver zu besprechen? Wie können sie denn diese Toten alle bezahlen?" Bei den Eingeborenen müssen nämlich die im Kriege Gefallenen, bei den Besiegten sowohl wie bei den Siegern, von der anderen Partei bezahlt werden. Derselbe Wilde hielt sich darüber auf, daß die Europäer nur aus Grausamkeit töteten, weil sie die Toten ja nicht essen wollten.

Daß die Weißen Weiße zu Gefangenen machten und sie schwarzen Soldaten unterstellten, war den Eingeborenen etwas Unfaßliches. Wie viele Beschimpfungen bekamen meine schwarzen Wächter von den Leuten aus den umliegenden Dörfern dafür zu hören, daß sie meinten, „Herr für den Doktor" zu sein.

Als mir die Arbeit im Spital verboten wurde, wollte ich zuerst an die Fertigstellung des Werkes über Paulus gehen. Aber alsbald drängte sich mir ein anderer Stoff auf, den ich seit Jahren mit mir herumgetragen hatte und der nun durch die Tatsache des Krieges aktuell geworden war: das Problem unserer Kultur. Am zweiten Tage meiner Internierung, noch ganz erstaunt darüber, mich, wie in meiner vormedizinischen Zeit, bereits morgens an den Schreibtisch setzen zu können, nahm ich die Kulturphilosophie in Angriff.

*

Die Anregung zur Beschäftigung mit diesem Gegenstand hatte ich im Sommer 1899 in Berlin im Hause Curtius erhalten. Eines Abends unterhielten sich dort Herman Grimm und andere über eine Sitzung der Akademie, von der sie eben kamen. Plötzlich sprach einer – ich erinnere mich nicht mehr, wer es war – das Wort aus: „Ach was! Wir sind ja doch alle nur Epigonen." Es schlug wie ein Blitz neben mir ein, weil es dem Ausdruck gab, was ich selber empfand.

Schon seit meinen ersten Universitätsjahren hatte ich angefangen, der Meinung, daß die Menschheit in einer sicheren Entwicklung zum Fortschritt begriffen sei, mit Bedenken zu begegnen. Ich hatte den Eindruck, daß das Feuer der Ideale herunterbrannte, ohne daß man es bemerkte oder sich Sorgen darüber machte. Bei so und so viel Gelegenheiten mußte ich feststellen, daß die öffentliche Meinung öffentlich kundgegebene Inhumanitätsgedanken nicht mit Entrüstung ablehnte, sondern hinnahm und inhumanes Vorgehen der Staaten und Völker als opportun guthieß. Auch für das Gerechte und Zweckmäßige schien mir nur noch ein lauer Eifer vorhanden zu sein. Aus so und so viel Anzeichen mußte ich auf eine eigentümliche geistige und seelische Müdigkeit des arbeitsstolzen Geschlechts schließen. Es kam mir vor, als hörte ich, wie es sich einredete, daß die bisherigen Hoffnungen für die Zukunft der Menschheit zu hoch eingestellt seien, und man dazu kommen müsse, sich auf das Erstreben des Erreichbaren zu beschränken. Die für alle Gebiete ausgegebene Parole „Realpolitik" bedeutete die Gutheißung eines kurzsichtigen Nationalismus und das Paktieren mit Mächten und Tendenzen, die man bisher als fortschrittsfeindlich bekämpft hatte. Eines der deutlichsten Anzeichen des Niedergangs war mir, daß der bisher geächtete Aberglaube in den Kreisen der Gebildeten wieder gesellschaftsfähig wurde.

Als man gegen Ende des Jahrhunderts auf allen Gebieten Rückschau und Umschau hielt, um seine Errungenschaften festzustellen und zu bewerten, geschah dies mit einem mir unfaßlichen Optimismus. Überall schien man anzunehmen, daß wir nicht nur in Erfindungen und im Wissen vorangekommen seien, sondern uns auch im Geistigen und im Ethischen auf einer nie zuvor erreichten und nie mehr verlierbaren Höhe bewegten. Mir aber wollte es vorkommen, als ob wir im geistigen Leben vergangene Generationen nicht nur nicht überholt hätten, sondern vielfach nur von ihren Errungenschaften zehrten ... und daß gar mancherlei von diesem Besitze uns unter den Händen zu zerrinnen begönne.

Und nun sprach einer aus, was ich der Zeit stumm und halb unbewußt entgegengehalten hatte! Von jenem Abend im Hause Curtius an war ich neben allen anderen Arbeiten innerlich mit einem Werke beschäftigt, das ich „Wir Epigonen" betitelte. Manchmal gab ich Gedanken desselben vor Freuden preis, die sie in der Regel nur als interessante Paradoxien und Manifestationen eines Fin de siècle-Pessimismus auffaßten. Daraufhin verschloß ich mich vollständig. Nur in den Predigten ließ ich meinen Zweifeln an unserer Kultur und unserer Geistigkeit ihren Lauf.

Jetzt wütete der Krieg als das Ergebnis des Niedergangs der Kultur.

Eigentlich hatte „Wir Epigonen" nun keinen Sinn mehr. Das Werk war als eine Kritik der Kultur gedacht. Es wollte den Kulturniedergang feststellen und auf seine Gefahren aufmerksam machen. War die Katastrophe aber bereits eingetreten, wozu noch Betrachtungen über die zutage liegenden Gründe?

Das unzeitgemäß gewordene Werk wollte ich für mich selber schreiben. Wußte ich, ob man dem Gefangenen die Blätter nicht wegnehmen würde? War überhaupt Aussicht, daß ich Europa je wiedersehen würde?

In dieser Losgelöstheit von allem begann ich die Arbeit und setzte sie auch fort, als ich wieder umhergehen und mich den Kranken widmen durfte. Ende November wurde nämlich unsere Internierung – auf Betreiben Widors, wie ich später erfuhr – aufgehoben. Schon vorher hatte sich das Verbot, das mich von den Kranken fernhielt, als nicht durchführbar erwiesen. Weiße und Schwarze hatten sich miteinander darüber beschwert, daß sie des einzigen Arztes auf weit und breit ohne ersichtlichen Grund beraubt sein sollten. Daraufhin hatte der Bezirkshauptmann sich genötigt gesehen, bald diesem, bald jenem eine Anweisung an meine Wache mitzugeben, daß sie ihn als meiner Hilfe bedürftig zu mir ließen.

Auch als ich in relativer Freiheit meine ärztliche Tätigkeit wieder aufnahm, fand ich Zeit, mich mit dem Werke über die Kultur zu beschäftigen. Wie gar manche Nacht saß ich daran, über dem Sinnen und Schreiben in Ergriffenheit derer gedenkend, die im Schützengraben lagen!

*

Zu Beginn des Sommers 1915 erwachte ich wie aus einer Betäubung. Warum nur Kritik an der Kultur? Warum sich damit begnügen, uns als Epigonen zu analysieren? Warum nicht auch aufbauende Arbeit?

Nun begann ich nach den Erkenntnissen und Überzeugungen zu suchen, auf die der Wille zur Kultur und das Vermögen, sie zu verwirklichen, zurückgehen. „Wir Epigonen" erweiterte sich zu einem mit dem Wiederaufbau der Kultur beschäftigten Werke.

Über der Arbeit wurde mir der Zusammenhang zwischen Kultur und Weltanschauung klar. Ich erkannte, daß die Katastrophe der Kultur auf eine Katastrophe der Weltanschauung zurückging.

Die Ideale der wahren Kultur waren kraftlos geworden, weil die idealistische Weltanschauung, in der sie wurzeln, uns nach und nach abhanden gekommen war. Alle Geschehnisse, die sich in den Völkern und der Menschheit ereignen, gehen auf geistige, in der Weltanschauung gegebene Ursachen zurück.

Was aber ist Kultur?

Als das Wesentliche der Kultur ist die ethische Vollendung der Einzelnen wie der Gesellschaft anzusehen. Zugleich aber hat jeder geistige und jeder materielle Fortschritt Kulturbedeutung. Der Wille zur Kultur ist also universeller Fortschrittswille, der sich des Ethischen als des höchsten Wertes bewußt ist. Bei aller Bedeutung, die den Errungenschaften des Wissens und Könnens zukommt, ist doch offenbar, daß nur eine ethischen Zielen zustrebende Menschheit des Segens materieller Fortschritte in vollem Maße teilhaftig und der mit ihnen gegebenen Gefahren Herr werden könne. Dem Geschlechte, das sich dem Glauben an einen immanenten, sich gewissermaßen von selbst und naturhaft verwirklichenden Fortschritt ergab und meinte, ethischer Ideale nicht mehr zu bedürfen, sondern allein durch Können und Wissen vorankommen zu können, lieferte die Lage, in die es daraufhin geriet, den furchtbaren Beweis des Irrtums, in dem es sich befunden hatte.

Der einzig mögliche Ausweg aus dem Chaos ist, daß wir wieder durch eine Kulturweltanschauung unter die Herrschaft der in ihr gegebenen Ideale der wahren Kultur kommen.

Welcher Art aber ist die Weltanschauung, in der der universelle und der ethische Fortschrittswille miteinander begründet und miteinander verbunden sind?

Sie besteht in ethischer Welt- und Lebensbejahung.

Was ist Welt- und Lebensbejahung?

Uns Europäern und den Europäerabkömmlingen in der Welt ist der Fortschrittswille etwas so Natürliches und Selbstverständliches, daß wir uns nicht mehr Rechenschaft davon geben, daß er in Weltanschauung wurzelt und einer geistigen Tat entspringt. Blicken wir uns aber in der Welt um, so werden wir alsbald gewahr, daß dieses uns Selbstverständliche in Wirklichkeit nichts weniger als selbstverständlich ist. Dem indischen Denken gilt alles auf Errungenschaften des Wissens und Könnens und auf die Bessergestaltung der Daseinsverhältnisse des Menschen und der menschlichen Gesellschaft gerichtete Streben als eine Torheit. Ihm zufolge ist das einzig sinngemäße Verhalten des Menschen, daß er sich ganz auf sich selber zurückziehe und einzig und allein auf seine Verinnerlichung bedacht sei. Was aus der menschlichen Gesellschaft und der Menschheit werde, soll ihn in keiner Weise beschäftigen. Verinnerlichung im Sinne des indischen Denkens besteht darin, daß der Mensch sich dem Gedanken des Nichtmehr-Lebenwollens ergibt und sein irdisches Dasein durch „Tatenlosigkeit" und jegliche Art von Lebensverneinung zu einem Sein herabsetzt, das keinen anderen Inhalt mehr hat als die Erwartung des Nichtmehr-Seins.

Interessant ist die geschichtliche Entstehung der so widernatürlichen Idee der Welt- und Lebensverneinung. Ursprünglich handelt es sich gar nicht um eine Weltanschauung, sondern um eine magische Vorstellung der indischen Priester aus der alten Zeit. Diese glaubten, durch Losgelöstheit von der Welt und vom Leben gewissermaßen übernatürliche Wesen zu werden und Macht über die Götter zu erlangen. Dementsprechend kommt der Brauch auf, daß der Brahmane sein Leben, nachdem er einen Teil desselben in normaler Weise dahin gebracht und auch eine Familie gegründet hat, in vollständiger Weltentsagung beschließt.

Im Laufe der Zeit wird dann diese ursprünglich das Vorrecht der Brahmanen bildende Welt- und Lebensverneinung zu einer Weltanschauung ausgebildet, die für den Menschen als solchen Geltung zu haben beansprucht.

*

Es hängt also von der Weltanschauung ab, ob Fortschrittswille vorhanden oder nicht vorhanden ist. Die Weltanschauung der Welt- und Lebensverneinung schließt ihn aus, die der Welt- und Lebensbejahung fordert ihn. Auch bei den Primitiven und Halbprimitiven, deren unausgebildete Weltanschauung noch nicht bei dem Problem Weltbejahung oder Weltverneinung angelangt ist, ist kein Fortschrittswille vorhanden. Ihr Ideal ist das einfachste und wenigst beschwerliche Leben.

Auch wir Europäer sind erst im Laufe der Zeit und durch einen Wandel in unserer Weltanschauung zum Fortschrittswillen gelangt. Im Altertum und im Mittelalter ist er nur in Ansätzen vorhanden. Das griechische Denken versucht, zu einer Weltanschauung der Welt- und Lebensbejahung zu gelangen, vermag es aber nicht und endet in Resignation. Die Weltanschauung des Mittelalters ist durch antik-christliche, mit griechischer Metaphysik in Einklang gebrachte Vorstellungen bestimmt. Sie ist grundsätzlich welt- und lebensverneinend, weil das Interesse dieses Christentums ganz auf die übersinnlichen Dinge gerichtet ist. Was sich im Mittelalter an Welt- und Lebensbejahung geltend macht, geht auf die in der Predigt Jesu gegebene tätige Ethik zurück und auch auf die schöpferischen Kräfte der unverbrauchten neuen Völker, denen das Christentum eine ihrer Natur widersprechende Weltanschauung auferlegt hatte.

Nach und nach kommt dann die Welt- und Lebensbejahung, die in den aus der Völkerwanderung hervorgegangenen Völkern triebhaft vorhanden ist, zum Durchbruch. Die Renaissance sagt sich von der mittelalterlichen Weltanschauung der Welt- und Lebensverneinung los. Ethischen Charakter erhält diese Welt- und Lebensbejahung dadurch, daß sie vom Christentum Jesu Ethik der Liebe übernimmt, die als Ethik der Tat das Vermögen besitzt, aus der Weltanschauung der Welt- und Lebensverneinung, in der sie entstanden ist, herauszutreten, mit der Welt- und Lebensbejahung Verbindung einzugehen und in ihr zum Ideal der Verwirklichung einer geistig-ethischen Welt in der natürlichen zu gelangen.

Das Streben nach materiellem und geistigem Fortschritt, das in der neuzeitlichen europäischen Menschheit aufkommt, geht also auf die Weltanschauung, zu der sie gelangt ist, zurück. Weil in der Renaissance und den mit ihr zusammenhängenden geistigen und religiösen Bewegungen der Mensch in ein neues Verhältnis zu sich selber und zur Welt kommt, erwacht in ihm das Bedürfnis, durch Wirken geistige und materielle Werte zu schaffen, die einer Höherentwicklung des Menschen und der Menschheit dienen sollen. Es ist nicht so, daß der neuzeitliche europäische Mensch für Fortschritt begeistert ist, weil er von ihm persönlichen Vorteil erwarten darf. Mehr als mit seinem eigenen Ergehen ist er mit dem Glück, das kommenden Generationen zuteil werden soll, beschäftigt. Fortschrittsenthusiasmus ist über ihn gekommen. Unter dem Eindruck des großen Erlebnisses, das ihm die Welt als von zweckmäßig wirkenden Kräften gestaltet und erhalten offenbar geworden ist, will er selber zweckmäßig wirkende Kraft in der Welt werden. Mit Zuversicht blickt er auf neue bessere Zeiten aus, die für die Menschheit anbrechen sollen; und erlebt es, daß die von den Vielen vertretenen und betätigten Ideale Macht über die Verhältnisse gewinnen und sie umgestalten.

Durch diesen materiellen Fortschrittswillen, der mit dem ethischen im Bunde steht, wird die neuzeitliche Kultur begründet.

Wesensverwandt mit der neuzeitlich europäischen Weltanschauung ethischer Welt- und Lebensbejahung sind die des Zarathustra und die des chinesischen Denkens, wie es uns bei Kungtse (Konfuzius), Mengtse, Mitse und den anderen großen ethischen Denkern Chinas entgegentritt. In beiden ist das Streben vorhanden, die Verhältnisse der Völker und der Menschheit im Sinne des Fortschritts umzugestalten, wenn es auch nicht so machtvoll auftritt, wie in der neuzeitlich europäischen. Tatsächlich ist im Einflußbereich der Zarathustra-Religion und in China auch eine der ethischen Welt- und Lebensbejahung entsprechende Kultur verwirklicht worden. Beiden war ein tragisches Schicksal beschieden. Die neupersische Kultur der Zarathustra-Weltanschauung wurde durch den Islam vernichtet; die chinesische Kultur ist durch den Druck, den europäische Ideen und Probleme auf sie ausüben, und durch die Zerrüttung der politischen und wirtschaftlichen Verhältnisse des Landes in ihrer natürlichen Entwicklung gehemmt und in die Gefahr des Verfalls gebracht worden.

In dem neuzeitlich europäischen Denken ereignet sich das Tragische, daß sich in einem langsamen, aber unaufhaltbaren Prozeß die ursprünglich zwischen der Welt- und Lebensbejahung und dem Ethischen bestehenden Bande lockern und schließlich ganz lösen. Es kommt also dahin, daß die europäische Menschheit von einem Fortschrittswillen geleitet wird, der veräußerlicht ist und die Orientierung verloren hat.

Welt- und Lebensbejahung an sich kann nur eine unvollständige und unvollkommene Kultur hervorbringen. Erst wenn sie sich verinnerlicht und ethisch wird, besitzt der sich aus ihr ergebende Fortschrittswille die zur Unterscheidung zwischen dem Wertvollen und dem weniger Wertvollen erforderliche Einsicht und erstrebt eine Kultur, die nicht nur aus Errungenschaften des Wissens und Könnens besteht, sondern vor allem den Menschen und die Menschheit geistig und ethisch voranbringen will.

Wie aber konnte es geschehen, daß die neuzeitliche Weltanschauung der Welt- und Lebensbejahung sich aus einer ursprünglich ethischen in eine nicht ethische verwandelte?

Dies ist nur so erklärlich, daß sie nicht wirklich im Denken begründet war. Das Denken, in dem sie entstand, war edel und enthusiastisch, aber nicht tief. Es empfand und erlebte die Zusammengehörigkeit des Ethischen und der Welt- und Lebensbejahung mehr, als daß es sie erwies. Es bekannte sich zu Welt- und Lebensbejahung und zu Ethik, ohne sie wirklich an sich und in ihrer innerlichen Verbundenheit ergründet zu haben.

Weil diese edle und wertvolle Weltanschauung mehr in einem Glauben als in einem auf das Wesen der Dinge gehenden Denken wurzelte, mußte sie mit der Zeit welk werden und die Macht über die Geister verlieren. Alles in der Folge aufkommende Denken über die Probleme der Ethik und des Verhältnisses des Menschen zur Welt konnte nicht anders als die Schwächen dieser Weltanschauung an den Tag bringen und damit zu ihrem Zerfall beitragen. In diesem Sinne wirkte es sich auch dann aus, wenn seine Absicht war, sie zu stützen. Niemals gelang es ihm nämlich, die unzureichende Begründung durch eine zureichende zu ersetzen. Immer wieder erwies sich die von ihm vorgenommene Neufundamentierung und Untermauerung als nicht tragfähig.

Mit meinem scheinbar abstrakten und doch absolut sachlichen Denken über den Zusammenhang der Kultur mit der Weltanschauung war ich also dahin gelangt, den Niedergang der Kultur als eine Folge des unaufhaltsamen Kraftloswerdens der überlieferten neuzeitlichen Weltanschauung ethischer Welt- und Lebensbejahung zu erkennen. Mir selber war darüber klar geworden, daß ich, wie so viele andere, aus innerlichem Bedürfnis an ihr festgehalten hatte, ohne mir Rechenschaft davon zu geben, inwieweit sie aus dem Denken wirklich zu erweisen wäre.

*

So weit war ich im Laufe des Sommers 1915 gekommen. Wie nun aber weiter?

War lösbar, was sich bisher als unlösbar erwiesen hatte? Oder hieß es, die Weltanschauung, durch die allein Kultur möglich ist, als eine in uns nie zur Ruhe, aber auch nie wirklich zur Herrschaft kommende Illusion ansehen?

Sie unserem Geschlechte weiterhin als etwas zu Glaubendes vorzuhalten, erschien mir sinnlos und aussichtslos. Nur wenn sie sich ihm als etwas aus dem Denken Kommendes ergibt, kann sie sein geistiges Eigentum werden.

Im Grunde blieb ich überzeugt, daß die in jener bisher undurchführbar gebliebenen Kulturweltanschauung behauptete Zusammengehörigkeit der Welt- und Lebensbejahung mit dem Ethischen aus einem Ahnen der Wahrheit kam. Also galt es, den Versuch zu unternehmen, die bisher nur geahnte und geglaubte, wenn auch so und so oft als erwiesen ausgegebene Wahrheit in neuem, ungekünsteltem und wahrhaftigem Denken als denknotwendig zu begreifen.

Bei diesem Unternehmen kam ich mir vor wie einer, der an Stelle des morschen Bootes, mit dem er sich nicht mehr aufs Meer hinauswagen kann, ein neues, besseres zimmern muß und nicht weiß, wie dies anfangen.

Monatelang lebte ich in einer stetigen inneren Aufregung dahin. Ohne jeglichen Erfolg ließ ich mein Denken in einer Konzentration, die auch durch die tägliche im Spital getane Arbeit nicht aufgehoben wurde, mit dem Wesen der Welt- und Lebensbejahung und der Ethik und mit dem, was sie miteinander gemeinsam haben, beschäftigt sein. Ich irrte in einem Dickicht umher, in dem kein Weg zu finden war. Ich stemmte mich gegen eine eiserne Tür, die nicht nachgab.

Alles, was ich aus der Philosophie über Ethik wußte, ließ mich im Stich. Die Vorstellungen vom Guten, die sie ausgebildet hatte, waren alle so unlebendig, so unelementar, so eng und so inhaltlos, daß sie mit Welt- und Lebensbejahung gar nicht zusammenzubringen waren. Überhaupt hatte sie sich so gut wie gar nicht mit dem Problem des Zusammenhangs zwischen Kultur und Weltanschauung beschäftigt. Die neuzeitliche Welt- und Lebensbejahung war ihr etwas so Selbstverständliches gewesen, daß sie kein Bedürfnis empfunden hatte, über sie ins klare zu kommen.

Zu meiner Überraschung mußte ich also feststellen, daß die Zentralprovinz der Philosophie, in die mich das Nachdenken über Kultur und Weltanschauung geführt hatte, eigentlich unerforschtes Land war. Bald von diesem, bald von jenem Punkte aus versuchte ich, ins Innere vorzudringen. Immer wieder mußte ich es aufgeben. Schon war ich erschöpft und mutlos. Wohl sah ich die Erkenntnis, um die es sich handelte, vor mir. Aber ich konnte sie nicht fassen und aussprechen.

In diesem Zustande mußte ich eine längere Fahrt auf dem Fluß unternehmen. Als ich – es war im September 1915 – mit meiner Frau ihrer Gesundheit wegen in Cap Lopez am Meere weilte, wurde ich zu Frau Pelot, einer kranken Missionsdame, nach N'Gômô, an die 200 Kilometer stromaufwärts, gerufen. Als einzige Fahrgelegenheit fand ich einen gerade im Abfahren begriffenen kleinen Dampfer, der einen überladenen Schleppkahn mit sich führte. Außer mir waren nur Schwarze, unter ihnen Emil Ogouma, mein Freund aus Lambarene, an Bord. Da ich mich in der Eile nicht hatte genügend verproviantieren können, ließen sie mich aus ihrem Kochtopf mitessen.

Langsam krochen wir den Strom hinauf, uns mühsam zwischen den Sandbänken – es war trockene Jahreszeit – hindurchtastend. Geistesabwesend saß ich auf dem Deck des Schleppkahnes, um den elementaren und universellen Begriff des Ethischen ringend, den ich in keiner Philosophie gefunden hatte. Blatt um Blatt beschrieb ich mit unzusammenhängenden Sätzen, nur um auf das Problem konzentriert zu bleiben. Am Abend des dritten Tages, als wir bei Sonnenuntergang gerade durch eine Herde Nilpferde hindurchfuhren, stand urplötzlich, von mir nicht geahnt und nicht gesucht, das Wort „Ehrfurcht vor dem Leben“ vor mir. Das eiserne Tor hatte nachgegeben; der Pfad im Dickicht war sichtbar geworden. Nun war ich zu der Idee vorgedrungen, in der Welt- und Lebensbejahung und Ethik miteinander enthalten sind! Nun wußte ich, daß die Weltanschauung ethischer Welt- und Lebensbejahung samt ihren Kulturidealen im Denken begründet ist.

*

Was ist Ehrfurcht vor dem Leben, und wie entsteht sie in uns?

Will der Mensch über sich selber und sein Verhältnis zur Welt ins klare kommen, so muß er immer aufs neue von dem Vielen, was sein Denken und Wissen ausmacht, absehen und sich auf die erste, unmittelbarste und stetig gegebene Tatsache seines Bewußtseins besinnen. Nur von dieser aus kann er zu denkender Weltanschauung gelangen.

Descartes läßt das Denken von dem Satze „Ich denke, also bin ich“ (Cogito ergo sum) seinen Ausgang nehmen. Mit dem so gewählten Anfang gerät er unrettbar in die Bahn des Abstrakten. Aus diesem inhaltlosen, fiktiven Denkakt kann sich ja nichts über das Verhältnis des Menschen zu sich selbst und zum Universum ergeben. In Wirklichkeit hat die unmittelbarste Tatsache des Bewußtseins einen Inhalt. Denken heißt, etwas denken. Die unmittelbarste Tatsache des Bewußtseins des Menschen lautet: „Ich bin Leben, das leben will, inmitten von Leben, das leben will.“ Als Wille zum Leben inmitten von Willen zum Leben erfaßt sich der Mensch in jedem Augenblick, in dem er über sich selbst und über die Welt um ihn herum nachdenkt.

Wie in meinem Willen zum Leben Sehnsucht ist nach dem Weiterleben und nach der geheimnisvollen Gehobenheit des Willens zum Leben, die man Lust nennt, und Angst vor der Vernichtung und der geheimnisvollen Beeinträchtigung des Willens zum Leben, die man Schmerz nennt: also auch in dem Willen zum Leben um mich herum, ob er sich mir gegenüber äußern kann oder stumm bleibt.

Nun hat sich der Mensch zu entscheiden, wie er sich zu seinem Willen zum Leben verhalten will. Er kann ihn verneinen. Heißt er aber den Willen zum Leben sich in den zum Nichtleben wandeln, wie es im indischen und überhaupt in allem pessimistischen Denken der Fall ist, so bringt er ihn mit sich selber in Widerspruch. Er erhebt etwas Unnatürliches, in sich Unwahres und Undurchführbares zu seiner Welt- und Lebensanschauung. Das indische Denken, wie auch das Schopenhauers, ist voller Inkonsequenzen, weil es nicht anders kann, als fort und fort dem trotz aller Welt- und Lebensverneinung weiterbestehenden Willen zum Leben Zugeständnisse zu machen, die es aber nicht als solche gelten lassen will. Mit sich selber konsequent ist nur die Verneinung des Willens zum Leben, die willens ist, dem physischen Dasein tatsächlich ein Ende zu setzen.

Bejaht der Mensch seinen Willen zum Leben, so verfährt er in natürlicher und wahrhaftiger Weise. Er bestätigt eine bereits im instinktiven Denken vollzogene Tat, indem er sie im bewußten wiederholt. Anfang, stetig sich wiederholender Anfang des Denkens ist, daß der Mensch sein Sein nicht einfach als etwas Gegebenes hinnimmt, sondern es als etwas unergründlich Geheimnisvolles erlebt. Lebensbejahung ist die geistige Tat, in der er aufhört dahinzuleben und anfängt, sich seinem Leben mit Ehrfurcht hinzugeben, um es auf seinen wahren Wert zu bringen. Lebensbejahung ist Vertiefung, Verinnerlichung und Steigerung des Willens zum Leben.

Zugleich erlebt der denkend gewordene Mensch die Nötigung, allem Willen zum Leben die gleiche Ehrfurcht vor dem Leben entgegenzubringen wie dem eigenen. Er erlebt das andere Leben in dem seinen. Als gut gilt ihm: Leben erhalten, Leben fördern, entwickelbares Leben auf seinen höchsten Wert bringen; als böse: Leben vernichten, Leben schädigen, entwickelbares Leben niederhalten. Dies ist das denknotwendige, absolute Grundprinzip des Sittlichen.

Der große Fehler aller bisherigen Ethik ist, daß sie es nur mit dem Verhalten des Menschen zum Menschen zu tun zu haben glaubte. In Wirklichkeit aber handelt es sich darum, wie er sich zur Welt und allem Leben, das in seinen Bereich tritt, verhält. Ethisch ist er nur, wenn ihm das Leben als solches, das der Pflanze und des Tieres wie das des Menschen, heilig ist und er sich dem Leben, das in Not ist, helfend hingibt. Nur die universelle Ethik des Erlebens der ins Grenzenlose erweiterten Verantwortung gegen alles, was lebt, läßt sich im Denken begründen. Die Ethik des Verhaltens von Mensch zu Mensch ist nicht etwas für sich, sondern nur ein Besonderes, das sich aus jenem Allgemeinen ergibt.

Die Ethik der Ehrfurcht vor dem Leben begreift also alles in sich, was als Liebe, Hingebung, Mitleiden, Mitfreude und Mitstreben bezeichnet werden kann.

Nun bietet die Welt aber das grausige Schauspiel der Selbstentzweiung des Willens zum Leben. Ein Dasein setzt sich auf Kosten des anderen durch, eines zerstört das andere. Nur in dem denkenden Menschen ist der Wille zum Leben um anderen Willen zum Leben wissend geworden und will mit ihm solidarisch sein. Dies kann er aber nicht vollständig durchführen, weil auch der Mensch unter das rätselhafte und grausige Gesetz getan ist, auf Kosten anderen Lebens leben zu müssen und durch Vernichtung und Schädigung von Leben fort und fort schuldig zu werden. Als ethisches Wesen ringt er aber darum, dieser Notwendigkeit, wo er nur immer kann, zu entrinnen, und als einer, der wissend und barmherzig geworden ist, die Selbstentzweiung des Willens zum Leben aufzuheben, soweit der Einfluß seines Daseins reicht. Er dürstet danach, Humanität bewähren zu dürfen und Erlösung von Leiden bringen zu müssen.

Die in dem denkend gewordenen Willen zum Leben entstandene Ehrfurcht vor dem Leben enthält also Welt- und Lebensbejahung und Ethik ineinander und miteinander. Sie geht darauf aus, Werte zu schaffen und Fortschritte zu verwirklichen, die der materiellen, geistigen und ethischen Höherentwicklung des Menschen und der Menschheit dienen. Während die gedankenlose moderne Welt- und Lebensbejahung in Wissens- und Könnens- und Machtidealen umhertaumelt, stellt die denkende die geistige ethische Vollendung des Menschen als das höchste Ideal auf, von dem alle anderen Fortschrittsideale erst ihren wirklichen Wert empfangen.

Durch ethische Welt- und Lebensbejahung kommen wir in ein Überlegen hinein, das uns zwischen dem Wesentlichen und dem Unwesentlichen der Kultur unterscheiden läßt. Der geistlose Kulturdünkel verliert seine Macht über uns. Wir wagen der Wahrheit ins Auge zu schauen, daß mit den Fortschritten des Wissens und Könnens die wahre Kultur nicht leichter, sondern schwerer geworden ist. Das Problem der Wechselbeziehungen zwischen dem Geistigen und dem Materiellen geht uns auf. Wir wissen, daß wir alle mit den Verhältnissen um unser Menschentum zu ringen haben und Sorge tragen müssen, den fast aussichtslosen Kampf, den viele in ungünstigen sozialen Verhältnissen um ihr Menschentum führen, wieder zu einem aussichtsvollen zu gestalten.

Aus dem Denken kommender, vertiefter ethischer Fortschrittswille wird uns also aus der Unkultur und ihrem Elend zur wahren Kultur zurückführen. Früher oder später muß die wahre endgültige Renaissance anbrechen, die der Welt den Frieden bringt.

*

Klar stand nun der Plan der ganzen Kulturphilosophie vor mir. Wie von selbst gliederte sie sich in vier Teile: 1. Von der gegenwärtigen Kulturlosigkeit und ihren Ursachen; 2. Auseinandersetzung der Idee der Ehrfurcht vor dem Leben mit den bisherigen Versuchen der europäischen Philosophie, die Weltanschauung ethischer Welt- und Lebensbejahung zu begründen; 3. Darstellung der Weltanschauung der Ehrfurcht vor dem Leben; 4. vom Kulturstaat.

Der zweite Teil, die Beschreibung des tragischen Ringens

der europäischen Philosophie um ethische Welt- und Lebensbejahung, wurde mir durch mein Bedürfnis aufgenötigt, das Problem, mit dem ich mich beschäftigte, in seiner geschichtlichen Entfaltung kennenzulernen und die von mir gegebene Lösung als die Synthese der bisher versuchten zu begreifen. Daß ich dieser Versuchung noch einmal erlag, habe ich nicht bedauert. In der Auseinandersetzung mit dem anderen Denken klärte sich das meine.

Einen Teil der zu dieser historischen Arbeit benötigten philosophischen Werke hatte ich bei mir. Was mir fehlte, sandten mir der Zoologieprofessor J. Strohl in Zürich und seine Frau zu. Auch der bekannte Bachsänger Robert Kaufmann in Zürich, den ich so manchmal an der Orgel begleitet hatte, ließ es sich angelegen sein, mich mit Hilfe des Office des Internés Civils zu Genf mit der Welt, so gut es ging, in Verbindung zu erhalten.

Ohne Hast entwarf ich nach und nach Skizzen, in denen ich ohne Rücksicht auf die geplante Gliederung des Werkes den Stoff zusammentrug und sichtete. Daneben fing ich an, einzelne Abschnitte auszuarbeiten. Als eine große Gnade empfand ich es jeden Tag, daß, während andere töten mußten, ich Leben erretten und daneben noch für das Kommen des Zeitalters des Friedens arbeiten durfte.

Glücklicherweise gingen mir die Medikamente und Verbandstoffe nicht aus. Mit einem der letzten Schiffe vor Ausbruch des Krieges hatte ich eine große Sendung von allem Nötigen erhalten.

Die Regenzeit 1916 auf 1917 verbrachten wir, da die Gesundheit meiner Frau unter der schwülen Luft Lambarenes gelitten hatte, am Meere. Ein Holzhändler stellte uns dafür das zu Tchienga bei Cap Lopez an der Mündung eines Ogowearmes gelegene Haus des Wächters seiner Flöße zur Verfügung, das infolge des Krieges leer stand. Zum Dank dafür rollte ich mit den schwarzen Arbeitern, soweit sie noch da waren, die vielen in Flöße gebundenen Okoumestämme aus dem Meere aufs Land, damit sie in der langen Zeit, die bis zur Verfrachtung nach Europa vergehen konnte, nicht dem Schiffsbohrwurm (Teredo navalis) zum Opfer fielen. Diese schwere Arbeit – oft brauchten wir Stunden, um eines der bis zu drei Tonnen schweren Hölzer aufs Ufer hinaufzubringen – mußte zur Zeit der Flut getan werden.

Während der Ebbe saß ich über der Kulturphilosophie, soweit ich nicht durch Kranke in Anspruch genommen war.

XIV
GARAISON UND ST. RÉMY

Im September 1917, als ich meine Arbeit in Lambarene eben wieder aufgenommen hatte, erging Befehl, daß wir sofort, mit dem gerade fälligen Schiff, nach Europa in ein Gefangenenlager zu verbringen seien. Glücklicherweise hatte das Schiff einige Tage Verspätung, so daß wir Zeit hatten, mit Hilfe der Missionare und einiger Eingeborenen unsere Sachen sowie die Medikamente und Instrumente in Kisten zu verpacken und in einer kleinen Wellblechbaracke unterzustellen.

An ein Mitnehmen der Skizzen der Kulturphilosophie war nicht zu denken. Bei irgendeiner Visitation wären sie mir abgenommen worden. Also vertraute ich sie dem amerikanischen Missionar Ford an, der damals in Lambarene wirkte. Dieser hätte – wie er mir gestand – das schwere Paket am liebsten in den Fluß geworfen, weil er Philosophie für unnötig und schädlich hielt. Aber aus christlicher Liebe wollte er es aufbewahren und es mir nach Ende des Krieges zukommen lassen. Um auf alle Fälle etwas von der getanen Arbeit zu retten, machte ich mir in zwei Nächten einen Auszug auf französisch, der die Hauptgedanken des Ganzen und die Disposition der bereits ausgearbeiteten Teile enthielt. Damit er den Zensoren, die sich damit befassen würden, inaktuell und damit unanstößig erschiene, gab ich ihm durch entsprechende Kapitelüberschriften das Aussehen einer geschichtlichen Studie über die Renaissance. Tatsächlich erreichte ich damit, daß er der ihm mehrmals drohenden Konfiskation entging.

Zwei Tage vor der Abreise mußte ich inmitten gepackter und halb gepackter Kisten noch schnell eine eingeklemmte Hernie operieren.

Als wir auf den Flußdampfer verbracht worden waren und die Eingeborenen uns vom Ufer aus liebe Worte zum Abschied zuriefen, kam der Pater Superior der katholischen

Mission an Bord, wies mit hoheitsvoller Gebärde die schwarzen Soldaten ab, die ihm den Zutritt zu uns verwehren wollten, und drückte uns die Hand. „Sie sollen“, sagte er, „nicht von diesem Lande scheiden, ohne daß ich Ihnen beiden für alles Gute, das Sie ihm erwiesen, Dank gesagt habe.“ Wir sollten uns nicht wiedersehen. Kurz nach dem Kriege ging er mit der „Afrique“, demselben Schiff, das uns nach Europa brachte, im Golf von Biskaya unter.

In Cap Lopez schlich sich ein Weißer, dessen Frau ich einmal gepflegt hatte, zu mir und bot mir Geld an, für den Fall, daß ich keines hätte. Wie froh war ich jetzt um das Gold, das ich im Hinblick auf einen etwaigen Krieg mitgenommen hatte! In letzter Stunde vor der Abfahrt hatte ich bei einem mir befreundeten englischen Holzhändler zu vorteilhaftem Kurse französische Scheine dagegen eingetauscht, die meine Frau und ich in unsere Kleider genäht auf uns trugen.

Auf dem Schiffe wurden wir einem weißen Unteroffizier übergeben, der darüber zu wachen hatte, daß wir mit niemand als einem bestimmten Steward verkehrten, und uns an festgesetzten Stunden auf Deck führte. Meine Zeit verbrachte ich, da Schreiben nicht angängig war, mit Auswendiglernen Bachscher Fugen und der 6. Orgelsymphonie von Widor.

Unser Steward – wenn ich mich recht erinnere, hieß er Gaillard – war sehr gut zu uns. Gegen Ende der Fahrt frug er uns, ob wir uns Rechenschaft darüber gegeben hätten, daß er uns als Gefangene außerordentlich freundlich behandelt hätte. „Euer Essen“, hielt er uns vor, „habe ich euch immer sauber serviert und in eurer Kabine war nicht mehr Schmutz als in den anderen“ (was in Anbetracht der sehr relativen Sauberkeit, die auf den Afrikaschiffen während des Krieges herrschte, der angebrachte Ausdruck war). „Warum meint ihr wohl“, fuhr er fort, „daß ich dies getan habe? Doch nicht im Hinblick auf ein reichliches Trinkgeld. Auf ein solches rechnet man bei Gefangenen nicht. Also warum? Dies will ich euch nun sagen. Vor einigen Monaten fuhr hier auf diesem Schiff, in einer Kabine, die zu meinem Dienst gehörte, ein Herr Gaucher nach Hause, den Sie monatelang in Ihrem Spital liegen hatten. Gaillard, sagte er zu mir, es kann sein, daß sie den Doktor von Lambarene bald gefangen nach Europa schaffen. Fährt er je auf eurem Schiff und könnt ihr ihm in etwas behilflich sein, so tut es um meinetwillen. Jetzt wißt ihr, warum ihr es gut bei mir hattet."

*

In Bordeaux kamen wir auf drei Wochen in die sogenannte „Caserne de passage" der Rue de Belleville, in der während des Krieges gefangene Ausländer untergebracht wurden. Dort zog ich mir alsbald eine Dysenterie zu. Zum Glück hatte ich Emetin in meinem Gepäck, um sie zu bekämpfen. Doch sollte ich mit ihren Folgen noch lange zu tun haben.

Hernach wurden wir in das große Interniertenlager von Garaison in den Pyrenäen verbracht. Den Befehl, uns in der Nacht für die Abfahrt bereit zu halten, bezogen wir irrtümlicherweise nicht auf die, die auf seine Bekanntgabe unmittelbar folgte, und hatten also nichts gepackt, als um Mitternacht zwei Gendarmen mit einem Wagen eintrafen, um uns abzuholen. Da sie über unseren vermeintlichen Ungehorsam ungehalten waren und das Einpacken beim Scheine einer armseligen Kerze gar langsam vonstatten ging, wurden sie ungeduldig und wollten uns unter Zurücklassung unseres Gepäcks mitnehmen. Schließlich aber hatten sie Mitleid mit uns und halfen selber mit, unsere Habe zusammenzulesen und in die Koffer zu stopfen. Wie oft hat das Gedenken an diese zwei Gendarmen mich dann gezwungen, mit Menschen geduldig zu verfahren, wo ich mich zur Ungeduld berechtigt fühlte!

Als wir in Garaison eingeliefert wurden und der wachhabende Unteroffizier das Gepäck visitierte, fiel ihm eine französische Übersetzung der „Politik" des Aristoteles, die ich im Hinblick auf die Arbeit an der Kulturphilosophie mit mir führte, in die Hände. „'s ist doch unglaublich", wetterte er, „jetzt bringen sie gar politische Bücher mit ins Gefangenenlager!" Schüchtern bemerkte ich ihm, daß das Buch lange vor Christi Geburt geschrieben sei. „Ist das wahr, du Studierter?" frug er einen dabei stehenden Soldaten. Dieser bestätigte meine Angabe. „Ja, hat man denn damals schon Politik gemacht?" frug er zurück. Auf unser Ja hin entschied er: „Da man aber heute sicherlich andere macht als damals, könnt ihr euer Buch meinetwegen behalten."

Garaison (provenzalisch für guérison) war früher ein großes Kloster, zu dem die Kranken von weither wallfahrteten. Seit der Trennung von Kirche und Staat hatte es leer gestanden und war im Verfall begriffen, als bei Kriegsausbruch Hunderte von Angehörigen feindlicher Staaten, Männer, Frauen und Kinder, darin untergebracht wurden. Im Laufe eines Jahres wurde es durch die Handwerker, die sich unter diesen Internierten befanden, wieder einigermaßen instand gesetzt. Der Direktor, der zu unserer Zeit dort war, ein pensionierter Kolonialbeamter namens Vecchi, war Theosoph und waltete seines Amtes nicht nur mit Gerechtigkeit, sondern auch mit Güte, was um so mehr anerkannt wurde, als sein Vorgänger streng und hart gewesen war.

Als ich am zweiten Tage nach unserer Ankunft frierend im Hofe stand, kam ein Gefangener, der sich als Mühleningenieur Borkeloh vorstellte, auf mich zu und frug mich, womit er mir einen Dienst leisten könne. Er schulde mir Dank, weil ich seine Frau gesund gemacht habe. Tatsächlich verhielt es sich so, obwohl ich die Frau ebensowenig kannte als sie mich. Zu Beginn des Krieges nämlich hatte ich dem Vertreter einer Hamburger Holzfirma, einem Herrn Richard Claßen, der von Lambarene in ein Gefangenenlager nach Dahomey geschickt wurde, reichlich Chinin, Blaudsche Pillen, Emetin, Arrhenal, Bromnatrium, Schlafmittel und andere Medikamente für ihn und die anderen Gefangenen, die er dort anträfe, mitgegeben und jede Flasche mit einer ausführlichen Gebrauchsanweisung versehen. Von Dahomey kam dieser Herr dann nach Frankreich und war mit Herrn und Frau Borkeloh in einem Interniertenlager zusammen. So erhielt Frau Borkeloh, als sie an Appetitlosigkeit litt und mit den Nerven herunter war, von den Medikamenten, die Herr Claßen durch alle Visitationen seines Gepäcks wie durch ein Wunder hindurch gerettet hatte, und erholte sich gut. Mir aber trug diese Kur einen Tisch ein, den mir Herr Borkeloh aus Brettern, die er irgendwo auf dem Speicher losgerissen hatte, zusammenzimmerte. Nun konnte ich schreiben ... und Orgel spielen. Schon auf dem Schiffe hatte ich nämlich angefangen, einen Tisch als Manual und den Fußboden darunter als Pedal zu benützen und so Orgel zu üben, wie ich es bereits in meiner Knabenzeit getan hatte.

Wenige Tage später frug mich der Älteste der Zigeunermusikanten, die mit uns gefangen waren, ob ich der Albert Schweitzer wäre, der in Romain Rollands Buche „Musiciens d'aujourd'hui" vorkäme. Als ich es bejahte, eröffnete er mir, daß er und die Seinen mich von nun an als einen der Ihren betrachteten. Dies wollte heißen, daß ich dabeisein durfte, wenn sie auf dem Speicher musizierten, und daß meine Frau und ich an unserem Geburtstage Anrecht auf eine Serenade hatten. Tatsächlich erwachte meine Frau an ihrem Geburtstage unter den Klängen des wunderbar gespielten Walzers aus „Hoffmanns Erzählungen". Diese in den vornehmen Kaffees von Paris spielenden Zigeunermusiker hatten bei ihrer Gefangennahme die Erlaubnis erhalten, ihre Instrumente als ihr Handwerkszeug zu behalten, und durften im Lager üben.

Nicht lange nach unserer Ankunft wurden Internierte aus einem kleinen Lager, das aufgelöst worden war, in das unsere verbracht. Alsbald fingen sie an, sich über die schlechte Zubereitung des Essens zu beschweren und ihren Mitgefangenen, die die vielbeneideten Posten in der Küche innehatten, vorzuwerfen, daß sie sie nicht gut ausfüllten. Darob große Enttäuschung bei diesen, die Köche von Beruf waren und aus den Küchen der feinsten Hotels und Restaurants von Paris den Weg nach Garaison angetreten hatten. Die Sache kam vor den Direktor. Als er die Rebellen frug, wer von ihnen Koch wäre, stellte sich heraus, daß es einen solchen unter ihnen nicht gab. Ihr Anführer war Schuster und die anderen Schneider, Hutmacher, Korbmacher, Bürstenbinder und dergleichen. In ihrem früheren Lager aber hatten sie sich auf das Kochen verlegt und behaupteten, die Kunst ergründet zu haben, Speise in Massen auf ebenso schmackhafte Weise zuzubereiten, wie in kleinen Mengen. In salomonischer Weisheit bestimmte der Direktor, daß sie während vierzehn Tagen probeweise die Küche übernehmen sollten. Würden sie es besser machen als die anderen, so behielten sie sie. Andernfalls aber würden sie als Ruhestörer eingesperrt. Gleich am ersten Tage bewiesen sie mit Kartoffeln und Kraut, daß sie nicht zu viel behauptet hatten. Jeder folgende war ein neuer Triumph. Also wurden die Nichtköche zu Köchen ernannt und die Berufsköche aus der Küche verwiesen. Als ich den Schuster frug, worin ihr Geheimnis bestünde, antwortete er mir: „Man muß mancherlei wissen. Aber die Hauptsache ist, daß man mit Liebe und Sorgfalt kocht.“ Wenn ich seitdem höre, daß wieder einer zum Minister von etwas ernannt ist, wovon er nichts gelernt hat, rege ich mich darüber nicht mehr so sehr auf wie früher, sondern suche mich zur Hoffnung emporzureißen, daß er vielleicht ebenso dazu taugt wie der Schuster in Garaison zum Koch.

Merkwürdigerweise war ich der einzige Arzt unter den Internierten. Zuerst hatte mir der Direktor strengstens verboten, mich mit Kranken abzugeben, da dies die Sache des amtlich bestellten Lagerarztes, eines alten Landarztes aus der Gegend, wäre. Später aber hielt er es für billig, daß ich meinen Beruf dem Lager in derselben Weise zugute kommen lassen dürfe, wie die Zahnärzte, von denen es unter uns mehrere gab, den ihren. Er stellte mir sogar ein Zimmer für die Ausübung meiner Tätigkeit zur Verfügung. Da mein Gepäck hauptsächlich aus Medikamenten und Instrumenten bestand, und der Sergeant sie mir bei der Visitation gelassen hatte, verfügte ich so ziemlich über alles, was ich zur Pflege der Kranken brauchte. Insbesondere konnte ich denen unter ihnen, die aus den Kolonien eingeliefert worden waren, und auch den vielen mit tropischen Leiden behafteten Seeleuten gute Dienste leisten.

So war ich wieder Arzt geworden. Was mir an freier Zeit verblieb, verwandte ich auf die Kulturphilosophie (ich skizzierte damals die Kapitel über den Kulturstaat) und das Orgelüben auf Tisch und Fußboden.

*

Als Arzt gewann ich Einblick in das vielfache Elend, das im Lager herrschte. Am schlimmsten waren diejenigen daran, die psychisch unter der Gefangenschaft litten. Von dem Augenblick an, wo wir in den Hof hinunter durften, bis zum Trompetensignal, das uns bei Einbruch der Dunkelheit daraus vertrieb, liefen sie im Kreise herum, über die Mauern hinaus auf die in herrlichem Weiß schimmernde Kette der Pyrenäen ausschauend. Sie hatten nicht mehr die seelische Kraft, sich zu beschäftigen. Regnete es, so standen sie stumpfsinnig auf den Gängen herum. Gewöhnlich waren sie auch in einem schlechten Ernährungszustand, weil sie mit der Zeit einen Widerwillen gegen die monotone Kost bekommen hatten, obwohl diese an sich für ein Gefangenenlager nicht schlecht war. Viele litten auch unter der Kälte, da die meisten Räume nicht heizbar waren. Für diese seelisch und körperlich geschwächten Menschen bedeutete das geringste Unwohlsein eine wirkliche Erkrankung, der man gar nicht richtig beikommen konnte. Bei vielen von ihnen wurde die Depression durch die Trauer um den Verlust der in der Fremde errungenen Stellung unterhalten. Sie wußten nicht, wohin gehen und was anfangen, wenn die Pforten Garaisons sich einst öffnen würden. Viele waren mit französischen Frauen verheiratet und hatten Kinder, die nur Französisch konnten. Sollten sie diesen zumuten, ihre Heimat zu verlassen, oder sich selber dazu verurteilen, nach dem Kriege in dem fremden Lande wieder um Duldung und Anstellung anzuhalten?

Im Hofe und auf den Gängen lieferten sich diese blassen und frierenden, größtenteils französisch sprechenden Kinder des Interniertenlagers tagtäglich Schlachten. Die einen waren für die Entente, die anderen für die Zentralmächte.

Wer einigermaßen gesund und frisch blieb, dem bot das Gefangenenlager mancherlei Interessantes dadurch, daß in ihm Menschen aus vielen Völkern und fast allen Berufen anzutreffen waren. Es beherbergte: Gelehrte und Künstler, besonders Maler, die vom Kriege in Paris überrascht worden waren; deutsche und österreichische Schuster und Damenschneider, die in den großen Pariser Firmen gearbeitet hatten; Bankdirektoren, Hoteldirektoren, Kellner, Ingenieure, Architekten, Handwerker und Kaufleute, die in Frankreich und seinen Kolonien ansässig gewesen waren; katholische Missionare und Ordensleute aus der Sahara, die zu weißer Tracht den roten Fez trugen; Kaufleute aus Liberia und anderen Gebieten der afrikanischen Westküste; Kaufleute und Reisende aus Nordamerika, Südamerika, China und Indien, die auf dem Meere gefangengenommen waren; Mannschaften deutscher und österreichischer Handelsdampfer, die dasselbe Schicksal gehabt hatten; Türken, Araber, Griechen und Angehörige der Balkanstaaten, die aus irgendeinem Grunde im Verlaufe des Krieges im Orient deportiert worden waren, unter ihnen Türken mit verschleiert gehenden Frauen. Welch buntes Bild bot der im Hofe täglich zweimal abgehaltene Appell!

Um sich zu bilden brauchte man im Lager keine Bücher zu lesen. Für alles, was man wissen wollte, standen einem sachkundige Menschen zur Verfügung. Von dieser einzigartigen Gelegenheit zu lernen habe ich reichlich Gebrauch gemacht. Über Bankwesen, Architektur, Mühlenbau und Mühlenwesen, Getreidebau, Ofenbau und so vieles andere eignete ich mir Kenntnisse an, die ich sonst wohl nie erlangt hätte.

Fast am meisten litten die Handwerker darunter, zur Untätigkeit verurteilt zu sein. Als meine Frau sich Stoff für ein warmes Kleid verschafft hatte, boten ihr so und so viele Schneider an, es umsonst zu machen, nur um wieder Tuch zwischen den Händen und Nadel und Faden zwischen den Fingern zu haben.

Um die Erlaubnis, den Bauern der Umgegend zeitweise bei der Feldarbeit zu helfen, bewarben sich nicht nur solche, die etwas davon verstanden, sondern auch solche, die materielle Arbeit überhaupt nicht gewöhnt waren. Am wenigsten Betätigungstrieb zeigten eigentlich die vielen Seeleute. Vom Leben an Bord her verstanden sie es, sich miteinander in äußerst anspruchsloser Weise die Zeit zu vertreiben.

Zu Beginn des Jahres 1918 wurde bekanntgegeben, daß unter den „Notabeln“ des Lagers so und so viele von jedem Buchstaben zur Verschickung nach einem Repressalienlager, in Nordafrika, wenn ich nicht irre, bezeichnet würden, wenn bis zu der und der Zeit die und die Maßnahmen der Deutschen gegen die belgische Zivilbevölkerung nicht rückgängig gemacht wären. Wir sollten alle darüber nach Hause berichten, damit unsere Angehörigen das Nötige veranlaßten, um uns dieses Schicksal zu ersparen. Für die Repressalien wurden „Notable“ – Bankdirektoren, Hoteldirektoren, Großkaufleute, Gelehrte, Künstler und dergleichen – ausersehen, weil man annahm, daß das ihnen bestimmte Los in der Heimat mehr Beachtung finden würde als das, das irgendwelche aus den obskuren Vielen träfe. Diese Bekanntmachung brachte zutage, daß es unter unseren Notabeln solche gab, die es in Wirklichkeit nicht waren. Oberkellner hatten bei der Einlieferung als Beruf Hoteldirektor angegeben, um im Lager etwas zu gelten; kaufmännische Angestellte hatten sich zu Großkaufleuten gemacht. Nun jammerten sie bei jedem, der ihnen in den Weg lief, über die Gefahr, in die sie durch die angemaßte Würde geraten waren. Es ging aber alles gnädig vorüber. Die Maßnahmen gegen die Belgier wurden rückgängig gemacht und Garaisons authentische und unauthentische Notabeln hatten bis auf weiteres kein Repressalienlager mehr zu befürchten.

*

Als nach langem, schwerem Winter endlich der Frühling anbrach, kam Befehl, daß meine Frau und ich in das ausschließlich für Elsässer bestimmte Lager von St. Rémy de Provence zu verbringen seien. Vergebens hatte der Direktor, um dem Lager den Arzt zu erhalten, und wir, um in dem Lager zu verbleiben, in das wir uns eingelebt hatten, um Rückgängigmachung dieser Versetzung gebeten.

Ende März wurden wir nach St. Rémy transportiert. Das dortige Lager war nicht so kosmopolitisch wie das von Garaison. Es beherbergte hauptsächlich Lehrer, Förster und Bahnbeamte. Ich traf dort manche Bekannte, darunter den jungen Lehrer von Günsbach, Johann Iltis, und einen jungen Pfarrer namens Liebrich, der mein Schüler gewesen war. Pfarrer Liebrich hatte die Erlaubnis, am Sonntag Gottesdienst zu halten. Als sein Vikar kam ich so mehrmals zum Predigen.

Der Direktor, ein pensionierter Polizeikommissar aus Marseille, namens Bagnaud, führte ein ziemlich mildes Regiment. Bezeichnend für seine joviale Art war die Antwort, die man auf die Frage zu hören bekam, ob dies und jenes erlaubt sei. Sie lautete: „Rien n'est permis! Mais il y a des choses qui sont tolérées, si vous vous montrez raisonnables!" (Nichts ist erlaubt! Aber es gibt Dinge, die geduldet werden, wenn ihr euch vernünftig betragt!) Da er meinen Namen nicht aussprechen konnte, nannte er mich Monsieur Albert.

Als ich zum erstenmal den großen Raum im Erdgeschoß betrat, in dem wir uns tagsüber aufhalten durften, kam er mir in seiner Kahlheit und Häßlichkeit merkwürdig bekannt vor. Wo hatte ich denn diesen eisernen Ofen und das lange, durch den ganzen Raum geleitete Ofenrohr schon gesehen? Zuletzt stellte sich heraus, daß ich sie aus einer Zeichnung van Goghs kannte. Das ehemalige, in einem hochummauerten Garten gelegene Kloster, in dem wir untergebracht waren, hatte bis vor kurzem Nerven- und Geisteskranke beherbergt. Unter diesen befand sich seinerzeit van Gogh, der dann den öden Raum, in dem nun auch wir herumsaßen, mit seinem Stifte verewigte. Wie wir hatte er auf diesem steinernen Fußboden gefroren, wenn der Mistral wehte! Wie wir war er zwischen den hohen Gartenmauern im Kreise herumgegangen! ...

Da einer der Internierten Arzt war, hatte ich mit den Kranken vorerst nichts zu tun und konnte den ganzen Tag an den Skizzen über den Kulturstaat sitzen. Als der Kollege später ausgetauscht wurde und nach Hause durfte, wurde ich Lagerarzt. Nur war die Arbeit hier nicht so groß wie in Garaison.

Meiner Frau, die sich in der Höhenluft Garaisons ziemlich erholt hatte, bekamen die rauhen Winde der Provence nicht gut. Auch konnte sie sich nicht an die steinernen Fußböden gewöhnen. Ich selber fühlte mich nicht wohl. Seit der Dysenterie in Bordeaux spürte ich eine stetig zunehmende Mattigkeit, deren ich vergebens Herr zu werden suchte. Ich ermüdete leicht und war, wie auch meine Frau, nicht imstande, die Spaziergänge mitzumachen, die die Internierten an bestimmten Tagen unter der Aufsicht der Soldaten unternehmen durften. Diese fanden im Eilschritt statt, weil die Internierten sich möglichst viel Bewegung geben und in der zur Verfügung stehenden Zeit möglichst weit kommen wollten.

Dankbar nahmen wir es an, daß der Direktor selber an jenen Tagen mit uns und einigen anderen Schwächlingen ausging.

XV
WIEDER IM ELSASS

Um meiner Frau willen, die unter dem Gefangensein und an Heimweh litt, freute ich mich sehr, als uns gegen Mitte Juli zu eröffnet wurde, daß wir alle oder fast alle ausgetauscht würden und in den nächsten Tagen schon über die

Schweiz heimkehren dürften. Daß mein Name auf der beim Direktor eingetroffenen Liste der zu Entlassenden fehlte, erfuhr meine Frau glücklicherweise nicht. Am 12. Juli, in der Nacht, wurden wir geweckt. Telegraphisch war Befehl eingetroffen, daß wir uns sofort für die Abfahrt bereitmachen sollten. Diesmal standen alle auf der Liste. Als die Sonne aufging, schleppten wir die Koffer zur Revision auf den Hof. Die in Garaison und hier verfaßten Skizzen der Kulturphilosophie, die ich schon vorher dem Zensor des Lagers vorgelegt hatte, durfte ich, nachdem er soundso viel Seiten davon mit einem Stempel versehen hatte, mit mir nehmen. Als die Karawane zum Tor hinauszog, lief ich noch einmal zum Direktor zurück und fand ihn betrübt in seinem Amtszimmer sitzend. Der Abschied von seinen Gefangenen fiel ihm schwer. Noch heute schreiben wir uns. In seinen Briefen redet er mich „mon cher pensionnaire" an.

Auf dem Bahnhof in Tarascon mußten wir uns für die Zeit bis zur Ankunft unseres Zuges in einen entlegenen Schuppen begeben. Schwer mit Gepäck beladen kamen meine Frau und ich in dem Kies zwischen den Gleisen nur mit Mühe vorwärts. Da bot sich ein armer Krüppel, den ich im Lager gepflegt hatte, zum Mittragen an. Er hatte kein Gepäck, weil er nichts besaß. Ergriffen nahm ich seine Hilfe an. Während wir in der brennenden Sonne nebeneinander hergingen, gelobte ich mir, im Andenken an ihn, hinfort auf allen Bahnhöfen nach beladenen Menschen Ausschau zu halten und ihnen Hilfe zu leisten, was ich auch gehalten habe. Einmal aber bin ich durch solches Anerbieten in Verdacht gekommen, diebische Absichten zu haben.

Zwischen Tarascon und Lyon wurden wir auf einem Bahnhof von einem Komitee von Damen und Herren lieb empfangen und zu reichlich gedeckten Tischen geleitet. Während wir uns an dem Mahle gütlich taten, wurden unsere Gastgeber aber merkwürdig verlegen und traten nach kurzer Beratung untereinander abseits. Sie waren sich nämlich darüber klar geworden, daß wir gar nicht die Gäste waren, denen der Empfang und das Essen gelten sollte. Sie erwarteten Leute aus den besetzten Gebieten in Nordfrankreich, die von den Deutschen nach einer zeitweiligen Internierung über die Schweiz nach Frankreich abgeschoben wurden und nun in Südfrankreich untergebracht werden sollten. Als der

Station die Ankunft und der Aufenthalt eines „Train d'internés" gemeldet wurde, meinte das Komitee, das sich zur Fürsorge für jene durchreisenden Vertriebenen gebildet hatte, es handle sich um diese, und wurde seines Irrtums erst gewahr, als die Essenden statt französisch elsässisch sprachen. Die Situation war so komisch, daß auch das getäuschte Komitee zu guter Letzt ins Lachen kam. Das Schönste an der Sache war aber, daß die meisten von uns, da alles so schnell vor sich ging und sie vollauf mit Essen beschäftigt waren, von dem Vorgang nichts bemerkt hatten und in der guten Meinung davonfuhren, einem ihnen zugedachten guten Essen die gebührende Ehre angetan zu haben.

Auf der Weiterfahrt wurde unser Zug durch Wagen aus andern Lagern, die ihm auf den verschiedenen Stationen nach und nach angehängt wurden, immer länger. Zwei dieser Wagen waren mit ausgetauschten Korbflickern, Kesselflickern, Scherenschleifern, Landstreichern und Zigeunern gefüllt.

An der Schweizer Grenze wurde unser Zug so lange zurückgehalten, bis telegraphisch gemeldet war, daß der Gegenzug mit denen, gegen die wir ausgetauscht wurden, ebenfalls an der Schweizer Grenze angelangt sei.

In der Frühe des 15. Juli kamen wir in Zürich an. Zu meinem Erstaunen wurde ich aus dem Zug geholt, da der Professor der Theologie Arnold Meyer, der Sänger Robert Kaufmann und andere Freunde von mir sich zu meiner Begrüßung eingefunden hatten. Sie wußten schon seit Wochen, daß ich kommen würde! Auf der Fahrt nach Konstanz standen wir die ganze Zeit am Fenster und konnten uns an den wohlgepflegten Feldern und den sauberen Häusern der Schweiz nicht satt sehen. Es erschien uns unfaßlich, daß wir uns in einem Lande befanden, das den Krieg nicht kannte.

Grausig war der Eindruck, den wir in Konstanz empfingen. Hier hatten wir zum erstenmal das Hungerelend vor Augen, von dem wir bisher nur vom Hörensagen wußten. Lauter blasse, abgemagerte Menschen auf den Straßen! Wie müde sie umhergingen! Daß sie sich überhaupt noch aufrecht hielten!

Meine Frau erhielt die Erlaubnis, alsbald mit ihren Eltern, die uns hierher entgegengekommen waren, nach Straßburg zu fahren. Ich selber mußte mit den anderen Ausgetauschten noch einen Tag in Konstanz verbringen und warten, bis alle uns betreffenden Formalitäten erledigt waren. In der Nacht kam ich in Straßburg an. Kein Licht brannte in den Straßen! Keine Helligkeit schien aus den Wohnungen heraus! Der Fliegerangriffe wegen mußte die Stadt in vollständigem Dunkel liegen. In die entlegene Gartenvorstadt, wo die Eltern meiner Frau wohnten, konnte ich nicht gelangen. Nur mit Mühe fand ich den Weg zum Hause von Frau Fischer bei St. Thomas.

*

Da Günsbach im militärischen Operationsgebiet lag, bedurfte es vieler Gänge und vieler Gesuche, bis ich die Erlaubnis erhielt, meinen Vater aufzusuchen. Die Bahn ging nur noch bis Colmar. Die 15 Kilometer von dort gegen die Vogesen mußten zu Fuß zurückgelegt werden.

Dies also war das friedliche Tal, von dem ich am Karfreitag 1913 Abschied genommen hatte! Dumpf dröhnten Kanonenschüsse von den Bergen. Auf den Straßen wandelte man zwischen mit Stroh belegten Drahtgittern wie zwischen hohen Mauern einher. Sie sollten den feindlichen Batterien auf dem Kamme der Vogesen den im Tale stattfindenden Verkehr verbergen. Überall ausgemauerte Stellungen für Maschinengewehre! Zerschossene Häuser! Berge, die ich als bewaldet in Erinnerung hatte, standen kahl da. Nur einige Stämme hie und da hatte das Granatfeuer übriggelassen. In den Dörfern war der Befehl angeschlagen, daß jedermann stets die Gasmaske mit sich tragen müsse.

Günsbach, der letzte bewohnte Ort vor den Schützengräben, verdankte es den Bergen, zwischen denen es versteckt lag, daß es von der Artillerie auf dem Vogesenkamme nicht schon längst vernichtet worden war. Inmitten der vielen Soldaten und zwischen zerschossenen Häusern gingen die Bewohner ihrer Beschäftigung nach, als gäbe es keinen Krieg. Daß sie das Ohmt von den Wiesen nicht am Tage, sondern nur nachts heimfahren durften, war ihnen so selbstverständlich geworden wie daß sie beim Alarm in die Keller sollten und jeden Augenblick den Befehl erhalten konnten, das Dorf, eines drohenden feindlichen Angriffes wegen, unter Zurücklassung ihrer Habe alsbald zu verlassen.

Mein Vater war gegen alle Gefahren so gleichgültig geworden, daß er bei Beschießungen, statt mit den andern den Keller aufzusuchen, in seinem Studierzimmer verblieb. Daß es eine Zeit gegeben hatte, wo er das Pfarrhaus nicht mit Offizieren und Soldaten geteilt hatte, konnte er sich nicht mehr vorstellen.

Schwer aber lastete auf den gegen den Krieg abgestumpften Menschen die Sorge um die Ernte. Es herrschte eine furchtbare Trockenheit. Das Getreide vertrocknete; die Kartoffeln standen ab. Auf vielen Wiesen war das Gras so dünn, daß sich das Mähen nicht lohnte. Aus den Ställen erscholl das Gebrüll des hungernden Viehs. Zog ein Wetter am Horizont auf, so gab es keinen Regen, sondern nur Wind, der der Erde die letzte Feuchtigkeit entzog, und Staubwolken, in denen das Gespenst des Hungers einherfuhr.

Unterdessen hatte auch meine Frau die Erlaubnis erhalten, nach Günsbach zu kommen.

Vergebens hatte ich gehofft, in den heimatlichen Bergen die Mattigkeit samt dem bald leichter, bald schwerer auftretenden Fieber, an dem ich schon in der letzten Zeit zu St. Rémy gelitten hatte, loszuwerden. Es ging mir von Tag zu Tag schlechter. Gegen Ende August führten mich das hohe Fieber und quälende Schmerzen darauf, daß es sich um eine Spätfolge der in Bordeaux überstandenen Dysenterie handelte, die einen alsbaldigen chirurgischen Eingriff erforderte. Sechs Kilometer weit schleppte ich mich, von meiner Frau begleitet, gegen Colmar zu, bis wir eine Fahrgelegenheit fanden. Am 1. September wurde ich in Straßburg von Professor Stoltz operiert.

Als ich wieder einigermaßen arbeitsfähig war, bot mir der Straßburger Bürgermeister Schwander die Stelle eines Assistenten am Bürgerspitale an, die ich mit Freuden annahm, da ich nicht wußte, wovon ich leben sollte. Ich erhielt zwei Frauensäle in der Dermatologischen Klinik zugewiesen. Zugleich wurde ich wieder Vikar zu St. Nicolai. Großen Dank schulde ich dem Thomaskapitel, daß es mir das leerstehende Nicolaipfarrhaus am Nicolausstaden als Wohnung zur Verfügung stellte, obwohl ich, weil nur Vikar, kein Anrecht darauf hatte.

Nach dem Waffenstillstand, durch den das Elsaß aus deutscher in französische Verwaltung überging, hatte ich den Dienst zu St. Nicolai einige Zeit lang allein zu versehen. Pfarrer Gerold, der wegen antideutscher Äußerungen von der deutschen Regierung seines Amtes enthoben worden war, war von der französischen noch nicht wieder eingesetzt, und Pfarrer Ernst, der Nachfolger von Pfarrer Knittel, hatte seine Stelle wegen nicht genügend französischer Gesinnung aufgeben müssen.

In der Zeit des Waffenstillstandes und in den beiden auf ihn folgenden Jahren war ich eine den Zollbeamten der Rheinbrücke wohlbekannte Persönlichkeit, weil ich gar manchmal mit einem Rucksack voll Lebensmittel nach Kehl wanderte, um von dort aus hungernden Freunden in Deutschland etwas zukommen zu lassen. Insbesondere ließ ich es mir angelegen sein, Frau Cosima Wagner und den greisen Maler Hans Thoma samt seiner Schwester Agathe zu versorgen. Hans Thoma kannte ich seit Jahren durch Frau Charlotte Schumm, die Witwe seines Jugendfreundes.

XVI
ASSISTENZARZT IM SPITAL UND PREDIGER ZU ST. NICOLAI

In der wenigen freien Zeit, die mir meine beiden Ämter ließen, beschäftigte ich mich mit den Choralvorspielen Bachs, um das in Lambarene entworfene Manuskript für die drei letzten Bände der amerikanischen Bachausgabe, wenn ich wieder in seinen Besitz käme, alsbald druckfertig machen zu können. Da diese Sendung aber immer noch nicht eintraf, und der amerikanische Verleger auch keine Lust zeigte, alsbald mit der Veröffentlichung zu beginnen, so ließ ich diese Arbeit liegen und wandte mich wieder der Kulturphilosophie zu. Bis heute bin ich, trotz des Drängens des unterdessen wieder unternehmungslustig gewordenen Verlegers, nicht dazu gekommen, die drei Bände der Choralvorspiele zu veröffentlichen.

In Erwartung des afrikanischen Manuskripts der Kulturphilosophie beschäftigte ich mich mit den Weltreligionen und den in ihnen vorliegenden Weltanschauungen. Wie ich die bisherige Philosophie daraufhin untersucht hatte, inwieweit sie ethische Welt- und Lebensbejahung als Antrieb zur Kultur enthält, so suchte ich nun festzustellen, was das Judentum, das Christentum, der Islam, die Zarathustra-Religion, der Brahmanismus, der Buddhismus, der Hinduismus und die Religiosität des chinesischen Denkens an Welt- und Lebensbejahung, Welt- und Lebensverneinung und Ethik enthalten. Dabei fand ich meine Ansicht, daß Kultur auf ethische Welt- und Lebensbejahung zurückgehe, vollauf bestätigt.

Die ausgesprochen welt- und lebenverneinenden Religionen (Brahmanismus und Buddhismus) zeigen kein Interesse für Kultur. Das Judentum der prophetischen Epoche, die fast gleichzeitig auftretende Zarathustra-Religion und die Religiosität der chinesischen Denker enthalten in ihrer ethischen Welt- und Lebensbejahung starke Antriebe zur Kultur. Sie wollen die gesellschaftlichen Zustände besser gestalten und rufen den Menschen zu sinnvollem Tun im Dienste zu verwirklichender und allgemeiner Ziele auf, wo die pessimistischen Religionen ihn in Kontemplation mit sich selbst verharren lassen.

Die jüdischen Propheten Amos und Jesaja (760–700 v. Chr.), Zarathustra (7. Jahrhundert v. Chr.) und Kungtse (560–480 v. Chr.) bedeuten den großen Wendepunkt in der Geistesgeschichte der Menschheit. Zwischen dem 8. und 6. Jahrhundert erheben sich denkende Menschen, die drei fern voneinander wohnenden, in keiner Beziehung zueinander stehenden Völkern angehören, miteinander zur Erkenntnis, daß das Ethische nicht in Unterworfenheit unter die überlieferte Volkssitte, sondern in tätiger Hingabe des Einzelnen an seine Nebenmenschen oder an die Ziele der Bessergestaltung der gesellschaftlichen Zustände bestehe. In dieser großen Revolution beginnt die geistige Menschwerdung des Menschen und mit ihr die der Höchstentwicklung fähige Kultur.

Das Christentum und der Hinduismus sind weder rein welt- und lebenbejahend, noch rein welt- und lebenverneinend, sondern enthalten Welt- und Lebensbejahung und Welt- und Lebensverneinung nebeneinander und in Spannung miteinander. Dementsprechend können sie sowohl kulturverneinend als kulturbejahend auftreten.

Kulturverneinend ist das Christentum, weil es, in Weltenderwartung entstanden, für eine Verbesserung der Zustände der natürlichen Welt kein Interesse zeigt. Zugleich aber ist es in eminenter Weise kulturbejahend insofern, als es tätige Ethik enthält. Als kulturzerstörend hat es sich in der antiken Welt betätigt. Es ist mit schuld daran, daß die Bestrebungen des späteren Stoizismus, das römische Weltreich zu reformieren und eine ethische Menschheit zu schaffen, ohne Erfolg blieben. Dabei kommen die ethischen Anschauungen des Spätstoizismus, wie wir ihn durch Epiktet und andere kennen, denen von Jesus ganz nahe. Es wirkte sich aber die Tatsache aus, daß die christliche Ethik mit einer welt- und lebenverneinenden Weltanschauung verbunden war.

Dadurch, daß das Christentum in der Neuzeit, durch Renaissance, Reformation und Aufklärung hindurchgehend, die ihm von der Weltenderwartung des Urchristentums her anhaftende Welt- und Lebensverneinung ablegte und der Welt- und Lebensbejahung Raum gab, wurde es zu einer auf Verwirklichung von Kultur hinarbeitenden Religion.

Als solche war es an dem Kampfe gegen Unwissenheit, Unzweckmäßigkeit, Grausamkeit und Ungerechtigkeit beteiligt, aus dem in der Neuzeit eine neue Welt hervorging. Nur dadurch, daß sich die gewaltigen ethischen Energien des Christentums mit dem Fortschrittswillen der neuzeitlichen Welt- und Lebensbejahung verbanden und sich in den Dienst der Zeit stellten, konnten das 17. und 18. Jahrhundert die Kulturarbeit leisten, die wir ihnen zu danken haben.

In dem Maße aber, wie die im 18. Jahrhundert zurückgedrängte Welt- und Lebensverneinung durch mittelalterliche und nachmittelalterliche Tendenzen in ihm wieder an Bedeutung gewinnt, hört das Christentum auf, eine Kraft zur Kultur zu sein, und fängt an, sich auch wieder kulturhemmend bemerkbar zu machen, wie die Geschichte unserer Zeit zur Genüge zeigt.

Im Hinduismus hat die Welt- und Lebensbejahung sich gegen die Welt- und Lebensverneinung nie wirklich durchsetzen können. Niemals kam es hier zu einem Bruch mit der pessimistischen Tradition, wie er im Christentum des 16., 17. und 18. Jahrhunderts durch kraftvolle Denker vollzogen wurde. So war der Hinduismus, trotz seiner ethischen Triebe, nicht imstande, in seinen Landen eine der christlichen vergleichbare Kulturarbeit zu leisten.

Der Islam ist nur seiner Ausdehnung nach eine Weltreligion. Geistig konnte er sich zu einer solchen nicht entwickeln, weil er kein in die Tiefe der Dinge gehendes Denken über die Welt und den Menschen in sich aufkommen ließ. Wo sich ein solches in ihm regte, kämpfte er es nieder, um die Autorität der überlieferten Anschauungen zu wahren. Trotzdem trägt der heutige Islam noch stärkere Tendenzen zur Mystik und zu ethischer Vertiefung in sich, als es den Anschein hat.

*

Während ich mit solchen Arbeiten beschäftigt war, erhielt ich, einige Tage vor Weihnachten 1919, durch Erzbischof Nathan Söderblom eine Einladung, nach Ostern 1920 für die Olaus-Petri-Stiftung Vorlesungen an der Universität Upsala zu halten. Diese Aufforderung kam mir ganz unerwartet. Die ganze Zeit nach dem Kriege hindurch hatte ich in meiner Straßburger Abgeschlossenheit das Gefühl eines unter ein Möbel gerollten und dort verlorenen Groschens gehabt. Nur einmal war ich seither wieder mit der Welt draußen in Berührung gekommen: als ich im Oktober 1919, mit vieler Mühe glücklich in den Besitz eines Passes gelangt, alle mir verfügbaren Mittel zusammenraffte und nach Barcelona fuhr, um mich dort vor den Freunden des Orféo Català wieder auf der Orgel hören zu lassen. Bei diesem ersten Wiederhinauskommen in die Welt erfuhr ich, daß ich als Künstler noch etwas galt.

Auf der Rückfahrt hatte ich von Tarascon bis Lyon Matrosen des Kreuzers „Ernest Renan" als Reisegenossen. Als ich sie frug, was das für ein Mann gewesen sei, dessen Namen sie an den Mützen trügen, antworteten sie: „Man hat uns nichts von ihm erzählt. Aber es wird wohl ein gestorbener General gewesen sein."

In den Kreisen der Wissenschaft hätte ich mich für gänzlich vergessen halten können ohne die Liebe und Güte, die mir die theologischen Fakultäten zu Zürich und zu Bern entgegenbrachten.

Als Gegenstand meiner Vorlesungen zu Upsala wählte ich das Problem von Welt- und Lebensbejahung und Ethik in der Philosophie und in den Weltreligionen. Als ich an die Ausarbeitung ging, waren die in Afrika zurückgelassenen Kapitel der „Kulturphilosophie" noch immer nicht in meinem Besitz. Ich mußte sie also neu schreiben. Zuerst war ich darüber sehr unglücklich. Später aber bemerkte ich, daß diese zweimalige Ausarbeitung der Arbeit von Nutzen sei, und söhnte mich mit meinem Schicksal aus.

Erst im Sommer 1920, nach meiner Rückkehr aus Upsala, gelangte das Afrikamanuskript endlich in meine Hände.

In Upsala fand ich nun zum ersten Male ein Echo auf die Gedanken, die ich fünf Jahre lang mit mir herumgetragen hatte. In der letzten Vorlesung, in der ich die Grundgedanken der Ethik der Ehrfurcht vor dem Leben entwickelte, war ich so bewegt, daß ich nur mit Mühe sprechen konnte.

Als müder, gedrückter, noch kränkelnder Mann – im Sommer 1919 hatte ich mich einer zweiten Operation unterziehen müssen – war ich nach Schweden gekommen. In der herrlichen Luft Upsalas und in der guten Atmosphäre des erzbischöflichen Hauses, in dem meine Frau und ich zu Gaste waren, genas ich und wurde wieder ein arbeitsfroher Mensch.

*

Aber noch lasteten auf mir die Schulden, die ich während des Krieges für den Weiterbetrieb des Spitals bei der Pariser Missionsgesellschaft und Pariser Bekannten gemacht hatte. Als der Erzbischof auf einem Spaziergang von dieser Sorge erfuhr, riet er mir, es mit Orgelkonzerten und Vorträgen in Schweden – wo damals vom Kriege her noch viel Geld im Lande war – zu versuchen, und versah mich mit Empfehlungen nach verschiedenen Städten. Ein Student der Theologie, Elias Söderstrom (er starb als Missionar einige Jahre danach), bot sich mir als Reisebegleiter an. Neben mir auf dem Podium oder auf der Kanzel stehend, übersetzte er meine Vorträge über das Urwaldspital Satz für Satz so lebendig, daß die Leute nach wenigen Augenblicken vergaßen, daß sie einen übersetzten Vortrag hörten. Wie kam es mir jetzt zustatten, daß ich mir in den Gottesdiensten zu Lambarene die Technik, durch den Mund eines Dolmetschers zu reden, angeeignet hatte!

Die Hauptsache dieser Technik besteht darin, daß man in kurzen, einfach und klar gebauten Sätzen spricht, den Vortrag auf das sorgfältigste mit dem Übersetzer zuvor durchgeprobt hat und ihn dann in der ihm bekannten Fassung hält. Auf diese Weise hat der Dolmetscher gar keine Anstrengung zu machen, den Sinn des zu übersetzenden Satzes zu erfassen, sondern er fängt ihn wie einen Ball auf, den er alsbald den Hörern zuwirft. Verfährt man auf diese Art, so kann man selbst wissenschaftliche Vorträge mit Übersetzer halten, was viel besser ist, als wenn der Redner den Hörern und sich die Qual bereitet, in einer Sprache zu reden, die er mangelhaft beherrscht.

An den nicht großen, aber im Klang wundervollen alten

schwedischen Orgeln hatte ich viel Freude. Auf das beste kamen sie meiner Art Bach wiederzugeben entgegen.

Im Laufe von wenigen Wochen brachte ich durch Konzerte und Vorträge so viel zusammen, daß ich alsbald die drückendsten Schulden abtragen konnte.

Als ich Mitte Juli den schwedischen Boden verließ, auf dem ich so viel Gutes erfahren hatte, stand mir der Entschluß fest, mein Werk in Lambarene wieder aufzunehmen. Vorher hatte ich gar nicht daran zu denken gewagt, sondern mich mit der Idee vertraut gemacht, einmal wieder in den akademischen Lehrberuf zurückzukehren, wobei ich nach Andeutungen, die mir vor der Abreise nach Schweden gemacht worden waren, meine Hoffnungen auf die Schweiz setzen durfte. Im Jahre 1920 wurde ich von der theologischen Fakultät zu Zürich zum Ehrendoktor ernannt.

XVII
DAS BUCH DER AFRIKAERINNERUNGEN

Zu Hause ging ich alsbald daran, unter dem Titel „Zwischen Wasser und Urwald" meine Afrikaerinnerungen niederzuschreiben. Der Lindbladsche Verlag zu Upsala hatte ein solches Buch bei mir bestellt. Die Arbeit war nicht leicht, denn der Verleger hatte mich auf soundsoviel tausend Worte festgelegt. Als ich fertig war, mußte ich mehrere tausend über Bord werfen, was mir mehr Mühe verursachte als die ganze Niederschrift. Zuletzt hätte noch das ganze Kapitel über Holzhauer und Holzflößer im Urwald in Wegfall kommen sollen. Auf meine Bitten nahm der Verleger das Manuskript aber mit diesem überzähligen Stück an.

Daß ich gezwungen war, mit Worten zu rechnen, ist dem Buche zum Vorteil geraten. Seither habe ich mich selber – auch in der Ausarbeitung der „Kulturphilosophie" – zu höchster Sparsamkeit im Ausdruck angehalten.

In der Übersetzung von Baronin Greta Lagerfelt erschien „Zwischen Wasser und Urwald" auf schwedisch im Jahre 1921. In demselben Jahre noch kam es dann auf deutsch (zunächst in der Schweiz) und auf englisch unter dem Titel „On the Edge of the Primeval Forest", in der Übersetzung meines Freundes C. T. Campion heraus. Später wurde es noch auf holländisch, französisch, dänisch und finnisch veröffentlicht.

Die herrlichen Bilder, die das Buch schmücken, gehen in der Mehrzahl auf Photographien zurück, die Herr Richard Claßen aus Hamburg (den ich bei seiner nachherigen Gefangennahme mit Medikamenten versah) im Sommer 1914, als er zu Holzeinkäufen in der Gegend von Lambarene weilte, aufgenommen hatte.

Über mein Wirken im Urwalde Äquatorialafrikas berichten zu sollen, wurde mir zu einer Gelegenheit, mich auch zu den schweren Problemen der Kolonisation unter den primitiven Völkern zu äußern.

Haben wir Weißen ein Recht, primitiven und halbprimitiven Völkern – nur auf solche bezieht sich meine Erfahrung – unsere Herrschaft aufzudrängen? Nein, wenn wir sie nur beherrschen und materielle Vorteile aus ihrem Lande ziehen wollen. Ja, wenn es uns Ernst damit ist, sie zu erziehen und zu Wohlstand gelangen zu lassen. Bestände irgendwie die Möglichkeit, daß diese Völker wirklich für sich lebten, so könnte man sie sich selber überlassen. Nun ist aber der Welthandel, der zu ihnen gekommen ist, eine Tatsache, gegen die weder wir noch sie etwas vermögen. Durch den Welthandel sind sie bereits Unfreie geworden. Ihre wirtschaftlichen und sozialen Verhältnisse werden durch ihn ins Wanken gebracht. In unabwendbarer Entwicklung kam es dahin, daß die Häuptlinge, durch die Waffen und das Geld, die ihnen der Welthandel zur Verfügung stellte, die Masse der Eingeborenen in absoluter Weise knechteten und sie zu Sklaven machten, die zur Bereicherung einiger weniger für den Export arbeiten mußten. Es kam auch vor, daß sie selber, wie zur Zeit des Sklavenhandels, zur Ware wurden, die Geld, Blei, Pulver, Tabak und Schnaps eintrug. Auf Grund der durch den Welthandel geschaffenen Lage kann es sich bei diesen Völkern also nicht um eine wirkliche Selbständigkeit handeln, sondern nur darum, ob es für sie besser ist, der Habgier eingeborener Machthaber auf Gnade und Ungnade ausgeliefert zu sein, oder von Beamten europäischer Staaten regiert zu werden.

Daß von denjenigen, die die Besitzergreifung der kolonialen Länder in unserem Namen und Auftrag betrieben, viele es an Ungerechtigkeit, Gewalttätigkeit und Grausamkeit den eingeborenen Häuptlingen gleich taten und damit eine große Schuld auf uns geladen haben, ist nur zu wahr. Auch von dem, was noch heute an den Eingeborenen gesündigt wird, darf nichts verschwiegen und beschönigt werden. Aber den kolonialen primitiven und halbprimitiven Menschen eine Selbständigkeit geben zu wollen, die ihnen unabwendbar zur Knechtung durch ihresgleichen werden würde, ist kein Wiedergutmachen unserer Verfehlungen gegen sie. Gangbar ist nur der Weg, daß wir die tatsächlich gegebene Herrschaft zum Wohle der Eingeborenen ausüben und sie dadurch zu einer sittlich gerechtfertigten machen. Selbst der bisherige „Imperialismus“ kann einiges für sich anführen, das ethischen Wert hat. Er hat dem Sklavenhandel ein Ende gesetzt; er hat die ständigen Kriege, die die primitiven Völker vordem gegeneinander führten, zum Aufhören gebracht und damit großen Teilen der Welt einen dauernden Frieden geschenkt; er bemüht sich vielfach, in den Kolonien Verhältnisse zu schaffen, die einer Ausbeutung der Bevölkerung durch den Welthandel entgegenwirken. Ich wage nicht auszudenken, welches das Los der eingeborenen Holzfäller in den Wäldern des Ogowegebietes sein würde, wenn die Obrigkeit, die zur Zeit ihre Rechte den weißen und schwarzen Unternehmern gegenüber wahrt, in Wegfall käme.

Was die sogenannte Selbstverwaltung für primitive und halbprimitive Völker bedeutet, ist daraus zu entnehmen, daß in der Negerrepublik Liberia die Haussklaverei und die noch weit schlimmere zwangsweise Verschiffung von Arbeitern ins Ausland bis in unsere Tage bestanden. Am 1. Oktober 1930 wurden sie, auf dem Papiere, aufgehoben.

*

Das Tragische ist, daß die Interessen der Kolonisation und die der Zivilisation nicht immer in der gleichen Richtung laufen, sondern vielfach in Antagonismus zueinander stehen. Das beste für die primitiven Völker wäre, wenn sie in möglichster Abgeschlossenheit von dem Welthandel, unter einsichtiger Verwaltung langsam die Entwicklung von Nomaden und Halbnomaden zu seßhaften Ackerbauern und Handwerkern durchmachten. Dies wird aber dadurch unmöglich gemacht, daß sich diese Völker selber nicht vorenthalten lassen wollen, durch Lieferungen an den Welthandel Geld verdienen zu können, wie der Welthandel seinerseits nicht darauf verzichten will, Produkte von ihnen zu erhalten und Waren an sie abzusetzen. Dadurch wird es sehr schwer gemacht, eine Kolonisation durchzuführen, die zugleich eine wirkliche Zivilisation bedeutet. Der wahre Reichtum dieser Völker würde darin bestehen, daß sie dahin kämen, möglichst alles, was sie zum Leben notwendig haben, durch Ackerbau und Gewerbe selber hervorzubringen. Statt dessen sind sie einseitig darauf bedacht, das, was der Welthandel braucht und gut bezahlt, zu liefern. Vermittelst des dafür erhaltenen Geldes beziehen sie dann Fertigwaren und Lebensmittel von ihm, womit sie das einheimische Gewerbe unmöglich machen und oft sogar den Bestand ihrer Landwirtschaft gefährden. In dieser Lage befinden sich alle primitiven und halbprimitiven Völker, die dem Welthandel Reis, Baumwolle, Kaffee, Kakao, Mineralien, Holz und anderes anzubieten haben.

In Zeiten, wo der Holzhandel gut geht, herrscht ständig Hungersnot im Ogowegebiet, weil die Eingeborenen das Anlegen von Pflanzungen unterlassen, um möglichst viele Bäume zu schlagen. In den Sümpfen und Wäldern, in denen sie sich dann dieser Arbeit hingeben, leben sie von importiertem Reis und importierten Konserven, die sie sich aus dem Erlös ihrer Arbeit beschaffen.

Im Sinne der Zivilisation kolonisieren heißt also dahin wirken, daß bei den in dieser Art gefährdeten primitiven und halbprimitiven Völkern nur so viele Arbeitskräfte in den Dienst des Exports treten, als das heimische Gewerbe und die mit der Lieferung der für das Land notwendigen Lebensmittel beschäftigte Landwirtschaft entbehren können. Je dünner die betreffende Kolonie bevölkert ist, desto schwieriger wird es, die Interessen der gedeihlichen Entwicklung des Landes mit denen des Welthandels in Einklang zu bringen. Steigender Export beweist nicht immer, daß eine Kolonie vorwärts kommt, sondern kann auch besagen, daß sie auf dem Wege ist, zugrunde zu gehen.

Auch Straßen- und Bahnbauten werden in den Kolonien mit primitiver Bevölkerung zu einem schweren Problem. Sie sind notwendig, damit die Greuel des Trägerdienstes ein Ende nehmen, in Zeiten der Hungersnot Lebensmittel in die bedrohten Gegenden geschafft werden können und der Handel in Aufschwung kommt. Zugleich aber besteht Gefahr, daß sie die gedeihliche Entwicklung des Landes gefährden. Dies ist der Fall, wenn sie mehr Arbeitskräfte in Anspruch nehmen, als das Land normalerweise stellen kann. Auch mit der Tatsache, daß koloniale Straßen- und Bahnbauten große Verluste an Menschenleben mit sich bringen, selbst wenn, was leider nicht immer der Fall ist, für die Unterkunft und die Verpflegung der Arbeiter so gut wie möglich gesorgt wird, ist zu rechnen. Es kann vorkommen, daß die Gegend, der der Bau der Straße oder der Bahn dienen sollte, durch ihn ruiniert wird. Die Erschließung des Landes ist also mit Bedacht vorzunehmen. Die als notwendig und als möglich unternommenen Arbeiten führe man langsam, gegebenenfalls sogar mit Unterbrechung durch, wodurch erfahrungsgemäß viele Menschenleben gespart werden.

Im Interesse der Entwicklung des Landes kann es notwendig

werden, entlegene Dörfer an die Bahn oder an die Straße zu versetzen. Aber nur wenn es nicht anders geht, unternehme man solche und andere Eingriffe in die Menschenrechte der Eingeborenen. Wieviel Mißstimmung wird in den Kolonien fort und fort dadurch hervorgerufen, daß Zwangsmaßregeln in Anwendung gebracht werden, die nur im Hirne eines Beamten, der sich bemerkbar machen will, zweckmäßig sind!

Hinsichtlich der heute viel verhandelten Frage der Berechtigung oder Nichtberechtigung des Arbeitszwanges stehe ich auf dem Standpunkte, daß der Eingeborene unter keinen Umständen von der Behörde genötigt werden darf, auf kürzere oder längere Zeit für ein privates Unternehmen zu arbeiten, auch wenn ihm dies als eine dem Staate entrichtete Steuer oder ein ihm geleisteter Frondienst angerechnet wird. Nur Arbeit, die im Interesse des öffentlichen Wohles zu tun ist und unter Aufsicht der Behörde vor sich geht, darf den Eingeborenen auferlegt werden.

Man meine auch nicht, den Eingeborenen zur Arbeit zu erziehen, indem man immer höhere Steuern von ihm verlangt. Wohl muß er dann, um das geforderte Geld entrichten zu können, Arbeit übernehmen. Aber durch diesen versteckten Arbeitszwang wird er ebensowenig als durch den offenen aus einem untätigen zu einem tätigen Menschen. Ungerechtigkeit kann kein moralisches Ergebnis haben.

In allen Kolonien der Welt sind die Steuern heute bereits so hoch, daß sie von der Bevölkerung kaum geleistet werden können. In unüberlegter Weise hat man die Kolonien mit Anleihen belastet, deren Zinsen fast nicht aufzubringen sind.

Die Probleme der Erziehung der Eingeborenen sind mit den wirtschaftlichen und sozialen verquickt und nicht weniger kompliziert als diese. Ackerbau und Handwerk sind das Fundament der Kultur. Nur wo es vorhanden ist, sind die Voraussetzungen für die Bildung und das Bestehen einer kaufmännisch und intellektuell beschäftigten Bevölkerungsschicht gegeben. Mit den Eingeborenen der Kolonien aber – und sie selber verlangen es so! – verfährt man, als ob nicht Ackerbau und Handwerk, sondern Lesen und Schreiben der Anfang der Kultur seien. Durch Schulen, die einfach den europäischen nachgebildet sind, macht man sie zu „Gebildeten", die sich über manuelle Arbeit erhaben dünken und nur kaufmännisch und intellektuell tätig sein wollen. Soweit sie nicht in den Kontoren der Handelshäuser und den Schreibstuben der Verwaltung die ihnen zusagende Beschäftigung finden, sitzen sie dann als Nichtstuer und Räsonneure umher. Das Unglück aller Kolonien – und nicht nur derer mit primitiver und halbprimitiver Bevölkerung! – ist, daß die, die die

Schule durchmachen, größtenteils dem Ackerbau und dem Handwerk verloren gehen, statt zu deren Entwicklung beizutragen. Durch diese Deklassierung nach oben hin werden ganz ungesunde wirtschaftliche und soziale Verhältnisse geschaffen. Richtig kolonisieren heißt also, die Eingeborenen in der Art erziehen, daß sie dem Ackerbau und dem Handwerk nicht entfremdet, sondern zugeführt werden. Mit dem intellektuellen Lernen muß auf der kolonialen Schule der Erwerb jeglicher Art von Handfertigkeit einhergehen. Für ihre Kultur ist es wichtiger, daß die Eingeborenen lernen Ziegel brennen, mauern, Stämme zu Brettern zersägen, mit Hammer, Hobel und Meißel umgehen, als daß sie in Lesen und Schreiben glänzen und gar mit a + b und x + y rechnen können.

*

Vor allem aber kommt es darauf an, daß dem Aussterben der primitiven und halbprimitiven Völker Halt geboten wird. Bedroht ist ihre Existenz durch den Alkohol, den der Handel ihnen zuführt, durch Krankheiten, die wir ihnen gebracht haben, und Krankheiten, die unter ihnen bereits bestanden, aber, wie die Schlafkrankheit, erst durch den Verkehr, den die Kolonisation mit sich brachte, die Verbreitung fanden, die sie heute zu einer Gefahr für Millionen macht.

Dem Unheil, das die Alkoholeinfuhr für diese Völker bedeutet, kann nicht dadurch begegnet werden, daß man Schnaps und Rum verbietet, Wein und Bier aber weiter zuläßt. In den Kolonien sind Wein und Bier viel gefährlichere Getränke als in Europa, weil ihnen, damit sie in den tropischen und subtropischen Gegenden haltbar sind, reiner Alkohol zugesetzt worden ist. Der Ausfall an Schnaps und Rum wird durch einen gewaltigen Mehrverbrauch von solchem Wein und solchem Bier reichlich wettgemacht. Daß der Alkohol das Seine zum Zugrundegehen der primitiven und halbprimitiven Völker beiträgt, läßt sich also nur dadurch verhindern, daß verboten wird, alkoholhaltige Getränke jeglicher Art bei ihnen einzuführen.

Den Kampf gegen die Krankheiten hat man in fast allen Kolonien zu spät und zunächst mit viel zu geringer Energie unternommen. Daß er heute mit einiger Aussicht auf Erfolg geführt werden kann, verdanken wir den Waffen, die uns die neueste medizinische Wissenschaft in die Hand gibt.

Vielfach wird die Notwendigkeit, den Eingeborenen der Kolonien ärztliche Hilfe zu bringen, damit begründet, daß es gelte, das Menschenmaterial zu erhalten, ohne welches die Kolonien wertlos würden. In Wirklichkeit aber handelt es sich um viel mehr als um eine wirtschaftliche Frage. Es ist undenkbar, daß wir Kulturvölker den uns durch die Wissenschaft zuteil gewordenen Reichtum in Mitteln gegen Krankheit, Schmerz und Tod für uns behalten. Wenn irgendwelches ethische Denken unter uns ist, so können wir nicht anders, als ihn auch denen zugute kommen zu lassen, die in der Ferne noch größerer körperlicher Not unterworfen sind als wir. Neben den von den Regierungen entsandten Ärzten, die immer nur hinreichen werden, einen Teil der zu tuenden Arbeit zu bewältigen, müssen noch andere hinausgehen, die von der menschlichen Gesellschaft als solcher beauftragt sind. Wer unter uns durch das, was er erlebt hat, wissend geworden ist über Schmerz und Angst, muß mithelfen, daß denen draußen in leiblicher Not Hilfe zuteil werde, wie sie ihm widerfuhr. Er gehört nicht mehr ganz sich selber an, sondern ist Bruder aller derer geworden, die leiden. Der „Brüderschaft der vom Schmerz Gezeichneten" liegt das ärztliche Humanitätswerk in den Kolonien ob. Als ihre Beauftragten sollen Ärzte unter den Elenden in der Ferne vollbringen, was im Namen der wahren Kultur vollbracht werden muß.

Im Vertrauen auf die elementare Wahrheit, die dem Gedanken der „Brüderschaft der vom Schmerz Gezeichneten" innewohnt, habe ich das Spital zu Lambarene zu gründen gewagt. Sie wurde begriffen und macht ihren Weg.

Zuletzt ist alles, was wir den Völkern der Kolonien Gutes erweisen, nicht Wohltat, sondern Sühne für das viele Leid, das wir Weiße von dem Tage an, da unsere Schiffe den Weg zu ihren Gestaden fanden, über sie gebracht haben. Politisch sind die kolonialen Probleme, wie sie sich herausgebildet haben, nicht zu lösen. Das Neue, das kommen muß, ist, daß Weiß und Farbig sich in ethischem Geiste begegnen. Dann erst wird Verständigung möglich sein.

An der Schaffung dieses Geistes arbeiten, heißt zukunftsreiche Weltpolitik treiben.

XVIII
IN GÜNSBACH UND AUF REISEN

Am Sonntag vor Palmsonntag 1921 hatte ich die Freude, bei der ersten Aufführung der Bachschen Matthäuspassion im Orféo Català zu Barcelona – es war die Uraufführung dieses Werkes in Spanien – die Orgel zu spielen.

Im April 1921 gab ich meine beiden Stellungen in Straßburg auf, für den Unterhalt meines Lebens hinfort auf die Feder und die Orgel zählend. Um in Ruhe an der „Kulturphilosophie“ arbeiten zu können, zog ich mit meiner Frau und dem Kinde – einer 1919 am 14. Januar, meinem Geburtstage, geborenen Tochter – zu meinem Vater in das trauliche Pfarrhaus zu Günsbach. Als Absteigequartier in Straßburg, wo ich mich der Bibliothek wegen oft längere Zeit aufhalten mußte, hatte ich ein Mansardenzimmer bei Frau Pfarrer Dietz-Härter in einem alten Hause der Knoblochgasse.

Freilich wurde die Arbeit durch viele Reisen unterbrochen. Von verschiedenen Universitäten erhielt ich Aufforderungen, Vorlesungen über die Kulturphilosophie oder über Probleme des Urchristentums zu halten. Auch galt es, durch Vorträge über das Spital zu Lambarene die Mittel für die Fortführung des Werkes zusammenzubringen. Durch Orgelkonzerte mußte ich meine und meiner Familie Existenz für die Jahre, wo ich wieder in Afrika sein würde, sicherstellen.

Im Herbst 1921 war ich in der Schweiz. Von hier ging es im November nach Schweden. Ende Januar kam ich von Schweden nach Oxford, um im Mansfield-College Vorlesungen im Auftrage der Dale-Stiftung zu halten. Nachher hielt ich Vorlesungen in den Selly-Oak-Colleges zu Birmingham (Über das Christentum und die Weltreligionen), zu Cambridge (Über die Bedeutung der Eschatologie) und in der Religionswissenschaftlichen Gesellschaft zu London (Über das Paulinische Problem). Auch eine Reihe von Orgelkonzerten gab ich in England.

Mitte März 1922 kehrte ich von England für weitere Konzerte und Vorträge wieder nach Schweden zurück. Kaum heimgekehrt, war ich wieder auf Wochen für Vorträge und Konzerte in der Schweiz.

Den Sommer 1922 durfte ich ungestört an der „Kulturphilosophie“ bleiben.

Im Herbst ging es dann nach der Schweiz; danach hielt ich, auf eine Einladung der Theologischen Fakultät zu Kopenhagen hin, daselbst Vorlesungen über Ethik, an die sich dann Orgelkonzerte und Vorträge in verschiedenen dänischen Städten anschlossen.

Im Januar 1923 trug ich, auf eine durch Professor Oskar Kraus an mich ergangene Einladung hin, die „Kulturphilosophie“ in Prag vor. Mit diesem treuen Schüler Brentanos bin ich dann in ein Verhältnis herzlicher Freundschaft getreten.

Wie Wunderbares durfte ich in diesen Jahren erleben! Als ich nach Afrika ging, schickte ich mich an, drei Opfer zu bringen: die Orgelkunst aufzugeben; auf die akademische Lehrtätigkeit, an der mein Herz hing, zu verzichten; meine materielle Unabhängigkeit zu verlieren und für mein weiteres Leben auf die Hilfe von Freunden angewiesen zu sein.

Diese drei Opfer hatte ich zu bringen begonnen. Nur meine Vertrauten wußten, wie schwer sie mir fielen.

Nun aber erging es mir wie Abraham, als er sich anschickte, seinen Sohn zu opfern. Wie ihm wurde mir das Opfer erlassen. Das mir von der Pariser Bachgesellschaft geschenkte Tropenklavier mit Orgelpedal und meine über das tropische Klima triumphierende Gesundheit hatten mir erlaubt, meine Orgeltechnik zu unterhalten. In den vielen stillen Stunden, die ich in den 4½ Jahren Urwaldeinsamkeit mit Bach verbringen durfte, war ich tiefer in den Geist seiner Werke eingedrungen. So kehrte ich nicht als ein zum Amateur gewordener Künstler, sondern im Vollbesitze meiner Orgeltechnik nach Europa zurück und durfte es erleben, als Künstler jetzt mehr zu gelten als vordem.

Für die Lehrtätigkeit an der Universität Straßburg, die ich aufgegeben hatte, wurde ich dadurch entschädigt, daß ich in den Hörsälen so mancher Universitäten Vorlesungen zu halten hatte.

Nachdem ich zeitweise meine materielle Unabhängigkeit verloren hatte, durfte ich sie mir nun durch die Orgel und die Feder neu erwerben.

Daß mir das schon gebrachte dreifache Opfer erlassen wurde, ist für mich das erhebende Erlebnis gewesen, das mich in allem Schweren, das die schicksalsvolle Nachkriegszeit für mich wie für so viele andere mit sich brachte, aufrecht erhielt und zu allen Anstrengungen und zu allem Verzichten willig machte.

*

Im Frühjahr 1923 wurden die beiden ersten Bücher der „Kulturphilosophie“ fertig und erschienen noch in demselben Jahre. Das erste führt den Titel „Verfall und Wiederaufbau der Kultur“, das zweite heißt „Kultur und Ethik“.

In „Verfall und Wiederaufbau der Kultur“ lege ich die Beziehungen dar, die zwischen Kultur und Weltanschauung bestehen[1].

Schuld an dem Niedergang der Kultur trägt die Philosophie des 19. Jahrhunderts. Sie hat es nicht verstanden, die Kulturgesinnung, wie sie im Aufklärungszeitalter vorhanden war, lebendig zu erhalten. Ihre Aufgabe wäre gewesen, die vom 18. Jahrhundert unvollendet gelassene Arbeit in elementarem Denken über Ethik und Weltanschauung weiterzuführen. Statt dessen verlor sie sich im Laufe des 19. Jahrhunderts immer mehr ins Unelementare. Sie gab den Zusammenhang mit dem in den Menschen natürlich vorhandenen Suchen nach Weltanschauung preis und wurde zu einer Wissenschaft von der Geschichte der Philosophie. Aus Geschichte und Naturwissenschaft stellte sie sich eine Weltanschauung zusammen. Diese fiel ganz unlebendig aus und konnte keine Kulturgesinnung unterhalten.

Zu derselben Zeit, in der die Kultur-Weltanschauung kraftlos wurde, wurde die Kultur auch materiell bedroht. Das Menschenzeitalter brachte für die Menschen Daseinsverhältnisse mit sich, die ihnen den Besitz der Kultur erschwerten. Und weil sie keinen Halt an einer Kultur-Weltanschauung fanden, wirkten sich die kulturhemmenden Umstände an ihnen aus, ohne daß sie ihnen Widerstand entgegensetzten. Als überbeschäftigtes, einer wirklichen Sammlung nicht mehr fähiges Wesen verfiel der moderne Mensch der geistigen Unselbständigkeit, jeglicher Art von Veräußerlichung, einer falschen Wertschätzung des geschichtlich und tatsächlich Gegebenen, einem daraus entspringenden Nationalismus und einer erschreckenden Humanitätslosigkeit.

In neuem Denken müssen wir also wieder zu einer die Ideale wahrer Kultur enthaltenden Weltanschauung gelangen. Wenn wir überhaupt nur wieder anfangen, über Ethik und unser geistiges Verhältnis zur Welt nachdenkend zu werden, sind wir bereits auf dem Wege, der von der Unkultur zur Kultur zurückführt.

Kultur definiere ich ganz allgemein als geistigen und materiellen Fortschritt auf allen Gebieten, mit dem eine ethische Entwicklung der Menschen und der Menschheit einhergeht.

*

---

[1]) „Verfall und Wiederaufbau der Kultur.“ 65 Seiten. 1923. (C. H. Beck. München; Paul Haupt. Bern.) Englische, schwedische, dänische und holländische Ausgaben.

In „Kultur und Ethik" lasse ich das tragische Ringen des europäischen Denkens um die Weltanschauung ethischer Welt- und Lebensbejahung sich entrollen [1]. Gerne hätte ich zugleich auch den Kampf um die Kultur-Weltanschauung, wie er sich in den Weltreligionen abspielt, geschildert. Ich mußte aber darauf verzichten, weil das Buch sonst zu umfangreich geworden wäre. So beschränke ich mich auf einige kurze dahingehende Andeutungen.

Mit Absicht vermeide ich philosophische Fachausdrücke. Ich wende mich an denkende Menschen und will wieder elementares Denken über die in jedem Menschenwesen aufsteigenden Fragen des Daseins wecken.

Was ereignet sich in dem vergeblichen Ringen um Ethik und um tiefe Welt- und Lebensbejahung?

Das antike Denken macht gewaltige Anstrengungen, das Ethische als das Vernunftgemäße darzutun und die Welt- und Lebensbejahung als sinnvoll zu begreifen. Aber in unerbittlicher Logik wird es dazu geführt, sich der Resignation zu ergeben. Dies drückt sich darin aus, daß es bei dem Ideal des Weisen, der das Wirken in der Welt ablehnt, anlangt.

Nur in dem späteren Stoizismus, bei Marc Aurel, Epiktet und anderen, bricht eine zuversichtlich-ethische Weltanschauung durch, die dem Einzelnen ein auf die Schaffung besserer materieller und geistiger Verhältnisse gerichtetes Wirken in der Welt zur Pflicht macht. Diese spätstoische Weltanschauung ist gewissermaßen die Vorläuferin derjenigen, die dann im Aufklärungszeitalter, als die vernunftgemäße, Macht über die Gemüter gewinnt. Bei jenem ersten Auftreten vermag sie sich jedoch nicht durchzusetzen und ihre reformatorischen Kräfte nicht zu entfalten. Wohl sind ihr die großen stoischen Kaiser ergeben und versuchen, unter ihrem Einflusse, die bereits voll in Gang befindliche Dekadenz der antiken Welt aufzuhalten. Über die Menge aber bekommt jene Weltanschauung keine Gewalt.

Auf welche Weise gelangen der Spätstoizismus und der Rationalismus des 18. Jahrhunderts zu ethischer Welt- und Lebensbejahung? Dadurch, daß sie die Welt nicht nehmen wie sie ist, sondern das Weltgeschehen als Äußerung eines vernünftigen ethischen Weltwillens auffassen. Der welt- und lebenbejahende ethische Wille des Menschen interpretiert die im Weltgeschehen sich auswirkende Kraft nach seinem Sinne. Eine Lebensanschauung umgibt sich mit einer Weltanschauung, wird sich dabei aber

---

[1]) „Kultur und Ethik." 280 Seiten. 1923. (C. H. Beck. München; Paul Haupt. Bern.) – Englische Ausgabe 1923. Holländische Ausgabe 1931.

über ihr Tun nicht klar, sondern meint im Gegenteil, selber ein Ergebnis der Erkenntnis des Wesens der Welt zu sein.

Was hier vorgeht, wiederholt sich überall da, wo die Philosophie zu ethischer Welt- und Lebensbejahung gelangt. Sie folgert sie aus einer Deutung des Weltgeschehens, durch die sie sich dieses als sinnvoll und irgendwie auf einen ethischen Endzweck gehend begreiflich zu machen sucht. Daraufhin läßt sie den Menschen durch ethisches Wirken in den Dienst dieses Weltzwecks treten.

Auch bei Konfuzius und bei Zarathustra geht die ethische Welt- und Lebensbejahung auf eine dementsprechend vorgenommene Welterklärung zurück.

Solche Deutung der Welt unternehmen Kant, Fichte, Hegel und die anderen großen Denker der spekulativen Philosophie nicht mehr auf die einfache, naive Weise des ethischen Rationalismus des 18. Jahrhunderts. Sie lassen sie in komplizierten Denkoperationen vor sich gehen. Diese laufen darauf hinaus, daß die Weltanschauung der ethischen Welt- und Lebensbejahung sich aus der richtigen Lösung des erkenntnistheoretischen Problems oder aus dem logischen Begreifen der Entfaltung des reinen Seins zur Welt des Geschehens in Raum und Zeit ergeben soll.

In dem gekünstelten Denken dieser großen Systeme meinen die Gebildeten des beginnenden 19. Jahrhunderts, die Denknotwendigkeit der Weltanschauung ethischer Welt- und Lebensbejahung als erwiesen zu besitzen. Die Freude ist aber von kurzer Dauer. Um die Mitte des Jahrhunderts, unter dem Drucke einer sachlichen und naturwissenschaftlichen Denkweise, fallen diese logischen Luftschlösser in sich zusammen. Eine große Ernüchterung setzt ein. Das Denken gibt es auf, sich die Welt mit List und Gewalt begreiflich machen zu wollen. Es will sich dahin bescheiden, sich mit der Wirklichkeit, wie sie ist, auseinanderzusetzen und ihr die Motive eines Handelns im Sinne ethischer Welt- und Lebensbejahung zu entnehmen. Dabei muß es aber erleben, daß die Wirklichkeit ihm versagt, was es von ihr erwartet. Die Welt läßt sich keinen Sinn abgewinnen, in dem ethisches Wirken des Menschen sinnvoll ist.

Zwar gesteht sich das Denken das negative Resultat nicht in seinem ganzen Umfang ein. Aber dieses bekundet sich darin, daß die Weltanschauung der ethischen Welt- und Lebensbejahung und die in ihr gegebenen Kulturideale nicht mehr in Kraft sind.

Alle Versuche, die das Denken noch unternehmen könnte, durch irgendwelche Deutung der Welt zu ethischer Welt- und Lebensbejahung gelangen zu wollen, sind aussichtslos.

Die Weltanschauung der Ehrfurcht vor dem Leben ergibt sich darein, die Welt so zu nehmen, wie sie ist. Die Welt ist Grausiges in Herrlichem, Sinnloses in Sinnvollem, Leidvolles in Freudvollem. In jeder Hinsicht bleibt sie dem Menschen rätselhaft.

Aber es ist nicht so, daß wir dem Problem des Lebens ratlos gegenüberstehen, wenn wir darauf verzichten müssen, das Weltgeschehen als sinnvoll zu begreifen. Die Ehrfurcht vor dem Leben bringt uns in ein geistiges Verhältnis zur Welt, das von allem Erkennen des Weltganzen unabhängig ist. Durch das dunkle Tal der Resignation hindurch führt sie uns auf die lichten Höhen ethischer Welt- und Lebensbejahung aus innerer Notwendigkeit.

Nicht mehr sind wir darauf angewiesen, Lebensanschauung von einer Erkenntnis der Welt abzuleiten. In der Gesinnung der Ehrfurcht vor dem Leben besitzen wir eine in sich begründete Lebensanschauung, in der uns ethische Weltanschauung unmittelbar feststeht. In jedem Augenblick, in dem wir über uns selber und das Leben um uns herum denkend werden, erneuert sie sich in uns.

Nicht durch ein Erkennen, sondern durch ein Erleben der Welt kommen wir in ein Verhältnis zu ihr. Alles Denken, das in die Tiefe geht, endet in ethischer Mystik. Das Rationale setzt sich in das Irrationale fort. Die ethische Mystik der Ehrfurcht vor dem Leben ist zu Ende gedachter Rationalismus.

*

Während ich die Druckbogen von „Kultur und Ethik“ korrigierte, packte ich bereits die Kisten für die neue Fahrt nach Afrika.

Im Herbst 1923 wurde der Druck für einige Zeit unterbrochen, weil die in Nördlingen (Bayern) gelegene Druckerei des Verlegers der deutschen Ausgabe von Staats wegen requiriert worden war, um sich an der Herstellung des vielen, durch die Inflation notwendig gewordenen Papiergeldes zu beteiligen.

Daß ich mein Werk im Urwald wieder aufnehmen konnte, verdanke ich evangelischen Gemeinden des Elsasses, der Schweiz, Schwedens, Dänemarks, Englands, die mir auf Grund meiner Vorträge die Mittel dazu gegeben hatten, und lieben persönlichen Freunden, die ich nun in den meisten Ländern Europas besaß.

Vor der Ausreise nach Afrika machte ich noch meine in

den Selly-Oak-Colleges zu Birmingham gehaltenen Vorträge über das Christentum und die Weltreligionen druckfertig [1]. Sie suchen das Wesen der Weltreligionen philosophisch zu bestimmen, indem sie es auf die Stärke und das gegenseitige Verhältnis zurückführen, in welchen Welt- und Lebensbejahung, Welt- und Lebensverneinung und Ethik in der betreffenden religiösen Überzeugung vorhanden sind. Leider mußte ich mir für diese Zusammenfassung meiner Untersuchung über die Weltreligionen eine zu große Kürze auferlegen, da ich sie in der Form jener Vorlesungen zu veröffentlichen hatte.

Daß ich über dem Packen noch meine Kindheits- und Jugenderinnerungen niederschrieb, hängt mit einer Begegnung zusammen, die ich mit meinem Freunde Dr. O. Pfister, dem bekannten Zürcher Psychoanalytiker, hatte. Im Frühsommer 1923, auf der Fahrt von der Westschweiz nach der Ostschweiz, hatte ich zwei Stunden Aufenthalt in Zürich und kehrte bei ihm ein. Er tränkte mich und gab mir Gelegenheit, den müden Leib auszustrecken. Zugleich aber nötigte er mich, ihm Begebenheiten aus meiner Kindheit, wie sie mir gerade in den Sinn kämen, zu erzählen, zur Verwertung in einer Jugendzeitschrift. Später ließ er mir dann das, was er in jenen zwei Stunden nachstenographiert hatte, zukommen. Ich bat ihn, es nicht zu veröffentlichen, sondern es mir zur Vervollständigung zu überlassen. Kurz vor meiner Abfahrt nach Afrika, an einem Sonntagnachmittage, als Regen und Schnee durcheinandergingen, schrieb ich als Schlußwort zum Erzählten Gedanken nieder, die mich im Rückblick auf meine Jugend bewegten [2].

---

[1]) „Das Christentum und die Weltreligionen." 59 Seiten. 1924. (C. H. Beck. München; Paul Haupt. Bern.) – Englische Ausgabe „Christianity and the Religions of the World" 1923. (Allen & Unwin. London.) Später dänische, schwedische, holländische und japanische Ausgaben.

[2]) „Aus meiner Kindheit und Jugendzeit." 64 Seiten. 1924. (Paul Haupt. Bern; C. H. Beck. München.) – Englische Ausgabe 1924. (Allen & Unwin. London.) Später schwedische, holländische, dänische und französische Ausgaben.

XIX
ZUM ZWEITENMAL IN AFRIKA. 1924–1927

—

Am 14. Februar 1924 verließ ich Straßburg. Meine Frau konnte mich, ihrer angegriffenen Gesundheit wegen, diesmal nicht begleiten. Daß sie das Opfer brachte, unter diesen Umständen mit der Wiederaufnahme des Wirkens in Lambarene einverstanden zu sein, habe ich nicht aufgehört ihr zu danken. In meiner Begleitung befand sich ein junger Oxforder Student der Chemie, Nöel Gillespie, den seine Mutter mir für einige Monate anvertraute, damit er mir eine Hilfe wäre.

Bei der Einschiffung in Bordeaux kam ich dem Zollbeamten, der das Gepäck der Ausreisenden prüfte, verdächtig vor. Ich führte nämlich vier Kartoffelsäcke voll unerledigter Briefe mit mir, die ich im Verlaufe der Seefahrt beantworten wollte. Da ihm noch kein Reisender mit soviel Briefen vorgekommen war und da damals die Geldausfuhr aus Frankreich strengstens verboten war – jeder Reisende durfte nur 5000 Franken mit außer Land nehmen –, dachte er nicht anders, als daß in den Briefen Geldscheine versteckt seien. Also untersuchte er anderthalb Stunden lang Brief um Brief, bis er am Ende des zweiten Sackes die Sache kopfschüttelnd aufgab.

Nach einer langen Fahrt auf dem holländischen Frachtdampfer „Orestes", die mir Gelegenheit gab, die Plätze der Westküste Afrikas näher kennenzulernen, traf ich am 19. April, am Samstag vor Ostern, bei Sonnenaufgang, wieder in Lambarene ein.

Vom Spital stand nur noch die kleine Wellblechbaracke und das aus Hartholz gearbeitete Gerippe einer der großen Bambushütten. Alle anderen Gebäude waren im Verlaufe der sieben Jahre meines Fernseins verfault und zusammengebrochen. Der Pfad, der vom Spital zum Doktorhäuschen auf dem Hügel führte, war so mit Gras und Schlingpflanzen überwachsen, daß ich seine Windungen kaum wiederfand. Nun galt es zunächst, die morschen und ganz durchlöcherten Blätterdächer des Doktorhäuschens und der beiden noch aufrecht stehenden Bauten des Spitals auf das notdürftigste auszubessern. Nachher richtete ich die verfallenen Hütten des Spitals wieder auf. Diese Arbeit nahm mich viele Monate in Anspruch und ermüdete mich so, daß ich nicht fähig war, abends, wie ich es geplant hatte, an die Überarbeitung des aus dem Jahre 1911 stammenden Manuskripts der Mystik des Apostels Paulus zu gehen, das ich nun zum zweiten Male mit nach Afrika genommen hatte.

Mein Leben verlief in der Art, daß ich morgens Arzt und nachmittags Baumeister war. Leider waren, wie bei meinem ersten Aufenthalte, keine Arbeiter zu haben, da der nach dem Kriege wieder aufblühende Holzhandel alle verfügbaren Kräfte beschäftigte.

So mußte ich mich mit einigen „Freiwilligen" behelfen, die als Begleiter von Kranken oder als Genesende im Spital waren und ohne Enthusiasmus Arbeit leisteten, wenn sie es nicht für besser hielten, an dem betreffenden Tage unauffindbar zu sein.

In jener ersten Zeit des zweiten Afrikaaufenthaltes kam einmal ein alter, schon etwas verafrikanerter Holzhändler auf der Durchfahrt mit mir zu Mittag essen. Als er vom Tische aufstand, glaubte er mir eine Liebenswürdigkeit schuldig zu sein. „Doktor", sagte er, „ich weiß, daß Ihr so schön Harmonium spielt. Auch ich liebe die Musik. Und wenn ich jetzt nicht alsbald aufbrechen müßte, um vor dem Tornado zu Hause zu sein, hätte ich Euch gebeten, mir eine Fuge von Goethe vorzutragen."

Da die Zahl der Kranken ständig zunahm, ließ ich im Laufe der Jahre 1924 und 1925 zwei Ärzte und zwei Pflegerinnen aus Europa kommen.

Endlich, im Herbst 1925, war das Spital wieder so ziemlich aufgebaut. Schon freute ich mich darauf, in den Abendstunden nun an die Arbeit über Paulus gehen zu können. Da setzte – weil im ganzen Lande über dem Holzschlagen das Anbauen von Lebensmitteln versäumt worden war – eine schwere Hungersnot ein. Gleichzeitig trat eine furchtbare Dysenterieepidemie auf. Die beiden Ereignisse nahmen meine Mitarbeiter und mich monatelang ganz in Anspruch. Wie viele Fahrten mußten wir mit unseren beiden Motorbooten „Tack så mycket" und „Raarup" (das eine ein Geschenk schwedischer, das andere jütländischer Freunde) unternehmen, um irgendwo Reis aufzutreiben, wenn nichts mehr zur Ernährung der Insassen des Spitals vorhanden war.

*

Die Dysenterieepidemie machte mir die Notwendigkeit klar, das Spital auf einen größeren Platz zu verlegen. Auf der Missionsstation konnte es sich nicht ausdehnen, weil das mir dort zur Verfügung stehende Gelände durch den Fluß, Sümpfe und steile Hügel eingeschlossen war. Die Bauten, die auf ihm unterzubringen waren, reichten allenfalls für die 50 Kranken samt ihren Begleitern aus der früheren Zeit aus, aber nicht für die 150, die wir nun allabendlich zu beherbergen hatten.

Wohl war mir dies schon während des Wiederaufbaus des Spitals zum Bewußtsein gekommen. Aber ich hatte gehofft, daß die hohe Zahl von Kranken nur vorübergehend wäre. Nun zeigte mir die Dysenterieepidemie aber noch überdies, in welcher Gefahr sich mein Spital dadurch befand, daß ich nicht über Isolierbaracken für ansteckende Kranke verfügte. Dadurch, daß ich die Dysenteriekranken nicht in der erforderlichen Weise von den anderen Patienten fernhalten konnte, wurde das ganze Spital verseucht. Es waren furchtbare Zeiten!

Ein großer Übelstand war auch, daß ich nicht genügend Raum für Geisteskranke hatte. Öfters kam ich in die Lage, gefährliche Geisteskranke nicht aufnehmen zu können, weil die beiden Zellen, über die ich verfügte, besetzt waren.

So raffte ich mich schweren Herzens zum Entschluß auf, das Spital drei Kilometer stromaufwärts auf einen Platz zu verlegen, wo es sich nach Belieben ausdehnen konnte. Im Vertrauen auf die Freunde meines Werkes glaubte ich die großen Kosten wagen zu dürfen, bei dieser Verlegung die allzeit reparaturbedürftigen, mit Blätterdächern gedeckten Bambushütten durch Wellblechbauten zu ersetzen. Um das Spital gegen die Überschwemmungen des Flusses und gegen die nach schweren Gewittern von den Abhängen der Hügel herunterkommenden Wasser zu sichern, wurde ich ein modern-prähistorischer Mensch und führte es als ein Pfahlbaudorf in Wellblechbaracken auf.

Den Dienst im Spital überließ ich nun fast ganz meinen Kollegen Dr. Neßmann (einem Elsässer), Dr. Lauterburg (einem Schweizer) und Dr. Trensz (einem Elsässer, der Dr. Neßmann ablöste). Ich selbst wurde nun für anderthalb Jahre der Aufseher der Arbeiter, die auf dem ausersehenen Platze den Wald umhieben und das Bauen betrieben. Dieses Amt mußte ich selber übernehmen, weil die ständig wechselnde Schar der sich aus Begleitern von Kranken und Genesenden rekrutierenden „Freiwilligen" nur die Autorität des „alten" Doktors gelten ließ. Als Aufseher einer Arbeiterkolonne, die Bäume fällte, erhielt ich die Nachricht, daß die Philosophische Fakultät der deutschen Universität zu Prag mich zum Ehrendoktor ernannt hatte.

Als der Bauplatz freigelegt war, ging ich daran, Land urbar zu machen. Welche Wonne empfand ich, dem Urwald Feld abzugewinnen!

Jahr um Jahr wird seither daran gearbeitet, daß um das Spital herum ein Garten Eden entstehe. Hunderte von jungen Fruchtbäumen, die wir aus Kernen gezogen haben, sind schon gesetzt. Hier soll einmal so viel Obst wachsen, daß jeder sich nach Belieben nehmen darf und der Diebstahl damit also abgeschafft wird. Was die Früchte der Papayastaude, des Mangobaumes und der Ölpalme angeht, sind wir bereits so weit. Die von uns in Mengen gepflanzten Papayastauden werfen bereits einen die Bedürfnisse des Spitals übersteigenden Ertrag ab. Mangobäume und Ölpalmen aber standen im umliegenden Walde so viele, daß sie nach Niederlegung der übrigen Bäume ganze Haine ausmachten. Kaum waren sie von dem Schlinggewächs, in dem sie erstickten, und von den Baumriesen, die sie überschatteten, befreit worden, fingen sie alsbald an zu tragen.

Natürlich gehörten diese Fruchtbäume nicht zum ursprünglichen Bestande des Urwalds. Die Mangobäume waren von Dörfern her, die vorzeiten am Ufer standen, in den Wald eingedrungen; die Ölpalmen waren aus Früchten erwachsen, die die Papageien von den Ölpalmen in der Nähe der Dörfer fortgetragen und fallen gelassen hatten. An sich gibt es im Urwalde Äquatorialafrikas keine Bäume mit eßbarer Frucht. Der Wanderer, dem die Vorräte unterwegs ausgehen, ist dem Hungertod geweiht. Bekanntlich sind die Bananenstaude, die Maniokstaude, die Ölpalme, der Mangobaum und so viele andere Nahrung spendende Gewächse in Äquatorialafrika nicht heimisch, sondern wurden hier erst durch die Europäer, von den westindischen Inseln her, eingeführt.

Leider läßt sich hier Obst, der Hitze und der Feuchtigkeit wegen, nicht aufbewahren. Kaum gepflückt fängt es an zu faulen.

Für die vielen Bananen, deren ich zur Ernährung der Kranken bedarf, werde ich trotz des Gartens Eden aber immer auf die Zufuhr aus den umliegenden Dörfern angewiesen bleiben. Die Bananen, die ich mit bezahlten Arbeitern ziehe, kommen mich nämlich viel teurer als die, die mir die Eingeborenen aus eigenen, günstig am Wasser gelegenen Pflanzungen liefern. Obstbäume besitzen die Eingeborenen fast keine, weil sie nicht dauernd auf demselben Fleck wohnen, sondern die Dörfer stetig verlegen.

Da sich auch die Bananen nicht aufbewahren lassen, muß ich stets einen bedeutenden Vorrat an Reis haben für den Fall, daß in der Umgegend nicht genügend im Ertrag stehende Bananenpflanzungen vorhanden sind.

Daß ich nicht gleich mit dem Bau eines neuen Spitals begonnen, sondern vorerst das alte wieder aufgebaut hatte, war kein Unglück gewesen. Die dabei gesammelten Erfahrungen kamen mir nun sehr zustatten. Ohne einen schwarzen Zimmermann, Monenzali mit Namen, der als einziger die ganze Zeit bei der Arbeit verblieb, hätte ich das Werk nicht ausführen können. Für die letzten Monate kam mir ein junger Zimmermann aus der Schweiz zu Hilfe.

Aus dem Plane, nach zwei Jahren nach Europa zurückzukehren, wurde also auch bei diesem zweiten Wirken in Afrika nichts. Ich mußte dreieinhalb Jahre bleiben. Abends war ich von dem ständigen Herumlaufen in der Sonne so abgespannt und abgestumpft, daß ich sozusagen nicht zum Schreiben kam. Nur zum regelmäßigen Üben auf dem Klavier mit Orgelpedal reichte die Energie. So blieb die „Mystik des Paulus" unvollendet liegen. In der Kunst aber kam ich in diesen Jahren voran.

Von dieser zweiten Tätigkeit in Afrika berichten die „Mitteilungen aus Lambarene"[1]. Sie enthalten Aufzeich-

---

[1] „Mitteilungen aus Lambarene." Erstes und zweites Heft (Frühjahr 1924 – Herbst 1925). 164 Seiten. Drittes Heft (Herbst 1925 – Sommer 1927). 74 Seiten. C. H. Beck. München. Schwedische, englische und holländische Ausgaben. Die englische Ausgabe (1931) führt den Titel „More from the Primeval Forest".

nungen, wie ich sie als Berichte für die Freunde des Werkes zwischen der Arbeit hinwarf.

Während meiner Abwesenheit besorgten Frau Emmy Martin zu Straßburg, Herr Pfarrer D. theol. Hans Baur zu Basel und mein Schwager Herr Pfarrer Albert Woytt zu Oberhausbergen bei Straßburg die in Europa für das Spital zu erledigende Arbeit. Ohne den aufopfernden Beistand dieser und anderer Freiwilliger hätte das so in die Breite gegangene Unternehmen nicht bestehen können.

*

Als ein Teil der Bauten fertig war, ging am 21. Januar 1927 der Umzug der Kranken aus dem alten Spital ins neue vor sich. Auf der letzten Fahrt brachte ich am Abend dieses Tages die Geisteskranken mit hinauf. Ihre Wächter wurden nicht müde, ihnen immer und immer wieder zu schildern, daß sie im neuen Spital in Zellen mit Fußböden aus Holz wohnen würden. In denen des alten hatten sie die feuchte Erde als Fußboden.

Als ich an jenem Abend im Spital herum ging, scholl es mir von allen Feuern und aus allen Moskitonetzen entgegen: „Das ist eine gute Hütte, Doktor, eine gute Hütte!" Zum ersten Male, seitdem ich in Afrika wirkte, waren meine Kranken menschenwürdig untergebracht!

Im April 1927 konnte ich die Aufsicht über die Arbeiter, die den Urwald um das Spital herum ausrodeten, an die eben angekommene Frau C. E. B. Russell abgeben, da diese das Talent besaß, sich bei ihnen Gehorsam zu verschaffen. Unter ihrer Leitung wurde dann auch mit der Anlage einer Pflanzung begonnen. Seither habe ich ganz allgemein die Erfahrung gemacht, daß die Autorität der weißen Frau von unseren Primitiven leichter anerkannt wird als die von uns Männern.

Bis gegen die Mitte des Sommers dieses Jahres brachte ich dann noch mehrere Baracken fertig. Nun besaß ich ein Spital, in welchem, wenn es sein mußte, über 200 Kranke mit ihren Begleitern unterkommen konnten. Gewöhnlich waren es in den letzten Monaten 140 bis 160 gewesen. Für die Isolierung der Dysenteriekranken war gut gesorgt. Das Gebäude für die Geisteskranken wurde mit den Mitteln aufgeführt, die die Guildhouse-Gemeinde zu London mir zum Andenken an ihr verstorbenes Mitglied Mr. Ambrose Pomeroy-Cragg stiftete.

Nachdem nun noch das Notwendigste für die Inneneinrichtung getan war, konnte ich das Spital den Kollegen überlassen und an die Heimkehr denken. Am 21. Juli verließ ich Lambarene. Mit mir kehrten Frl. Mathilde Kottmann, die seit dem Sommer 1924 als Pflegerin im Spital wirkte, und die Schwester von Dr. Lauterburg nach Europa zurück. In Lambarene verblieb Frl. Emma Haußknecht, der dann bald andere Pflegerinnen zu Hilfe kamen.

XX
ZWEI JAHRE IN EUROPA. DRITTES WIRKEN IN AFRIKA

Von den zwei Jahren, die ich nun in Europa verlebte, war ich ein gut Teil auf Konzert- und Vortragsreisen.

Den Herbst und den Winter 1927 verbrachte ich in Schweden und Dänemark. Im Frühjahr und Frühsommer 1928 war ich in Holland und in England, im Herbst und im Winter in der Schweiz, in Deutschland und der Tschechoslowakei.

1929 unternahm ich mehrere Konzertreisen in Deutschland. War ich nicht auf Reisen, so lebte ich bei Frau und Kind in dem Höhenluftkurort Königsfeld im Schwarzwald oder in Straßburg.

Viel Unruhe und Arbeit hatte ich damit, daß ich mehrmals für Ärzte und Pflegerinnen in Lambarene alsbaldigen Ersatz finden und absenden mußte, weil sie das Klima nicht gut ertrugen oder wegen Familienangelegenheiten früher als vorgesehen nach Hause zurück mußten. Als neue Ärzte gewann ich Dr. Mündler, Dr. Hediger, Dr. Stalder und Frl. Dr. Schnabel, alle vier aus der Schweiz. In tiefe Trauer wurden wir alle durch das Hinscheiden eines Schweizer Arztes, Dr. Erich Dölken, versetzt, der im Oktober 1929 auf der Fahrt nach Lambarene im Hafen von Grand Bassam eines plötzlichen, wohl durch Herzschlag verursachten Todes starb.

Alle freie Zeit während meines Europaaufenthaltes verwandte ich auf die Fertigstellung der „Mystik des Apostels

Paulus". Ein drittes Mal wollte ich das Manuskript nicht wieder nach Afrika mitnehmen. Bald hatte ich mich wieder ganz in den Stoff hineingefunden. Langsam entstand Kapitel um Kapitel [1].

Pauli Mystik des Seins in Christo erklärt sich aus der Vorstellung, die er vom Kommen des messianischen Reiches und des Weltendes hat. Auf Grund von Anschauungen, die er, wie auch die anderen Gläubigen jener ersten Zeit, aus dem Judentum übernommen hat, nimmt er an, daß diejenigen, die an Jesum als den kommenden Messias glauben, mit ihm in überirdischer Seinsweise im messianischen Reiche leben werden, während ihre ungläubigen Zeitgenossen und die Menschen der früheren Generationen seit Anbeginn der Welt vorerst noch im Grabe ruhen müssen. Erst am Ende des messianischen Reiches, das als etwas Überirdisches, aber dennoch als etwas Vorübergehendes gedacht ist, findet, nach der spätjüdischen Anschauung, die allgemeine Totenauferstehung zum Weltgericht statt. Mit dieser erst bricht die Zeit der Ewigkeit an, in der Gott „Alles in Allem ist", das heißt, in der alle Dinge in Gott zurückkehren.

Daß die, die an Christum als den Messias glauben, durch Teilhaben am messianischen Reich früher als alle anderen Menschen in die Seinsweise der Auferstehung eingehen, erklärt Paulus dadurch, daß sie mit Christus eine besondere Art der Leiblichkeit gemeinsam haben. Ihr Glaube an ihn ist nur ein Ausdruck dafür, daß Gott sie von jeher dazu ausersehen hat, Gefährten des Messias zu sein. Kraft dieser mystisch-naturhaften Zusammengehörigkeit mit ihm wirken sich von der Zeit seines Todes und seiner Auferstehung an die Sterbens- und Auferstehungskräfte, die an ihm ihr Werk taten, ebenfalls an ihnen aus. Damit hören diese Gläubigen auf, natürliche Menschen wie andere zu sein. Sie werden zu Wesen, die in Verwandlung aus dem natürlichen in den übernatürlichen Zustand begriffen sind und das Ansehen von natürlichen Menschen nur noch wie eine Hülle an sich tragen, um sie, beim Anbrechen des messianischen Reiches, alsbald abzuwerfen. In geheimnisvoller Weise sind sie mit Christo und in Christo bereits gestorben und auferstanden, wie sie ja auch in Bälde mit ihm in der Seinsweise der Auferstehung leben werden.

*

In der Mystik des „Seins in Christo" und des „Gestorben- und Auferstandenseins mit Christo" liegt also eine Überspan-

---

[1]) „Die Mystik des Apostels Paulus." 405 Seiten. 1930. J. C. B. Mohr (Siebeck). Tübingen.
Wenige Tage, nachdem er die englische Übersetzung der Mystik des Apostels Paulus vollendet hatte, verstarb W. Montgomery eines plötzlichen Todes.

nung der eschatologischen Erwartung vor. Den Glauben an das unmittelbar bevorstehende Anbrechen des Reiches denkt Paulus in die Erkenntnis aus, daß mit dem Tode und der Auferstehung Jesu die Verwandlung des Irdischen in das Überirdische tatsächlich schon in Gang gekommen sei. Es handelt sich also um eine Mystik, die sich aus der Annahme eines kosmischen Geschehens ergibt.

Aus diesem Wissen um die Bedeutung der Gemeinschaft mit Christo ergibt sich für Paulus die zu betätigende Ethik. Mit dem jüdischen Gesetz haben die Gläubigen nichts mehr zu tun, da dieses nur für natürliche Menschen gilt. Also darf man es den an Christum gläubig gewordenen Heiden nicht auferlegen. Was ethisch ist, weiß der, der mit Christo in Gemeinschaft steht, unmittelbar aus dem Geiste Christi, an dem er teil hat.

Während für die anderen Gläubigen das ekstatische Reden und Zustände der Verzückung den höchsten Erweis des Besitzes des Geistes bedeuten, wendet Paulus die Lehre vom Geiste ins Ethische. Ihm zufolge ist der Geist, den die Gläubigen besitzen, der Geist Jesu, dessen sie durch die geheimnisvolle Gemeinschaft, in der sie mit ihm stehen, teilhaftig geworden sind. Dieser Geist Jesu ist die himmlische Lebenskraft, die sie zum Sein im Auferstehungszustand bereitet, wie sie in ihm Auferstehung bewirkte. Zugleich ist er die Macht, die sie zwingt, durch das Anderssein als die Welt sich als solche zu bewähren, die dieser Welt nicht mehr angehören. Die höchste Erweisung des Geistes ist die Liebe. Die Liebe ist das Ewige, das Menschen schon jetzt besitzen können, wie es an sich ist.

So hat in der eschatologischen Mystik der Gemeinschaft mit Christo alles Metaphysische eine ethische Bedeutung. Die Suprematie des Ethischen in der Religion legt Paulus für alle Zeiten in dem Worte fest: „Nun aber bleibt Glaube, Hoffnung, Liebe, diese drei; aber die Liebe ist die Größte unter ihnen." Diese ethische Auffassung des Christseins beweist er in einem Wirken voller Dienen.

Jesu Wort von Brot und Wein als seinem Leib und Blut deutet Paulus nach seiner Lehre von der mystischen Gemeinschaft mit Christo und läßt demnach den Sinn des Abendmahls darin bestehen, daß die Feiernden durch solches Essen und Trinken Gemeinschaft mit Jesus eingehen. Die Taufe als Beginn der Erlösung durch Christus ist ihm Beginn des Sterbens und Auferstehens mit Christo.

Die Lehre von der Rechtfertigung allein durch den Glauben, die durch Jahrhunderte hindurch als das Hauptstück der Religion des Paulus galt, ist in Wirklichkeit eine von der Mystik der Gemeinschaft mit Christo eingegebene Auffassung der urchristlichen Lehre vom Sühnetod Jesu. Um seinen judenchristlichen Gegnern besser begegnen zu können, unternimmt es Paulus, den Glauben an die erlösende Bedeutung des Opfertodes Jesu in der Art zu formulieren, daß er zugleich die sich aus der Mystik der Gemeinschaft mit Christo ergebende Gewißheit von der Nicht-Mehr-Geltung des Gesetzes in sich enthält. So gelangt er dazu, den Judenchristen gegenüber, den Werken – er meint die Werke des jüdischen Gesetzes! – eine Bedeutung neben dem Glauben nicht zuzuerkennen, während er in seiner Mystik ethische Werke als Erweis der Gemeinschaft mit Christo fordert.

Die für den Kampf gegen das Judenchristentum geschaffene Lehre der Gerechtigkeit allein durch den Glauben hat eine große Bedeutung dadurch erlangt, daß zu allen Zeiten diejenigen, die sich gegen Veräußerlichung des Christentums durch Werkgerechtigkeit erhoben, sich auf sie berufen und mit der Autorität Pauli siegen konnten. Andererseits hat die gekünstelte Logik, in der Paulus diese Lehre als bereits im Alten Testament enthalten darzutun sucht, zum Aufkommen einer falschen Meinung von ihm Anlaß gegeben. Er wurde als derjenige gescholten, der an die Stelle des einfachen Evangeliums Jesu ein kompliziertes Dogma gesetzt habe. In Wirklichkeit aber ist Paulus, trotz des Rabbinischen, das seiner Art zu argumentieren hie und da anhaftet, ein gewaltiger, elementarer Denker. Nicht dem Buchstaben, aber dem Geiste nach setzt er das einfache Evangelium Jesu fort. Indem er den eschatologischen Glauben an Jesum und an das Reich Gottes zur Mystik der Gemeinschaft mit Jesu Christo ausdenkt, gibt er ihm eine Fassung, in der er fähig wird, das Hinfälligwerden der eschatologischen Erwartung zu überdauern und in jeder Weltanschauung als ethische Christusmystik Gestalt zu gewinnen. Dadurch, daß er den eschatologischen Christusglauben bis in seine letzte Konsequenz ausdenkt, dringt er zu Gedanken über unser Verhältnis zu Jesus vor, die ihrer geistigen und ethischen Bedeutung nach endgültig und überzeitlich sind, wenn sie auch in der Metaphysik der Eschatologie entstanden.

Griechisches findet sich also bei Paulus nicht. Tatsächlich aber gibt er dem Christenglauben die Form, in der er von dem griechischen Geiste angeeignet werden kann. Ignatius und Justin, in deren Denken sich dies dann vollzieht, tun nichts anderes, als die Mystik der Gemeinschaft mit Christo in griechische Vorstellungen übersetzen.

*

Das letzte Kapitel der „Mystik des Apostels Paulus" schrieb ich im Dezember 1929 auf dem Schiff zwischen

Bordeaux und Cap Lopez, die Vorrede am Tage nach Weihnachten auf dem Flußdampfer, der mich mit meiner Frau, der Ärztin Dr. Anna Schmitz und Fräulein Marie Secretan, die für die Laboratoriumsarbeiten kam, nach Lambarene brachte.

Im Spital fand ich bei dieser dritten Ankunft in Lambarene leider wieder Bauarbeit vor. Die Baracken für die Dysenteriekranken hatten sich bei einer großen Dysenterieepidemie, die bei meiner Ankunft gerade zu Ende ging, als zu klein erwiesen. So mußte der in der Nähe gelegene Bau für die Geisteskranken für die Dysenteriekranken bestimmt und für die Geisteskranken ein neuer errichtet werden. Auf Grund der unterdessen gesammelten Erfahrungen fielen die neuen Zellen fester, und doch zugleich luftiger und heller aus als die alten. Nachher galt es noch, eine große mit Einzelbetten ausgestattete Baracke für die Schwerkranken, ein luftiges und zugleich diebessicheres Magazin für die Lebensmittelvorräte und Wohnungen für die schwarzen Heilgehilfen zu erbauen. Dies alles führte ich mit Hilfe des treuen schwarzen Zimmermanns Monenzali neben der Arbeit im Spital im Laufe eines Jahres aus. Gleichzeitig wurde das Spital durch Herrn G. Zuber, einen jungen elsässischen Holzhändler, der sich ihm für das Ende seines Aufenthaltes im Ogowegebiet mit seinen Kenntnissen in Bausachen zur Verfügung stellte, mit großen in Zement ausgeführten Sammelbehältern für Regenwasser ausgestattet und um einen luftigen Zementbau bereichert, der uns als Eßzimmer und gemeinsamer Aufenthaltsraum dient.

Gegen Ostern 1930 mußte meine Frau, da sie sich von dem Klima angegriffen fühlte, leider nach Europa zurückkehren.

Im Laufe des Sommers traf ein neuer elsässischer Arzt, Dr. Meyländer, ein.

Auf Hunderte von Kilometern im Umkreise ist das Spital jetzt bekannt. Es finden sich Leute zur Operation bei uns ein, die wochenlang unterwegs waren, um zu uns zu gelangen. Die Güte der Freunde des Werkes in Europa setzt uns in den Stand, einen mit allem Nötigen ausgerüsteten Operationssaal zu besitzen, in der Apotheke alle erforderlichen Medikamente, auch die für die Kolonialkrankheiten in Betracht kommenden, oft ziemlich teuren Spezialitäten auf Lager zu haben und die vielen Kranken, die zu arm sind, sich Lebensmittel zu kaufen, einigermaßen genügend zu ernähren. So ist es jetzt ein schönes Arbeiten in Lambarene, besonders auch, da wir nun genügend Ärzte und Krankenpflegerinnen sind, um, ohne uns aufzureiben, das Nötige zu tun. Wie können wir es den Freunden des Spitals genug danken, daß sie uns ein solches Wirken möglich machen!

Weil es nun im Spital nur noch ein schweres Arbeiten, aber nicht mehr eines „über unsere Kraft" ist, wie früher, bin ich an den Abenden noch frisch genug, mich geistig zu beschäftigen. Gar oft freilich ruht diese Arbeit der Muße auf Tage und Wochen, wenn ich von der Sorge um Operierte und Schwerkranke so erfüllt bin, daß ich nichts anderes daneben denken kann. So zieht sich auch dieses einfache Berichten über mein Leben und Schaffen, das ich mir als erste literarische Arbeit für den diesmaligen Afrikaaufenthalt vorgenommen hatte, über Monate hin.

XXI
EPILOG

Zwei Erlebnisse werfen ihre Schatten auf mein Dasein. Das eine besteht in der Einsicht, daß die Welt unerklärlich geheimnisvoll und voller Leid ist; das andere darin, daß ich in eine Zeit des geistigen Niedergangs der Menschheit hineingeboren bin. Mit beiden bin ich durch das Denken, das mich zur ethischen Welt- und Lebensbejahung der Ehrfurcht vor dem Leben geführt hat, fertig geworden. In ihr hat mein Leben Halt und Richtung gefunden.

So stehe und wirke ich in der Welt als einer, der die Menschen durch Denken innerlicher und besser machen will.

Mit dem Geiste der Zeit befinde ich mich in vollständigem Widerspruch, weil er von Mißachtung des Denkens erfüllt ist. Daß er so gesinnt ist, ist bis zu einem gewissen Grade daraus verständlich, daß das Denken das Ziel, das es sich stecken muß, bisher nicht erreicht hat. Soundso oft war es überzeugt, eine erkenntnismäßig und ethisch befriedigende Weltanschauung in einleuchtender Weise begründet zu haben. Nachher aber stellte sich immer wieder heraus, daß ihm dies nicht gelungen war.

So konnten Zweifel daran aufkommen, ob das Denken jemals imstande sein würde, uns die auf die Welt und unser Verhältnis zu ihr gehenden Fragen in der Art zu beantworten, daß wir unserem Leben Sinn und Inhalt zu geben vermöchten.

Bei der heutigen Mißachtung des Denkens ist aber noch Mißtrauen gegen es mit im Spiele. Die organisierten staatlichen, sozialen und religiösen Gemeinschaften unserer Zeit sind darauf aus, den Einzelnen dahin zu bringen, daß er seine Überzeugungen nicht aus eigenem Denken gewinnt, sondern sich diejenigen zu eigen macht, die sie für ihn bereit halten. Ein Mensch, der eigenes Denken hat und damit geistig ein Freier ist, ist ihnen etwas Unbequemes und Unheimliches. Er bietet nicht genügende Gewähr, daß er in der Organisation in der gewünschten Weise aufgeht. Alle Körperschaften suchen heute ihre Stärke nicht so sehr in der geistigen Wertigkeit der Ideen, die sie vertreten, und in der der Menschen, die ihnen angehören, als in der Erreichung einer höchstmöglichen Einheitlichkeit und Geschlossenheit. In dieser glauben sie die stärkste Widerstands- und Stoßkraft zu besitzen.

Darum empfindet der Geist der Zeit nicht Trauer, sondern Freude darüber, daß das Denken seiner Aufgabe nicht gewachsen erscheint. Er hält ihm nicht zugute, was es bei aller Unvollkommenheit schon geleistet hat. Nicht läßt er gelten, was doch Tatsache ist, daß aller bisherige geistige Fortschritt durch Leistungen des Denkens zustande gekommen ist. Auch will er nicht in Betracht ziehen, daß es in der Zukunft noch vollbringen könne, was ihm bisher nicht gelang. Auf solche Erwägungen läßt sich der Geist der Zeit nicht ein. Ihm kommt es darauf an, das individuelle Denken auf jegliche Weise zu diskreditieren. Er verfährt mit ihm nach dem Spruche „Wer da nicht hat, von dem wird auch noch genommen werden, was er hat".

Sein ganzes Leben hindurch ist der heutige Mensch also der Einwirkung von Einflüssen ausgesetzt, die ihm das Vertrauen in das eigene Denken nehmen wollen. Der Geist der geistigen Unselbständigkeit, dem er sich ergeben soll, ist in allem, was er hört und liest; er ist in den Menschen, mit denen er zusammenkommt; er ist in den Parteien und Vereinen, die ihn mit Beschlag belegt haben; er ist in den Verhältnissen, in denen er lebt. Von allen Seiten und auf die mannigfachste Weise wird auf ihn eingewirkt, daß er die Wahrheiten und Überzeugungen, deren er zum Leben bedarf, von den Genossenschaften, die Rechte auf ihn haben, entgegennehme. Der Geist der Zeit läßt ihn nicht zu sich selber kommen. Wie durch die Lichtreklamen, die in den Straßen der Großstadt aufflammen, eine Gesellschaft, die kapitalkräftig genug ist, um sich durchzusetzen, auf Schritt und Tritt Zwang auf ihn ausübt, daß er sich für ihre Schuhwichse oder ihre Suppenwürfel entscheide, so werden ihm fort und fort Überzeugungen aufgedrängt.

Durch den Geist der Zeit wird der heutige Mensch also zum Skeptizismus in bezug auf das eigene Denken angehalten, damit er für autoritative Wahrheit empfänglich werde. Dieser stetigen Beeinflussung kann er nicht den erforderlichen Widerstand leisten, weil er ein überbeschäftigtes, ungesammeltes, zerstreutes Wesen ist. Überdies wirkt die vielfache materielle Unfreiheit, die sein Los ist, in der Art auf seine Mentalität ein, daß er zuletzt auch den Anspruch auf eigene Gedanken nicht mehr aufrechterhalten zu können glaubt.

Herabgesetzt wird sein geistiges Selbstvertrauen auch durch den Druck, den das ungeheure, täglich sich mehrende Wissen auf ihn ausübt. Er ist nicht mehr imstande, sich alle bekannt werdende Erkenntnis als etwas Begriffenes anzueignen, sondern muß sie als etwas Unverstandenes für richtig halten. Durch dieses Verhalten zur Wissenschaftswahrheit kommt er in Versuchung, sich in den Gedanken hineinzufinden, daß seine Urteilskraft auch in Sachen des Denkens nicht ausreiche.

So tun die Umstände der Zeit das Ihrige, uns dem Zeitgeiste auszuliefern.

Die Saat des Skeptizismus ist aufgegangen. Tatsächlich besitzt der moderne Mensch kein geistiges Selbstvertrauen mehr. Hinter einem selbstsicheren Auftreten verbirgt er eine große geistige Unsicherheit. Trotz seiner großen materiellen Leistungsfähigkeit ist er ein in Verkümmerung begriffener Mensch, weil er von seiner Fähigkeit zu denken keinen Gebrauch macht. Es wird unbegreiflich bleiben, daß unser durch Errungenschaften des Wissens und Könnens so groß dastehendes Geschlecht geistig so herunterkommen konnte, auf das Denken zu verzichten.

*

In einer Zeit, die alles, was sie irgendwie als rationalistisch und freisinnig empfindet, als lächerlich, minderwertig, veraltet und schon längst überwunden ansieht und sogar über die im 18. Jahrhundert erfolgte Aufstellung von unverlierbaren Menschenrechten spottet, bekenne ich mich als einen, der sein Vertrauen in das vernunftmäßige Denken setzt. Ich wage unserem Geschlechte zu sagen, daß es nicht meinen soll, mit dem Rationalismus fertig zu sein, weil der bisherige zuerst der Romantik und dann einer auf dem Gebiete des Geistigen wie des Materiellen zur Herrschaft kommenden Realpolitik Platz machen mußte. Wenn es alle Torheiten dieser universellen Realpolitik durchgemacht hat und durch sie immer tiefer in geistiges und materielles Elend geraten ist, wird ihm zuletzt nichts anderes übrigbleiben, als sich einem neuen Rationalismus, der tiefer und leistungsfähiger ist als der vergangene, anzuvertrauen und in ihm Rettung zu suchen.

Verzicht auf Denken ist geistige Bankrotterklärung. Wo die Überzeugung aufhört, daß die Menschen die Wahrheit durch ihr Denken erkennen können, beginnt der Skeptizismus. Diejenigen, die daran arbeiten, unsere Zeit in dieser Art skeptisch zu machen, tun dies in der Erwartung, daß die Menschen durch Verzicht auf selbsterkannte Wahrheit zur Annahme dessen, was ihnen autoritativ und durch Propaganda als Wahrheit aufgedrängt werden soll, gelangen werden.

Die Rechnung ist falsch. Wer der Flut des Skeptizismus die Schleusen öffnet, daß sie sich über das Land ergieße, darf nicht erwarten, sie nachher eindämmen zu können. Nur ein kleiner Teil derer, die sich entmutigen lassen, in eigenem Denken Wahrheit erreichen zu wollen, findet Ersatz dafür in übernommener Wahrheit. Die Masse selber bleibt skeptisch. Sie verliert den Sinn für Wahrheit und das Bedürfnis nach ihr und findet sich darein, in Gedankenlosigkeit dahinzuleben und zwischen Meinungen hin- und hergetrieben zu werden.

Aber auch das Übernehmen autoritativer Wahrheit mit geistigem und ethischem Gehalt bringt den Skeptizismus nicht zum Aufhören, sondern deckt ihn nur zu. Der unnatürliche Zustand, daß der Mensch nicht an eine von ihm selber erkennbare Wahrheit glaubt, dauert an und wirkt sich aus. Die Stadt der Wahrheit kann nicht auf dem Sumpfboden des Skeptizismus erbaut werden. Weil unser geistiges Leben durch und durch mit Skeptizismus durchsetzt ist, ist es durch und durch morsch. Darum leben wir in einer Welt, die in jeder Hinsicht voller Lüge ist. An der Tatsache, daß wir auch die Wahrheit organisieren wollen, sind wir im Begriffe zugrunde zu gehen.

Die übernommene Wahrheit des gläubig gewordenen Skeptizismus hat nicht die geistigen Qualitäten der im Denken entstandenen. Sie ist veräußerlicht und erstarrt. Sie bekommt Einfluß auf den Menschen, aber sie vermag nicht, sich mit seinem Wesen von innen her zu verbinden. Lebendige Wahrheit ist nur die, die im Denken entsteht.

Wie der Baum Jahr für Jahr dieselbe Frucht, aber jedesmal neu bringt, so müssen auch alle bleibend wertvollen Ideen in dem Denken stets von neuem geboren werden. Unsere Zeit aber will es unternehmen, den unfruchtbaren Baum des Skeptizismus dadurch fruchtbar zu machen, daß sie Früchte der Wahrheit an seine Zweige bindet.

Allein durch die Zuversicht, in unserem individuellen Denken zu Wahrheit gelangen zu können, sind wir für Wahrheit aufnahmefähig. Das freie Denken, das Tiefe hat, verfällt nicht in Subjektivismus. Mit den eigenen Ideen bewegt es diejenigen in sich, die in der Überlieferung irgendwie als Wahrheit Geltung haben, und bemüht sich, sie als Erkenntnis besitzen zu können.

So stark wie der Wille zur Wahrheit muß der zur Wahrhaftigkeit sein. Nur eine Zeit, die den Mut der Wahrhaftigkeit aufbringt, kann Wahrheit besitzen, die als geistige Kraft in ihr wirkt.

Wahrhaftigkeit ist das Fundament des geistigen Lebens.

Durch seine Geringschätzung des Denkens hat unser Geschlecht den Sinn für Wahrhaftigkeit und mit ihm auch den für Wahrheit verloren. Darum ist ihm nur dadurch zu helfen, daß man es wieder auf den Weg des Denkens bringt.

Weil ich diese Gewißheit habe, lehne ich mich gegen den

Geist der Zeit auf und nehme mit Zuversicht die Verantwortung auf mich, an der Wiederanfachung des Feuers des Denkens beteiligt zu sein.

*

Schon durch seine Art ist das Denken der Ehrfurcht vor dem Leben in besonderer Weise befähigt, den Kampf gegen den Skeptizismus aufzunehmen. Es ist elementar.

Elementar ist das Denken, das von den fundamentalen Fragen des Verhältnisses des Menschen zur Welt, des Sinnes des Lebens und des Wesens des Guten ausgeht. In unmittelbarer Weise steht es mit dem sich in jedem Menschen regenden Denken in Verbindung. Es geht auf es ein und erweitert und vertieft es.

Solches elementare Denken liegt im Stoizismus vor. Als ich als Student den Gang durch die Geschichte der Philosophie antrat, hatte ich Mühe, mich vom Stoizismus loszureißen und meinen Weg in das nach ihm kommende, so ganz anders geartete Denken fortzusetzen. Zwar vermochten mich seine Ergebnisse nicht zu befriedigen. Aber ich hatte das Empfinden, daß diese einfache Art des Philosophierens die richtige sei, und konnte nicht begreifen, daß man sie hatte aufgeben können.

Groß erschien mir der Stoizismus dadurch, daß er auf geradem Wege auf sein Ziel losgeht, daß er allgemein verständlich und zugleich tief ist, daß er sich mit der Wahrheit, die er als solche erkennt, mag sie auch unbefriedigend sein, bescheidet, daß er dieser Wahrheit durch den Ernst, mit dem er sich ihr hingibt, Leben verleiht, daß er den Geist der Wahrhaftigkeit besitzt, daß er die Menschen anhält, sich zu sammeln und zu verinnerlichen, und daß er Verantwortungsbewußtsein in ihnen weckt. Auch den Grundgedanken des Stoizismus, daß der Mensch in ein geistiges Verhältnis zur Welt kommen und mit ihr eins werden müsse, empfand ich als wahr. Seinem Wesen nach ist der Stoizismus Naturphilosophie, die bei Mystik anlangt.

In derselben Weise wie das Denken des Stoizismus empfand ich das des Laotse, als ich mit seinem Taoteking bekannt wurde, als elementar. Auch für Laotse handelt es sich darum, daß der Mensch durch einfaches Denken in ein geistiges Verhältnis zu der Welt komme und dieses Einsgewordensein mit ihr in seinem Leben bewähre.

Der griechische und der chinesische Stoizismus sind also wesensverwandt. Sie unterscheiden sich voneinander nur dadurch, daß der griechische in entwickeltem, logischem, der chinesische in unentwickeltem, aber wunderbar tiefem, intuitivem Denken entstanden ist.

Dieses in der europäischen wie in der außereuropäischen Philosophie auftretende elementare Denken vermag die ihm zustehende Führung aber nicht zu behalten, sondern muß sie an das unelementare abgeben. Es setzt sich nicht durch, weil seine Resultate nicht befriedigen. Den Drang nach Wirken und nach ethischer Tat, der in dem Willen zum Leben des geistig entwickelten Menschen ist, vermag es nicht als sinnvoll zu begreifen. So bleibt der griechische Stoizismus bei dem Ideal der Resignation und Laotse bei dem der uns Europäer so merkwürdig anmutenden gütigen Tatenlosigkeit stehen.

Eigentlich besteht die ganze Geschichte der Philosophie darin, daß die Gedanken ethischer Welt- und Lebensbejahung, die naturhaft in dem Menschen sind, sich mit dem Ergebnis des einfachen, logischen Denkens über den Menschen und sein Verhältnis zur Welt nicht zufrieden geben können, weil sie sich in ihm nicht zu begreifen vermögen. Also nötigen sie das Denken, Umwege einzuschlagen, auf denen sie zum Ziele zu kommen hoffen. So entsteht neben dem elementaren ein vielgestaltiges unelementares Denken, das jenes umrankt und oft ganz zudeckt.

Die Umwege, die das Denken einschlägt, laufen vornehmlich in der Richtung des Versuchs einer Welterklärung, die den Willen zum ethischen Wirken in der Welt als sinnvoll dartun soll. Im Spätstoizismus eines Epiktet und eines Marc Aurel, im Rationalismus des 18. Jahrhunderts und bei Kungtse (Konfuzius), Mengtse (Mencius), Mitse (Micius) und anderen chinesischen Denkern gelangt die von dem elementaren Problem des Verhältnisses des Menschen zur Welt ausgehende Philosophie zu ethischer Welt- und Lebensbejahung dadurch, daß sie das Weltgeschehen auf einen ethische Ziele verfolgenden Weltwillen zurückführt und den Menschen für diesen in Dienst nimmt. In dem Denken der Brahmanen, Buddhas, wie überhaupt in den indischen Systemen und der Philosophie Schopenhauers, wird die andere Welterklärung aufgestellt, daß das in Raum und Zeit sich abspielende Sein sinnlos sei und zu Ende gebracht werden müsse. Das sinnvolle Verhalten des Menschen zur Welt sei also, ihr und dem Leben abzusterben.

Neben solchem wenigstens seinem Ausgangspunkt und seinen Interessen nach elementar gebliebenen Denken geht, besonders in der europäischen Philosophie, eines einher, das dadurch vollständig unelementar ist, daß es die Frage des Verhältnisses des Menschen zur Welt nicht mehr zum Mittelpunkt hat. Es beschäftigt sich mit dem erkenntnistheoretischen Problem, mit logischen Spekulationen, mit Naturwissenschaft, mit Psychologie, mit Soziologie oder mit irgend etwas anderem, als hätte es die Philosophie mit der Lösung dieser Fragen an sich zu tun oder bestünde sie gar nur in dem Sichten und Zusammenfassen der Ergebnisse der verschiedenen Wissenschaften. Statt den Menschen zu stetigem Nachdenken über sich und sein Verhältnis zur Welt anzuhalten, teilt ihm diese Philosophie Ergebnisse der Erkenntnistheorie, der logischen Spekulation, der Naturwissenschaften, der Psychologie oder der Soziologie als etwas mit, nach dem sich seine Ansicht über sein Leben und sein Verhältnis zur Welt einfach zu richten habe. Dies alles trägt sie ihm vor, als wäre er nicht ein Wesen, das in der Welt ist und sich in ihr erlebt, sondern eines, das neben ihr steht und sie anschaut.

Weil diese elementare europäische Philosophie von irgendeinem willkürlich gewählten Punkte her auf das Problem des Verhältnisses des Menschen zur Welt eingeht oder an ihm vorbeigeht, hat sie etwas Uneinheitliches, Unruhiges, Gekünsteltes, Exzentrisches und Fragmentarisches an sich. Zugleich aber ist sie die reichste und universellste. In ihren aufeinanderfolgenden und durcheinandergehenden Systemen, Halbsystemen und Nichtsystemen bekommt sie das Problem der Weltanschauung von allen Seiten her und in jeder möglichen Perspektive zu Gesicht. Auch ist sie die sachlichste insofern, als sie auf die Naturwissenschaften, die Geschichte und die Fragen der Ethik tiefer eingeht als die anderen.

Die kommende Weltphilosophie wird nicht so sehr in der Auseinandersetzung zwischen europäischem und nichteuropäischem Denken als in der zwischen elementarem und nichtelementarem Denken entstehen.

Abseits in dem Geistesleben unserer Zeit steht die Mystik. Ihrem Wesen nach ist sie elementares Denken, weil sie in unmittelbarer Weise damit beschäftigt ist, den Menschen in ein geistiges Verhältnis zur Welt gelangen zu lassen. Aber sie verzweifelt daran, daß dies in logischem Denken möglich sei, und zieht sich auf das intuitive zurück, in dem sich die Phantasie betätigen kann. In gewissem Sinne geht also auch die bisherige Mystik auf ein Denken zurück, das Umwege versucht. Da uns nur eine in logischem Denken entstandene Erkenntnis als Wahrheit gilt, können die in solcher Mystik enthaltenen Überzeugungen der Art nach, wie sie von ihr ausgesprochen und begründet sind, nicht unser geistiger Besitz werden. Überdies sind sie auch an sich nicht befriedigend. Von aller bisherigen Mystik gilt, daß ihr ethischer Gehalt zu gering ist. Sie bringt die Menschen auf den Weg der Innerlichkeit, aber nicht auch auf den der lebendigen Ethik. Die Wahrheit einer Weltanschauung hat sich darin zu erweisen, daß das geistige Verhältnis zum Sein und zur Welt, in das wir durch sie kommen, innerliche Menschen mit tätiger Ethik aus uns macht.

Gegen die Gedankenlosigkeit unserer Zeit kann also weder das unelementare Denken, das den Umweg über die Welterklärung einschlägt, noch das mystisch-intuitive etwas ausrichten. Macht über den Skeptizismus ist nur dem elementaren gegeben, das auf das natürliche Denken, das in den vielen Einzelnen vorhanden ist, eingeht und es entwickelt. Das unelementare Denken hingegen, das ihnen irgendwelche Denkresultate vorsetzt, zu denen es auf irgendeine Weise gelangt ist, ist nicht imstande, ihnen das eigene Denken zu erhalten, sondern nimmt es ihnen, um ihnen dafür ein anderes zu eigen zu geben. Diese Übernahme anderen Denkens bedeutet eine Störung und Schwächung des Eigendenkens. Sie ist ein Schritt auf dem Wege zur Übernahme von Wahrheit und damit ein Schritt zum Skeptizismus. So bereiteten die zu ihrer Zeit mit Enthusiasmus aufgenommenen großen Systeme der deutschen Philosophie zu Beginn des 19. Jahrhunderts den Boden, auf dem sich nachher Skeptizismus entwickelte.

Die Menschen wieder denkend machen heißt also, sie ihr

eigenes Denken wieder finden lassen, daß sie in ihm zur Erkenntnis, deren sie zum Leben bedürfen, zu gelangen suchen. In dem Denken der Ehrfurcht vor dem Leben findet eine Erneuerung des elementaren Denkens statt. Der Strom, der eine lange Strecke unterirdisch floß, kommt wieder an die Oberfläche.

*

Daß das elementare Denken jetzt zur ethischen Welt- und Lebensbejahung gelangt, um die es sich früher vergeblich bemühte, ist nicht eine Selbsttäuschung, sondern hängt damit zusammen, daß es durchaus sachlich geworden ist.

Früher setzte es sich mit der Welt nur als mit einer Totalität von Geschehen auseinander. Mit dieser Totalität von Geschehen kann der Mensch in kein anderes geistiges Verhältnis kommen, als daß er mit seinem natürlichen Unterworfensein unter sie durch Resignation geistig fertig zu werden sucht. Seinem Tun vermag er bei dieser Auffassung der Welt keinen Sinn zu geben. Durch keine Erwägung kann er sich in den Dienst der ihn erdrückenden Totalität des Geschehens stellen. Der Weg zur Welt- und Lebensbejahung und zur Ethik ist ihm versperrt.

Was das durch diese unlebendige und unvollständige Vorstellung der Welt behinderte elementare Denken auf natürliche Weise nicht zu erreichen vermag, sucht es dann, vergeblich, durch irgendeine Erklärung der Welt zu erzwingen. Es ist wie ein Strom, der auf seinem Wege zum Meere durch ein Gebirge aufgehalten wird. Nun suchen seine Wasser auf Umwegen einen Ausgang zu finden. Umsonst. Sie gelangen nur immer in neue Täler, die sie ausfüllen. Nach Jahrhunderten gelingt dann der gestauten Flut der Durchbruch.

Die Welt ist nicht nur Geschehen, sondern auch Leben. Zu dem Leben der Welt, soweit es in meinen Bereich tritt, habe ich mich nicht nur leidend, sondern auch tätig zu verhalten. Indem ich mich in den Dienst des Lebendigen stelle, gelange ich zu einem sinnvollen, auf die Welt gerichteten Tun.

So einfach und selbstverständlich sich die Ersetzung des unlebendigen Weltbegriffes durch die wirkliche, von Leben erfüllte Welt ausnimmt, wenn sie einmal vollzogen ist, so bedurfte es doch einer langen Evolution, bis sie möglich wurde. Wie das Gestein eines aus dem Meere emporgestiegenen Gebirges erst sichtbar wird, nachdem die es bedeckenden Kalkschichten nach und nach durch den Regen abgeschwemmt worden sind, also überlagert in den Fragen der Weltanschauung unsachliches Denken das sachliche.

Die Idee der Ehrfurcht vor dem Leben ergibt sich als die sachliche Lösung der sachlich gestellten Frage, wie der Mensch und die Welt zusammengehören. Von der Welt weiß der Mensch nur, daß alles, was ist, Erscheinung vom Willen zum Leben ist, wie er selber. Mit dieser Welt steht er im Verhältnis sowohl der Passivität wie der Aktivität. Einerseits ist er dem Geschehen unterworfen, das in dieser Gesamtheit von Leben gegeben ist; andererseits ist er fähig, hemmend oder fördernd, vernichtend oder erhaltend auf Leben, das in seinen Bereich kommt, einzuwirken.

Die einzige Möglichkeit, seinem Dasein einen Sinn zu geben, besteht darin, daß er sein natürliches Verhältnis zur Welt zu einem geistigen erhebt. Als erleidendes Wesen kommt er in ein geistiges Verhältnis zur Welt durch Resignation. Wahre Resignation besteht darin, daß der Mensch in seinem Unterworfensein unter das Weltgeschehen zur innerlichen Freiheit von den Schicksalen, die das Äußere seines Daseins ausmachen, hindurchdringt. Innerliche Freiheit will heißen, daß er die Kraft findet, mit allem Schweren in der Art fertig zu werden, daß er dadurch vertieft, verinnerlicht, geläutert, still und friedvoll wird. Resignation ist also die geistige und ethische Bejahung des eigenen Daseins. Nur der Mensch, der durch Resignation hindurchgegangen ist, ist der Weltbejahung fähig.

Als tätiges Wesen kommt er in ein geistiges Verhältnis zur Welt dadurch, daß er sein Leben nicht für sich lebt, sondern sich mit allem Leben, das in seinen Bereich kommt, eins weiß, dessen Schicksale in sich erlebt, ihm, so viel er nur immer kann, Hilfe bringt und solche durch ihn vollbrachte Förderung und Errettung von Leben als das tiefste Glück, dessen er teilhaftig werden kann, empfindet.

Wird der Mensch denkend über das Geheimnisvolle seines Lebens und der Beziehungen, die zwischen ihm und dem die Welt erfüllenden Leben bestehen, so kann er nicht anders, als daraufhin seinem eigenen Leben und allem Leben, das in seinen Bereich tritt, Ehrfurcht vor dem Leben entgegenzubringen und diese in ethischer Welt- und Lebensbejahung zu betätigen. Sein Dasein wird dadurch in jeder Hinsicht schwerer, als wenn er für sich lebte, zugleich aber auch reicher, schöner und glücklicher. Aus Dahinleben wird es jetzt wirkliches Erleben des Lebens.

In unmittelbarer und absolut zwingender Weise führt das Denkendwerden über Leben und Welt zur Ehrfurcht vor dem Leben. Es enthält keine Schlußfolgerungen, die auch in anderer Richtung laufen könnten.

Will der einmal denkend gewordene Mensch in dem Dahinleben verharren, so kann er dies nur dadurch, daß er sich, wenn er es über sich bringt, wieder der Gedankenlosigkeit ergibt und sich in ihr betäubt. Verbleibt er im Denken, so kann er zu keinem anderen Ergebnis als zur Ehrfurcht vor dem Leben gelangen.

Alles Denken, in dem Menschen zum Skeptizismus oder zum Leben ohne ethische Ideale zu gelangen behaupten, ist kein Denken, sondern nur als Denken auftretende Gedankenlosigkeit, die sich als solche dadurch erweist, daß sie nicht mit dem Geheimnisvollen des Lebens und der Welt beschäftigt ist.

*

Die Ehrfurcht vor dem Leben enthält in sich Resignation, Welt- und Lebensbejahung und Ethik, die drei Grundelemente einer Weltanschauung, als untereinander zusammenhängende Ergebnisse des Denkens.

Bisher gab es Weltanschauungen der Resignation, Weltanschauungen der Welt- und Lebensbejahung und Weltanschauungen, die dem Ethischen zu genügen suchten. Keine aber vermochte die drei Elemente miteinander zu vereinigen. Möglich wird dies erst daraufhin, daß alle drei ihrem Wesen nach aus der Allgemeinüberzeugung der Ehrfurcht vor dem Leben begriffen und als miteinander in ihr enthalten erkannt werden. Resignation und Welt- und Lebensbejahung führen kein Eigendasein neben der Ethik, sondern sind ihre unteren Oktaven.

Aus sachlichem Denken entstanden, ist die Ethik der Ehrfurcht vor dem Leben sachlich und bringt den Menschen in sachliche und stetige Auseinandersetzung mit der Wirklichkeit.

Auf den ersten Blick will es scheinen, als ob Ehrfurcht vor dem Leben etwas zu Allgemeines und zu Unlebendiges sei, um den Inhalt einer lebendigen Ethik ausmachen zu können. Das Denken hat sich aber nicht darum zu kümmern, ob seine Ausdrücke lebendig genug lauten, sondern nur darum, ob sie zutreffen und Leben in sich haben. Wer unter den Einfluß der Ethik der Ehrfurcht vor dem Leben gerät, wird durch das, was sie von ihm verlangt, alsbald zu spüren bekommen, welches Feuer in dem unlebendigen Ausdruck glüht. Die Ethik der Ehrfurcht vor dem Leben ist die ins Universelle erweiterte Ethik der Liebe. Sie ist die als denknotwendig erkannte Ethik Jesu.

Beanstandet wird an ihr auch, daß sie dem natürlichen Leben einen zu großen Wert beilege. Darauf kann sie erwidern, daß es der Fehler aller bisherigen Ethik war, nicht das Leben als solches als den geheimnisvollen Wert erkannt zu haben, mit dem sie es zu tun hat. Alles geistige Leben tritt uns in natürlichem entgegen. Die Ehrfurcht vor dem Leben gilt also dem natürlichen und dem geistigen Leben miteinander. Der Mann im Gleichnis Jesu rettet nicht die Seele des verlorenen Schafes, sondern das ganze Schaf. Mit der Stärke der Ehrfurcht vor dem natürlichen Leben wächst die vor dem geistigen.

Besonders befremdlich findet man an der Ethik der Ehrfurcht vor dem Leben, daß sie den Unterschied zwischen höherem und niedererem, wertvollerem und weniger wertvollem Leben nicht geltend mache. Sie hat ihre Gründe, dies zu unterlassen.

Das Unternehmen, allgemeingültige Wertunterschiede zwischen den Lebewesen zu statuieren, läuft darauf hinaus, sie danach zu beurteilen, ob sie uns Menschen nach unserm Empfinden näher oder ferner zu stehen scheinen, was ein ganz subjektiver Maßstab ist. Wer von uns weiß, was das andere Lebewesen an sich und in dem Weltganzen für eine Bedeutung hat?

Im Gefolge dieser Unterscheidung kommt dann die Ansicht auf, daß es wertloses Leben gäbe, dessen Schädigung und Vernichtung nichts auf sich habe. Unter wertlosem

Leben werden dann, je nach den Umständen, Arten von Insekten oder primitive Völker verstanden.

Dem wahrhaft ethischen Menschen ist alles Leben heilig, auch das, das uns vom Menschenstandpunkt aus als tiefer stehend vorkommt. Unterschiede macht er nur von Fall zu Fall und unter dem Zwange der Notwendigkeit, wenn er nämlich in die Lage kommt, entscheiden zu müssen, welches Leben er zur Erhaltung des anderen zu opfern hat. Bei diesem Entscheiden von Fall zu Fall ist er sich bewußt, subjektiv und willkürlich zu verfahren und die Verantwortung für das geopferte Leben zu tragen zu haben.

Ich freue mich über die neuen Schlafkrankheitsmittel, die mir erlauben, Leben zu erhalten, wo ich früher qualvollem Siechtum zusehen mußte. Jedesmal aber, wenn ich unter dem Mikroskop die Erreger der Schlafkrankheit vor mir habe, kann ich doch nicht anders, als mir Gedanken darüber machen, daß ich dieses Leben vernichten muß, um anderes zu erretten.

Ich kaufe Eingeborenen einen jungen Fischadler ab, den sie auf einer Sandbank gefangen haben, um ihn aus ihren grausamen Händen zu erretten. Nun aber habe ich zu entscheiden, ob ich ihn verhungern lasse oder ob ich täglich soundso viele Fischlein töte, um ihn am Leben zu erhalten. Ich entschließe mich für das letztere. Aber jeden Tag empfinde ich es als etwas Schweres, daß auf meine Verantwortung hin dieses Leben dem andern geopfert wird.

Mit der gesamten Kreatur unter dem Gesetz der Selbstentzweiung des Willens zum Leben stehend, kommt der Mensch fort und fort in die Lage, sein eigenes Leben wie auch Leben überhaupt nur auf Kosten von anderem Leben erhalten zu können. Ist er von der Ethik der Ehrfurcht vor dem Leben berührt, so schädigt und vernichtet er Leben nur aus Notwendigkeit, der er nicht entrinnen kann, niemals aus Gedankenlosigkeit. Wo er ein Freier ist, sucht er nach Gelegenheit, die Seligkeit zu kosten, Leben beistehen zu können und Leid und Vernichtung von ihm abzuwenden.

Daß die universelle Ethik der Ehrfurcht vor dem Leben das so vielfach als Sentimentalität hingestellte Mitleid mit dem Tiere als etwas, dem sich kein denkender Mensch entziehen könne, erweist, bereitet mir, der ich von Jugend auf der Tierschutzbewegung zugetan war, eine besondere

Freude. Die bisherige Ethik stand dem Problem Mensch und Tier entweder verständnislos oder ratlos gegenüber. Auch wenn sie das Mitleid mit der Kreatur als richtig empfand, konnte sie es nicht unterbringen, weil sie ja eigentlich nur auf das Verhalten des Menschen zum Menschen eingestellt war.

Wann wird es dahin kommen, daß die öffentliche Meinung keine Volksbelustigungen mehr duldet, die in Mißhandlung von Tieren bestehen!

Die in dem Denken entstehende Ethik ist also nicht „verstandesgemäß", sondern irrational und enthusiastisch. Sie steckt keinen klug abgemessenen Kreis von Pflichten ab, sondern legt dem Menschen die Verantwortung für alles Leben, das in seinem Bereich ist, auf und zwingt ihn, sich ihm helfend hinzugeben.

*

Tiefe Weltanschauung ist Mystik insofern, als sie den Menschen in ein geistiges Verhältnis zum Unendlichen bringt. Die Weltanschauung der Ehrfurcht vor dem Leben ist ethische Mystik. Sie läßt das Einswerden mit dem Unendlichen durch ethische Tat verwirklicht werden. Diese ethische Mystik entsteht in logischem Denken. Wird unser Wille zum Leben über sich und die Welt denkend, so gelangen wir dazu, das Leben der Welt, soweit es in unseren Bereich tritt, in dem unseren zu erleben und unseren Willen zum Leben durch Tat an den unendlichen Willen zum Leben hinzugeben. Mit Notwendigkeit endet rationales Denken, wenn es in die Tiefe geht, in dem Irrationalen der Mystik. Es hat es ja mit dem Leben und der Welt zu tun, die beide irrationale Größen sind.

In der Welt offenbart sich uns der unendliche Wille zum Leben als Schöpferwille, der voll dunkler und schmerzlicher Rätsel für uns ist, in uns als Wille der Liebe, der durch uns die Selbstentzweiung des Willens zum Leben aufheben will.

Die Weltanschauung der Ehrfurcht vor dem Leben hat also religiösen Charakter. Der Mensch, der sich zu ihr bekennt und sie betätigt, ist in elementarer Weise fromm.

*

Durch ihre religiös geartete tätige Ethik der Liebe und durch ihre Innerlichkeit ist die Weltanschauung der Ehrfurcht vor dem Leben der des Christentums wesensverwandt. Damit ist die Möglichkeit gegeben, daß das Christentum und das Denken in ein anderes, für das geistige Leben ersprießlicheres Verhältnis zueinander kommen als bisher.

Schon einmal, in der Zeit des Rationalismus des 18. Jahrhunderts, ging das Christentum eine Verbindung mit dem Denken ein. Es tat dies, weil ihm das Denken damals mit einer enthusiastischen, religiös gearteten Ethik entgegenkam. In Wirklichkeit aber hatte das Denken diese Ethik gar nicht selber hervorgebracht, sondern sie unbewußt vom Christentum übernommen. Als es in der Folge dann sich auf seine eigene beschränken mußte, erwies sich diese als so wenig lebendig und so wenig religiös, daß sie mit der christlichen nicht viel gemein hatte. Daraufhin lösten sich die Bande zwischen dem Christentum und dem Denken. Heute ist es so, daß das Christentum sich ganz auf sich selber zurückgezogen hat und nur noch mit der Geltendmachung seiner Ideen als solcher beschäftigt ist. Es legt keinen Wert mehr darauf, ihre Übereinstimmung mit dem Denken zu erweisen, sondern will sie als etwas außerhalb des Denkens und über ihm Stehendes angesehen haben. Damit verliert es aber den Zusammenhang mit dem geistigen Leben der Zeit und die Möglichkeit, es wirksam zu beeinflussen.

Durch das Auftreten der Weltanschauung der Ehrfurcht vor dem Leben wird es nun aufs neue vor die Frage gestellt, ob es mit dem Denken, das ethischen und religiösen Charakter hat, zusammengehen will oder nicht.

Das Christentum bedarf des Denkens, um zum Bewußtsein seiner selbst zu gelangen. Jahrhundertelang hatte es das Gebot der Liebe und der Barmherzigkeit als überlieferte Wahrheit in sich getragen, ohne sich auf Grund desselben gegen die Sklaverei, die Hexenverbrennung, die Folter und so viele andere antike und mittelalterliche Unmenschlichkeiten aufzulehnen. Erst als es den Einfluß des Denkens des Aufklärungszeitalters erfuhr, kam es dazu, den Kampf um die Menschlichkeit zu unternehmen. Diese Erinnerung sollte es für immer vor jeglicher Überhebung dem Denken gegenüber bewahren.

Man gefällt sich heute darin, stets nur von der „Verflachung", die das Christentum im Zeitalter des Rationalismus erlebt habe, zu reden. Die Gerechtigkeit erforderte es, daß man sich eingestände, in welchem Maße diese Verflachung durch das, was jenes Christentum geleistet hat, wieder ausgeglichen worden ist. Heute ist die Tortur wieder hergestellt. In den meisten Staaten wird von der Justiz stillschweigend geduldet, daß vor und neben dem eigentlichen Rechtsverfahren von Polizei- und Gefängnisbeamten die infamsten Martern angewandt werden, um Angeklagten ein Geständnis zu entreißen. Die damit stündlich gegebene Summe des Elends ist gar nicht vorstellbar. Gegen die Erneuerung der Tortur lehnt sich das heutige Christentum nicht einmal in Worten, geschweige denn in der Tat auf, wie es auch den modernen Aberglauben kaum bekämpft. Und wenn es sich auch entschlösse, dies und anderes, was das Christentum des 18. Jahrhunderts unternahm, wieder zu wagen, so könnte es dies doch nicht ausführen, weil es keine Macht über den Geist der Zeit besitzt.

Darüber, daß es sich seinem geistigen und ethischen Wesen nach so wenig durchzusetzen vermag, täuscht sich das heutige Christentum dadurch hinweg, daß es als Kirche seine äußere Stellung in der Welt von Jahr zu Jahr stärker ausbaut. In einer Art neuer Verweltlichung paßt es sich dem Geiste der Zeit an. Wie die anderen organisierten Größen ist es darauf aus, sich durch immer stärkere und einheitlichere Organisation als geschichtlich und tatsächlich gegebene Größe durchzusetzen. In dem Maße, als es so äußere Macht erlangt, verliert es an geistiger.

Das Christentum kann das Denken nicht ersetzen, sondern muß es voraussetzen.

Von sich aus ist es nicht imstande, der Gedankenlosigkeit und des Skeptizismus Herr zu werden. Empfänglich für das Unvergängliche seiner Gedanken ist nur eine Zeit, in der aus dem Denken kommende elementare Frömmigkeit vorhanden ist.

Wie der Strom vor dem Versickern dadurch bewahrt ist, daß er von einer Grundwasserströmung getragen wird, also bedarf das Christentum der Grundwasserströmung elementarer Denkfrömmigkeit. Zu wirklich geistiger Macht gelangt es nur, wenn den Menschen der Weg vom Denken zur Religion nicht versperrt ist.

Von mir selber weiß ich, daß ich durch Denken religiös und christlich blieb.

Der denkende Mensch steht der überlieferten religiösen Wahrheit freier gegenüber als der nichtdenkende; aber das Tiefe und Unvergängliche, das in ihr enthalten ist, erfaßt er lebendiger als dieser.

Das Wesentliche des Christentums, wie es von Jesus verkündet ist und wie es vom Denken begriffen wird, ist dies, daß wir durch die Liebe allein in Gemeinschaft mit Gott gelangen können. Alle lebendige Erkenntnis Gottes geht darauf zurück, daß wir ihn als Wille der Liebe in unseren Herzen erleben.

Wer erkannt hat, daß die Idee der Liebe der geistige Lichtstrahl ist, der aus der Unendlichkeit zu uns gelangt, der hört auf, von der Religion zu verlangen, daß sie ihm ein vollständiges Wissen von dem Übersinnlichen biete. Wohl bewegt er die großen Fragen in sich, was das Übel in der Welt bedeute, wie in Gott, dem Urgrund des Seins, der Schöpferwille und der Liebeswille eins seien, in welchem Verhältnis das geistige und das materielle Leben zueinander stehen und in welcher Art unser Dasein vergänglich und dennoch unvergänglich sei. Aber er vermag es, sie dahingestellt sein zu lassen, so schmerzlich ihm der Verzicht auf die Lösung ist. In dem Wissen vom geistigen Sein in Gott durch die Liebe besitzt er das eine, was not tut.

„Die Liebe höret nimmer auf, so doch die Erkenntnis aufhören wird", heißt es bei Paulus.

Je tiefer die Frömmigkeit ist, desto anspruchsloser ist sie in Hinsicht auf die Erkenntnis des Übersinnlichen. Sie ist wie der Weg, der zwischen den Höhen hindurch, nicht über sie hinaus führt.

Die Befürchtung, daß das Christentum, das auf die aus dem Denken kommende Frömmigkeit eingeht, dem Pantheismus verfalle, ist gegenstandslos. Pantheistisch ist jedes lebendige Christentum insoweit, als es alles, was ist, als in dem Urgrund alles Seins seiend ansehen muß. Zugleich aber steht jede ethische Frömmigkeit über aller pantheistischen Mystik dadurch, daß sie den Gott der Liebe nicht in der Natur findet, sondern von ihm nur dadurch weiß, daß er sich als Wille der Liebe in uns kundgibt. Der Urgrund des Seins, wie er in der Natur in Erscheinung tritt, ist uns immer etwas Unpersönliches. Zum Urgrund des Seins aber, der als Wille zur Liebe in uns offenbar wird, verhalten wir uns als zu einer ethischen Persönlichkeit. Der Theismus steht nicht in Gegensatz zum Pantheismus, sondern erhebt sich aus ihm als das ethisch Bestimmte aus dem naturhaft Unbestimmten.

Unbegründet ist auch das Bedenken, daß das durch das Denken hindurchgegangene Christentum dem Menschen seine Sündhaftigkeit nicht mehr ernstlich genug zum Bewußtsein bringe. Nicht da, wo am meisten von Sündhaftigkeit geredet wird, wird sie am eindringlichsten gelehrt. In der Bergpredigt kommt nicht viel davon vor. Aber durch die Sehnsucht nach Freiwerden von der Sünde und nach Herzensreinheit, die Jesus in die Seligpreisungen hineingelegt hat, sind diese die große Bußpredigt, die stetig an die Menschen ergeht.

Läßt sich das Christentum durch irgendwelche Traditionen und Erwägungen davon abhalten, sich in ethisch-religiösem Denken begreifen zu wollen, so ist dies ein Unglück für es selber und für die Menschheit.

Was dem Christentum not tut, ist, daß es ganz von dem Geist Jesu erfüllt sei und in diesem sich zur lebendigen Religion der Verinnerlichung und der Liebe vergeistige, die es seiner Bestimmung nach ist. Nur als diese vermag es Sauerteig des geistigen Lebens der Menschheit zu werden. Was seit 19 Jahrhunderten als Christentum in der Welt auftritt, ist erst ein Anfang vom Christentum, voller Schwachheiten und Irrungen, nicht volles Christentum aus dem Geiste Jesu.

Weil ich dem Christentum in tiefer Liebe ergeben bin, suche ich ihm in Treue und Wahrhaftigkeit zu dienen. In keiner Weise unternehme ich es, mit dem krummen und brüchigen Denken christlicher Apologetik für es einzutreten, sondern halte es dazu an, sich im Geiste der Wahrhaftigkeit mit seiner Vergangenheit und dem Denken auseinanderzusetzen, daß es sich dadurch seines wahren Wesens bewußt werde.

Daß das Aufkommen des elementaren, zur ethisch-religiösen Idee der Ehrfurcht vor dem Leben gelangenden

Denkens dazu beitrage, das Christentum und das Denken einander näherzubringen, ist meine Hoffnung.

*

Auf die Frage, ob ich pessimistisch oder optimistisch sei, antworte ich, daß mein Erkennen pessimistisch und mein Wollen und Hoffen optimistisch ist.

Pessimistisch bin ich darin, daß ich das nach unseren Begriffen Sinnlose des Weltgeschehens in seiner ganzen Schwere erlebe. Nur in ganz seltenen Augenblicken bin ich meines Daseins wirklich froh geworden. Ich konnte nicht anders als alles Weh, das ich um mich herum sah, dauernd miterleben, nicht nur das der Menschen, sondern auch das der Kreatur. Mich diesem Mit-Leiden zu entziehen, habe ich nie versucht. Es erschien mir selbstverständlich, daß wir alle an der Last von Weh, die auf der Welt liegt, mittragen müssen. Schon während meiner Gymnasialzeit war mir klar, daß mich keine Erklärung des Übels in der Welt jemals befriedigen könne, sondern daß sie alle auf Sophistereien hinausliefen und im Grunde nichts anderes bezweckten, als es den Menschen zu ermöglichen, das Elend um sie herum weniger lebhaft mitzuerleben. Daß ein Denker wie Leibniz die armselige Auskunft vorbringen konnte, diese Welt sei zwar nicht gut, aber unter den möglichen die beste, ist mir immer unverständlich geblieben.

So sehr mich das Problem des Elends in der Welt beschäftigte, so verlor ich mich doch nie in Grübeln darüber, sondern hielt mich an den Gedanken, daß es jedem von uns verliehen sei, etwas von diesem Elend zum Aufhören zu bringen. So fand ich mich nach und nach darein, daß das einzige, was wir an jenem Problem verstehen könnten, dies sei, daß wir unsern Weg als solche, die Erlösung bringen wollen, zu gehen hätten.

Auch in der Beurteilung der Lage, in der sich die Menschheit zur Zeit befindet, bin ich pessimistisch. Ich vermag mir nicht einzureden, daß es weniger schlimm mit ihr steht, als es den Anschein hat, sondern bin mir bewußt, daß wir uns auf einem Wege befinden, der uns, wenn wir ihn weiter begehen, in eine neue Art von Mittelalter hineinführen wird. Das geistige und materielle Elend, dem sich unsere Menschheit durch den Verzicht auf das Denken und die aus dem

Denken kommenden Ideale ausliefert, stelle ich mir in seiner ganzen Größe vor. Dennoch bleibe ich optimistisch. Als unverlierbaren Kinderglauben habe ich mir den an die Wahrheit bewahrt. Ich bin der Zuversicht, daß der aus der Wahrheit kommende Geist stärker ist als die Macht der Verhältnisse. Meiner Ansicht nach gibt es kein anderes Schicksal der Menschheit als dasjenige, das sie sich durch ihre Gesinnung selber bereitet. Darum glaube ich nicht, daß sie den Weg des Niedergangs bis zum Ende gehen muß.

Finden sich Menschen, die sich gegen den Geist der Gedankenlosigkeit auflehnen und als Persönlichkeiten lauter und tief genug sind, daß die Ideale ethischen Fortschritts als Kraft von ihnen ausgehen können, so hebt ein Wirken des Geistes an, das vermögend ist, eine neue Gesinnung in der Menschheit hervorzubringen.

Weil ich auf die Kraft der Wahrheit und des Geistes vertraue, glaube ich an die Zukunft der Menschheit. Ethische Welt- und Lebensbejahung enthält optimistisches Wollen und Hoffen unverlierbar in sich. Darum fürchtet sie sich nicht davor, die trübe Wirklichkeit so zu sehen, wie sie ist.

*

In meinem eigenen Dasein sind mir Sorge, Not und Traurigkeit zuzeiten so reichlich beschieden gewesen, daß ich mit weniger starken Nerven darunter zusammengebrochen wäre. Schwer trage ich an der Last von Müdigkeit und Verantwortung, die seit Jahren ständig auf mir liegt. Von meinem Leben habe ich nicht viel für mich selber, nicht einmal die Stunden, die ich Frau und Kind widmen möchte.

Als Gutes ist mir zuteil geworden, daß ich im Dienste der Barmherzigkeit stehen darf, daß mein Wirken Erfolg hat, daß ich viel Liebe und Güte von Menschen erfahre, daß ich treue Helfer habe, die mein Tun zu dem ihren machen, daß ich über eine Gesundheit verfüge, die mir angestrengtestes Arbeiten erlaubt, daß ich eine sich stets im Gleichgewicht haltende Gemütsart und eine mit Ruhe und Überlegung sich betätigende Energie besitze und daß ich alles, was mir an Glück widerfährt, auch als solches erkenne und als etwas hinnehme, für das ich Dankbarkeitsopfer darzubringen habe.

Tief bewegt mich, daß ich als ein Freier in einer Zeit, in der drückende Unfreiheit das Los so vieler ist, wirken darf, wie auch daß ich, in materieller Arbeit stehend, zugleich die Möglichkeit habe, mich auf dem Gebiete des Geistigen zu betätigen.

Daß die Verhältnisse meines Lebens in so mannigfacher Weise günstige Vorbedingungen für mein Schaffen abgeben, nehme ich als etwas hin, dessen ich mich würdig erweisen möchte.

Wieviel werde ich von der Arbeit, die ich mir vorgenommen habe, noch fertigbringen?

Mein Haar beginnt zu ergrauen. Mein Körper fängt an, die Strapazen, die ich ihm zumutete, und die Jahre zu spüren.

Dankbar blicke ich auf die Zeit zurück, in der ich, ohne mit meinen Kräften haushalten zu brauchen, rastlos körperliche und geistige Arbeit leisten durfte. Gefaßt und demütig schaue ich auf die aus, die kommt, damit mich Verzichten, wenn es mir beschieden sein soll, nicht unvorbereitet treffe. Als Wirkende und als Leidende haben wir ja die Kräfte von Menschen zu bewähren, die zum Frieden hindurchgedrungen sind, der höher ist als alle Vernunft.

Lambarene, am 7. März 1931.